Boettger, Hug

Jahrbuch der deutschen Burschenschaft 1904

2. Jahrgang

Boettger, Hugo

Jahrbuch der deutschen Burschenschaft 1904

2. Jahrgang

Inktank publishing, 2018

www.inktank-publishing.com

ISBN/EAN: 9783750117631

Jahrbuch

der

Deutſchen Burſchenſchaft

1904

Zweiter Jahrgang

Herausgegeben

von

Dr. Hugo Böttger

(Arminia a. d. H. Jena)

Berlin

Carl Heymanns Verlag

1904

Vorwort.

*

Das Jahrbuch der Deutschen Burschenschaft geht zum zweiten Male in die Welt. Was seine besondere Stellung auf dem deutschen Büchermarkte rechtfertigt, das ist im neuen Jahrgange noch verstärkt und verbessert worden. Unser Jahrbuch soll den Burschenschaftern und den Außenstehenden die geschichtliche Entwicklung unserer nahezu hundertjährigen Korporation zeigen, die mit ihrer nationalen Schöpfungs- und Bildungskraft an erster Stelle unter den studentischen Verbänden steht. Es soll die jüngeren Mitglieder unter uns in die Geschichte und Tradition der einzelnen Burschenschaften einführen, Alt und Jung soll sich schnell orientieren, wie und wo man zusammenkommen kann, wo man die Jungen und Alten auf den Hochschulen und in allen Orten, wo Burschenschafter wohnen, findet. Dieses Thatsachen- und Adressenmaterial ist in beständigem Fluß und bedarf in jedem Jahr der sorgfältigsten Kontrolle und Ergänzung. Und das gewährt der neue Jahrgang. Ueberall sind Verbesserungen und Neubearbeitungen nöthig gewesen und nach sorgfältiger Vorarbeit vorgenommen worden. Völlig neubearbeitet und zwar auf Grund authentischen Materials ist das Verzeichniß der technischen und ostmärkischen Burschenschaften. In allen diesen Theilen erweist sich das Jahrbuch als unentbehrliches Nachschlagebuch für burschenschaftliche Kreise, für alte Herren und Aktive.

Es hat dies Material sinngemäße Ergänzung durch ein Verzeichniß der Ehrenräthe alter Burschenschafter gefunden. Diese Ehrenräthe sind als eine neue Einrichtung in vielen Orten ins Leben gerufen, um alten und jungen Burschenschaftern mit Rath und That zur Seite zu stehen. Sie haben die ihnen zugedachten Aufgaben zur Zufriedenheit gelöst, es liegt also ohne Frage ein Bedürfniß vor, bei

5

einem Ehrenhandel, wo man des Ehrenrathes bedarf, so schnell wie
möglich, den Anschluß an einen solchen Burschenschafter-Ehrenrath zu
gewinnen. Wie das möglich ist, darüber giebt unser Jahrbuch Aufschluß. Der übrige Text im Jahrbuch und der Bildschmuck sind
wiederum ganz neu gestaltet worden. Als Monatsbilder im Kalendarium, das rein nationalen und burschenschaftlichen Charakter hat,
bringen wir in diesem Jahre die Häuser unserer Burschenschaften.
Diese Sammlung, die im Texte des Kalenders fortgesetzt werden
mußte, weil mehr Burschenschaftshäuser als Monate vorhanden sind,
wird, wie wir annehmen, ebenso großes Interesse in studentischen
Kreisen wie in den Kreisen der Kulturhistoriker finden. Das eigene
Heim ist nun einmal ein integrierender Bestandtheil des äußeren Be-
sitzes unserer Korporation geworden. Dieses eigene Heim in seinen
verschiedenen Typen und Baustilen im Bild festzuhalten, erschien uns
als eine reizvolle Aufgabe. Alemannia-Göttingen fehlt übrigens in
dieser Sammlung, weil wir die Abbildung des Hauses dieser Burschenschaft bereits im vorigen Jahrbuche (S. 88) gebracht haben.

Den Buchschmuck haben wir durch künstlerische Zeichnungen zu
den Gedichten, sowie durch besondere Zierleisten von Künstlerhand zu
erhöhen gesucht. Die Politik und das Anekdotische ist diesmal fort-
gelassen worden, um den geschlossenen Charakter unseres Jahrbuches,
das eine einheitliche und würdige Repräsentation unseres Lebens und
Strebens darstellen soll, voll zur Geltung zu bringen. Wir hoffen,
daß die Freunde dieser Abtheilungen im vorigen Jahrbuche durch
die übrigen Abhandlungen, die sämmtlich Burschenschafter zu Ver-
fassern haben und Gegenstände des allgemein studentischen Interesses
behandeln, entschädigt werden. Auch diesmal werden wir nicht allen
Wünschen gerecht geworden sein. Wo es uns aber gelungen ist, für
Verbesserungen Raum zu schaffen, da glauben wir zugleich den Beweis
erbracht zu haben, daß jede Mitarbeit, auch die rein kritische, dankbar
aufgenommen worden ist. So wird sich denn unser Jahrbuch, das
dürfen wir nach seinem Werdegange und nach seiner bisherigen Aufnahme schließen, weiter einbürgern und dem burschenschaftlichen Gedanken in der deutschen Welt auch diesmal und in Zukunft von Nutzen
sein. Darum heute wie immerdar: Heil, Deutsche Burschenschaft!

Der Herausgeber.

Inhalt.

*

Text.

	Seite
Vorwort	III
Kalendarium mit den Bildern der Burschenschaftshäuser Alemannia-Marburg, Arminia a. d. B.-Jena, Germania-Gießen, Alemannia a. d. Pflug-Halle, Franconia-Bonn, Franconia-Heidelberg, Germania-Marburg, Germania-Erlangen, Teutonia-Kiel, Germania-Halle, Alemannia-Gießen, Germania-Tübingen	VII
Dokumente und Thatsachen der Burschenschaft. Von Dr. Hugo Böttger (Arminia a. d. B.-Jena)	1
Akademische und burschenschaftliche Chronik des Jahres 1903	79
Studentenstreiche. Von Dr. M. Wittich (Teutonia-Jena)	92
Etwas von Freudigkeit. Von Prof. Dr. Ed. Heyck (Franconia-Heidelberg)	102
Studentenpoesie. Studie von Dr. Erich Wienbeck (Alemannia-Berlin)	114
Zur Geschichte des Zweikampfs. Von Dr. E. Haasler (Arm. a. d. B.)	124
Vom Stipendienwesen. Von Dr. Heinz Potthoff (Rhenania). M. d. R.	142
Der akademische Hofmeister vor zweihundert Jahren. Von Dr. G. H. Schneider (Germania-Jena)	155
Eine Stammtischgeschichte. Nacherzählt von A. B. B. (Alemannia-Gießen, Franconia-Freiburg)	164
„Tria Pulcherrima Dona Studiosi Seduli". Von Fritz Ullmer (Franconia-Heidelberg) Referendar	168
Aus unserer Dichtermappe:	
Deutsche Zukunft. Von A. Sturm (Arminia a. d. B.)	172
Frei ist der Bursch. Von Ullmer (Franconia-Heidelberg)	172
Über der Musenstadt. Von Rink (Germania-Jena)	173
Fahrender Schüler. Von Walther Götze (Obotritia-Rostock)	177
Des Fuchsen Geistesgegenwart. (Aus der Kneipzeitung der Franconia-Heidelberg)	179
Das hundertundzwölfte Semester. Von Rademacher (Germania-Halle)	180
Immer Student. Von A. Sturm (Arminia a. d. B.)	183
Geschichte der einzelnen Burschenschaften	184
Burschenschaften auf den technischen Hochschulen	224
Burschenschaften der Ostmark	228
Ortsgruppen des Verbandes alter Burschenschafter	239
Burschenschafter-Ehrenräte	255

7

Bilder.

Kalendarium. Zwölf Burschenschaftshäuser.
Zierleisten von Felix Schulze.

Seite

Mommsen 78
Justizminister von Schönstedt 79
Friedrich von Esmarch 80
Geh. Rat Schwaniß 80
Robert von Keudel 81
Gemeinde Gabelbach bei Ilmenau 81
Staatsminister Rott 82
Einweihung der Bismarcksäule in Friedrichsruh 84
Festzug der Burschenschaft Frauconia-Münster 85
Jahnmuseum in Freiburg a. U. 86
Rudolf von Gottschall 87
Lager der Heidelberger Studenten bei Neuenheim 1804 97
Schänzchen in Bonn, früheres Alemannenhaus 104
Goethedenkmal in Leipzig 106
Heynat in Jena, Germanenhaus 108
Teutonenhaus in Jena 111
Waldkneipe in Ziegenhain 114
Wandschmuck im Bubenreutherhause in Erlangen. Drei Bilder . 116, 118, 121
Zur Geschichte des Zweikampfs. Drei Bilder 127, 131, 135
Haus der Teutonia-Freiburg 136
Haus der Alemannia-Freiburg 141
Haus der Salingia-Halle 145
Haus der Dresdensia-Leipzig 148
Simrockdenkmal in Bonn 152
Wartburg 1815 157
Dornburg bei Jena 1815 159
Festkneipe der Arminia-München. Hofbräuhaus 165
Nach einem alten Heidelberger Kupferstich 169
Zeichnungen zu den Gedichten „Über der Musenstadt", „Fahrender Schüler"
und „Das hundertundzwölfte Semester" von M. Stüler-Walde 175, 178, 181

Kalendarium.

Neujahr.

F	1	1834. Preuß.-deutscher Zollverein begründet.
S	2	1777. Christian Rauch geb.
S	3	1890. Karl von Hase (alt. Bursch) gest.
M	4	1849. Gabelsberger gest.
D	5	1901. Großherzog Karl Alex. von Sachsen-Weimar gest.
M	6	1870. Schlacht bei Bendôme.
D	7	1834. Preuß. Verbot aller studentischen Verbindungen.
F	8	1887. Gründung der B. Rhenania-München.
S	9	1860. Bromme, Admiral der ersten deutschen Flotte gest.
S	10	1778. Linné gest.
M	11	1721. Herzog Ferdinand von Braunschweig geb.
D	12	1746. Pestalozzi geb.
M	13	1781. Erste Aufführung von Schillers „Räuber".
D	14	1879. Reis, Erfinder des Telephons, gest.
F	15	1871. Schlacht a. d. Lisaine.
S	16	1756. Anfang des siebenjähr. Krieges.
S	17	1706. Franklin geb.
M	18	1871. Kaiserproklamierung in Versailles. 1885. Gründung der B. Saxo-Silesia-Freiburg.
D	19	1874. Hoffmann von Fallersleben (alt. Bursch.) gest.
M	20	1870. Gründung d. G.(Eisenacher Konvention.
D	21	1862. Gründung der B. Alemannia-Gießen. 1849. Gründung der B. Obotritia-Rostock.
F	22	1831. Christian zu Schleswig-Holstein geb.
S	23	1823. Reskript d. baier. Reg. geg. d. Erlanger Burschensch. 1867. Schleswig mit Preußen vereinigt.
S	24	1402. Gründung der B. Germania-Greifswald.
M	25	1891. Gründung der B. Franconia-Berlin.
D	26	1788. Hans Joachim von Zieten gest.
M	27	**1859. Kaiser Wilhelm II. geb.**
D	28	1861. Gründung der B. Germania-Halle.
F	29	1860. Ernst Moritz Arndt gest.
S	30	1781. Chamisso geb.
S	31	1866. Friedrich Rückert gest.

Alemannia-Marburg.

Februar.

ℳ	1	18.–4. Blücher schlägt Napoleon bei La Rothière. 1827. Ludwig Eichrodt (alt. Bursch.) geb.
D	2	1848. Aufhebung der Karlsbader Beschlüsse.
ℳ	3	1868. Karl Mathy (alt. Bursch) gest.
D	4	1695. Derfflinger gest.
F	5	1817. Neue Burschenschaft in Erlangen.
S	6	1888. Bismarcks große Rede im Reichstag.
S	7	1807. Schlacht bei Eylau.
ℳ	8	1819. Wilhelm Jordan geb.
D	9	1834. Felix Dahn (alt. Bursch.) geb.
ℳ	10	1901. Pettenkofer gest.
D	11	1818. Otto Ludwig geb. 1821. Hermann Allmers geb.
F	12	1880. Karl von Holtei (alt. Bursch.) gest.
S	13	1883. Richard Wagner gest.
S	14	1900. Minister Herrfurth (alt. Bursch.)
ℳ	15	1781. Lessing gest.
D	16	**Fastnacht** 1826. Victor Scheffel (alt. Bursch.) geb.
ℳ	17	1600. Giordano Bruno verbrannt.
D	18	1546. Luther gest. 1843. Gründung der Friedericia-Bonn.
F	19	1848. Gründung der B. Arminia-München.
S	20	1876. Gründung der B. Cheruscia-Breslau.
S	21	1829. Miquel (alt. Bursch.) geb.
ℳ	22	1788. Schopenhauer geb.
D	23	1879. Kriegsminister Graf Roon gest.
ℳ	24	1829. Friedr. Spielhagen (alt. Bursch.) geb.
D	25	1865. Otto Ludwig gest.
F	26	1871. Unterzeichnung der Friedenspräliminarien.
S	27	1885. Deutsch-Ostafrika unter deutschen Schutz gestellt.
S	28	1845. Gründung der B. Teutonia-Jena. 1910. Georg Meyer (alt. Bursch.) gest.
ℳ	29	1868. Ludwig I., König von Bayern, gest.

Arminia a. b. B.-Jena.

März.

D	1	1901. Prof. Erdmannsdörffer (alt. Burſch.) geſt. 1878. Gründung der B. Cimbria-Würzburg.	D	17	1818. Auszug der Göttinger Studentenschaft. 1807. Karl Mathy (alt. Burſch.) geb.
M	2	1874. Gründung der B. Alemannia-Marburg.	F	18	1848. Revolution in Berlin. 1890. Bismarcks Entlassung.
D	3	1871. Feierliche Friedens-verkündigung in Berlin.	S	19	1871. Napoleon III. geht nach England.
F	4	1824. Demagogenverurteilung in Preußen.	S	20	1686. Daniel von Pufer (alt. Burſch.) geſt. 1890. Bismarcks Rücktritt von seinen Ämtern.
S	5	1901. Prof. Biedermann (alt. Burſch.) geſt.	M	21	1848. Proklamation Friedrich Wilhelms IV. „An die deutsche Nation".
S	6	1818. Gründung der B. Danubia-München.	D	22	1832. Goethe geſt. **1797. Kaiser Wilhelm I. geb.**
M	7	1715. Ewald von Kleist geb.	M	23	1819. Kotzebue von Sand in Mannheim ermordet.
D	8	1848. Einführung der Preßfreiheit in Sachsen-Weimar.	D	24	1848. Schleswig Holsteinscher Aufstand. 1830. Hamerling geb.
M	9	**1888. Kaiser Wilhelm I. gest.**	F	25	1801. Novalis geſt.
D	10	1788. Eichendorff geb.	S	26	1827. Beethoven geſt.
F	11	1831. Ernst Wichert (alt. Burſch.) geb.	S	27	1845. Röntgen geb.
S	12	1888. Proklamation Kaiser Friedrichs III.	M	28	1840. Emin Pascha (alt. Burſch.) geb.
S	13	1833. Fritz Reuter (alt. Burſch.) polizeilich aus Jena verwiesen.	D	29	1531. Schmalkaldisches Bündnis.
M	14	1883. Karl Marx gest.	M	30	1559. Adam Riese geſt.
D	15	1825. Jahn freigesprochen.	D	31	**Gründonnerstag** 1816. Die Frauen und Jungfrauen Jenas schenken der Burschenschaft eine Fahne
M	16	1899. Beiſetzung Bismarcks in Friedrichsruh. 1814. Frieſen geſt.			

Germania-Gießen.

April.

F	1	**Charfreitag.** 1815. Bismarck geb.	S	17	1521. Luther vor dem Reichstage in Worms.
S	2	1798. Hoffmann von Fallersleben (alt. Bursch.) geb.	M	18	1864. Sturm auf die Düppeler Schanzen.
S	3	**Ostersonntag.** 1833. Frankfurter Attentat.	D	19	1885. Nachtigall gest.
M	4	**Ostermontag.** 1879. Prof. Tode (alt. Bursch.) gest.	M	20	1824. Behördliche Auflösung der Erlanger Burschenschaft.
D	5	1849. Schlacht bei Eckernförde.	D	21	1834. Bismarck empfängt die alten Burschenschafter.
M	6	1884. Geibel gest.	F	22	1724. Kant geb. 1819. Bodenstedt geb.
D	7	1875. Herwegh (alt. Bursch.) gest.	S	23	1828. König Albert von Sachsen geb.
F	8	1897. Stephan gest.	S	24	1891. Generalfeldmarschall Moltke gest. 1819. Klaus Groth geb.
S	9	1886. Viktor Scheffel (alt. Bursch.) gest.	M	25	1599. Oliver Cromwell geb.
S	10	1780. Luden geb.	D	26	1787. Ludwig Uhland geb.
M	11	1825. Lassalle geb.	M	27	1868. Eröffnung des Zollparlaments.
D	12	1848. Schleswig in den deutschen Bund aufgenommen.	D	28	1896. Heinrich von Treitschke (alt. Bursch.) gest.
M	13	1849. Vertreibung der Dänen bei Düppel.	F	29	1883. Schulze-Delitzsch gest.
D	14	1894. Graf Schack gest.	S	30	1803. Kriegsminister Graf Roon geb. 1895. Gustav Freytag gest.
F	15	1880. Gründung der D. Alemannia-Göttingen. 1895. Fürst Bismarck empfängt d. österreichischen Studenten.			
S	16	1871. Verfassung des Deutschen Reiches.			

S	1	1848. Rücktritt der Göttinger Studenten von Northeim. 1872. Eröffnung der Straßburger Universität.	D	17	1749. Ed. Jenner geb.
M	2	1899. Eduard von Simson gest.	M	18	1848. Eröffnung der Nationalversammlung in der Paulskirche.
D	3	1823. Jahn aus Berlin verbannt.	D	19	1762. Fichte geb.
M	4	**1521. Luthers Einzug in die Wartburg.**	F	20	1764. Schadow geb. 1820. Hinrichtung Sands.
D	5	1816. Karl August von Sachsen-Weimar gibt seinem Großherzogtum eine landständische Verfassung.	S	21	1471. Albrecht Dürer geb.
F	6	1900. Großjährigkeit des deutschen Kronprinzen.	S	22	**Pfingstsonntag.** 1902. Einw. d. Burschenschaftsdenkmals bei Eisenach.
S	7	1889. Wissmann nimmt Kliwa.	M	23	**Pfingstmontag.** 1859. Gründung der B. Germannia-Leipzig.
S	8	1837. Prinz Albrecht, Regent von Braunschweig, geb.	D	24	Ofter.
M	9	1833. Gründung der B. Bubenruthia-Erlangen. 1805. Schiller gest.	M	25	1277. Grundsteinlegung zum Straßburger Münster.
D	10	1871. Friedensunterzeichnung in Frankfurt a. M.	D	26	1818. Preußisches Zollgesetz mit Aufhebung der Binnenzölle.
M	11	1760. Peter Oebel geb.	F	27	1832. Hambacher Fest.
D	12	**Himmelfahrt.** 1878. Gründung der B. Dresdensia-Leipzig.	S	28	1860. Köhler gest.
F	13	1848. Gründung der B. Hannovera-Göttingen.	S	29	1871. Beerdigung des Kommunarenstandes in Paris.
S	14	1752. Albrecht Thaer geb.	M	30	1793. Daniel von Binzer geb.
S	15	1773. Metternich geb. 1860. Gründung der B. Arminia-Berlin.	D	31	1883. Gründung der B. Allemannia-Berlin.
M	16	1788. Friedrich Rückert geb.			

Franconia-Bonn.

✤✤✤ Juni. ✤✤✤

M	1	1693. Heidelberg von den Franzosen zerstört.
D	2	1872. Gründung der B. Primislavia Berlin. 1899. Klaus Groth gest.
F	3	1844. von Liliencron geb.
S	4	1820. Wiederkonstitution der Jenaischen Burschenschaft.
S	5	1851. Gründg. d.B. Teutonia-Freiburg; 1872. Saravia-Berlin; 1877 Hevellia Berlin.
M	6	1823. Wilhelm Riehl geb.
D	7	1830. Auflösung der Bonner „Allgemeinheit".
M	8	1815. Wiener Kongreß. **1848. Zweites Wartburgfest.**
D	9	1871. Elsaß-Lothringen mit dem Deutschen Reich vereinigt.
F	10	1190. Friedrich Barbarossa gest.
S	11	1859. Metternich gest.
S	12	1815. Gründung der Burschenschaft in Jena. — Gründg.d.B.Arminia-Jena. 1884. Franconia-Erlangen.
M	13	1886. Ludwig von Bayern gest.
D	14	**1828. Karl August v.Sachsen-Weimar gest.**
M	15	1883. Krankenkassengeses. 1888. Kaiser Friedrich gest.
D	16	1860. Gründung der B. Arminia-Marburg.
F	17	1810. Ferd. Freiligrath geb.
S	18	1815. Schlacht bei Belle-Alliance. 1860. Gründung der B. Arminia-Leipzig.
S	19	1884. Droysen gest.
M	20	1843. Gründg.d.B. Alemannia a.d. Pst.-Halle; 1860. Alemannia-Freiburg; 1879. Alemannia-Königsberg.
D	21	1866. Kriegserklärung Preußens an Oesterreich.
M	22	1889. Invaliden- und Alters-Versicherungsgeseß.
D	23	1828. Bildhauer Schilling geb.
F	24	**1818. Karl Alexander v.Sachsen-Weimar geb.**
S	25	1530. Uebergabe der Augsburger Konvention an Karl V.
S	26	1866. Schlacht bei Langensalza.
M	27	1866. Schlacht bei Trautenau.
D	28	1864. Uebergang nach der Insel Alsen. 1813. Scharnhorst gest.
M	29	1831. Freiherr von Stein gest. 1864. Alsen erobert.
D	30	1877. Gründung der B. Franconia-Freiburg. 1840. Gründung der B Germania-Straßburg.

Franconia-Heidelberg.

❧❧❧ Juli. ❧❧❧

F	1	1694. Gründung der Universität Halle.	S	17	1870. Mobilmachung der Truppen in Württemberg.
S	2	1816. Gründung der B. Brunsonia-Göttingen.	M	18	**1797. J. H. Fichte geb.** 1814. Gründung der B. Alemannia-Bonn.
S	3	1866. Schlacht bei Königgrätz.	D	19	1812. Gottfried Keller geb. 1870. Kriegserklärung an Frankreich.
M	4	1776. Unabhängigkeitserklärung der Vereinigten Staaten.	M	20	**1881. Gründung des Allgemeinen Deputierten-Convents.**
D	5	1832. Bundesbeschluß gegen die Presse. 1884. Togo unter deutschen Schutz gestellt.	D	21	1870. Der Reichstag bewilligt die für den Krieg geforderten 120 Millionen Taler.
M	6	1884. Unfallversicherungsgesetz. 1908. Tronßen geb.	F	22	1895. Rudolf von Gneist (alt. Bursch.) gest.
D	7	1900. Kultusminister Falk gest.	S	23	1532. Religionsfriede zu Nürnberg.
F	8	1803. Jul. Mosen (alt. Bursch.) geb.	S	24	1849. Schlacht bei Idstedt.
S	9	1873. Münzgesetz für das Deutsche Reich.	M	25	1900. Ehrenpfennig (alt. Bursch.) gest.
S	10	1824. Rudolf von Bennigsen geb.	D	26	1862. Gründung der B. Germania-Berlin.
M	11	1859. Friede von Villafranca.	M	27	1527. Universität Marburg gegründet.
D	12	1874. Fritz Reuter (alt. Bursch.) gest.	D	28	1830. Julirevolution in Paris.
M	13	1816. Gustav Freytag geb. 1870. Emser Depesche. 1832. Trennung der Jenenser Burschenschaft.	F	29	1831. Freiherr von Stein geb.
D	14	1819. Jahn verhaftet. 1884. Kamerun unter deutschen Schutz gestellt.	S	30	**1898. Fürst Otto von Bismarck gest.**
F	15	1890. Gottfried Keller gest. 1830. Auszug der Jenenser Studenten nach Blankenhain.	S	31	**1892. Bismarcks Rede auf dem Marktplatz in Jena.**
S	16	1870. Mobilmachung des deutschen Heeres.			

August.

M	1	1779. Oken geb. 1806. Stiftung des Rheinbundes.	M	17	1786. Friedrich der Große gest.
D	2	1815. Graf von Schack geb.	D	18	1850. Progressistischer Burschentag in Eisenach. 1870. Schlacht bei Gravelotte.
M	3	1851. Gründung der B. Germania-Gießen. 1874. Maßmann gest.	F	19	1870. Schlacht bei Metz.
D	4	1870. Schlacht bei Weißenburg.	S	20	1884. Gründung der B. Cimbria-München.
F	5	**1883. Enthüllung des Burschenschafts-denkmals in Jena.**	S	21	1838. Chamisso gest.
S	6	1749. Lißt geb. 1870. Schlacht bei Wörth.	M	22	1893. Ernst II., Herzog von Sachsen-Coburg-Gotha, gest.
S	7	1884. Teutsch-Südwestafrika unter deutschen Schutz gestellt.	D	23	1773. Fries geb. 1866. Prager Friede zwischen Preußen und Oesterreich.
M	8	1870. Beginn der Belagerung Straßburgs.	M	24	1837. Adolf Wilbrandt geb.
D	9	1759. Guts Muth geb.	D	25	1800. Karl von Hase (alt. Bursch.) geb. 1900. Nietzsche gest.
M	10	1827. Kultusminister Falk geb. 1843. Fries gest. 1801. Deputation der Stud. b. Bismarck i. Kissingen.	F	26	1813. Theodor Körner fällt bei Gadebusch. 1848. Waffenstillstand von Malmö.
D	11	1778. Turnvater Jahn geb. 1851. Oken gest. 1811. Rinkel geb.	S	27	1770. Hegel geb.
F	12	1759. Schlacht bei Kunersdorf.	S	28	1749. Wolfgang Goethe geb.
S	13	1816. Rudolf von Gneist (alt. Bursch.) geb.	M	29	1870. Mac Mahon über die Maas gedrängt.
S	14	1859. Teutscher Nationalverein in Eisenach gegründet. 1880. Vollendung des Kölner Doms.	D	30	1870. Schlacht bei Beaumont.
M	15	1740. Mathias Claudius geb. 1797. Maßmann geb.	M	31	1821. Helmholtz geb. 1864. Lassalle gest.
D	16	1870. Schlacht bei Mars-la-Tour.			

Germania-Erlangen.

September.

D	1	1870. Schlacht bei Sedan.
F	2	1870. Napoleons Gefangennahme bei Sedan.
S	3	1757. Karl August v. Sachsen-Weimar geb.
S	4	1819. Adolf Pichler geb. 1853. Lißmann geb.
M	5	1836. Ferdinand Raimund gest.
D	6	1813. Schlacht bei Dennewitz
M	7	1901. Miquel (alt. Bursch) gest.
D	8	1843. Gründung der B. Germania-Königsberg.
F	9	1826. Großherzog Friedrich von Baden geb.
S	10	1804. Brommy, Admiral der ersten deutschen Flotte geb.
S	11	1697. Prinz Eugen schlägt die Türken bei Zenta
M	12	1801. Pyrker geb. 1819. Blücher gest.
D	13	1886. Die Marschallinseln unter deutschen Schutz gestellt.
M	14	1827. Bamberger Burschentag. 1817. Theodor Storm geb
D	15	1834. Heinrich von Treitschke (alt. Bursch) geb.
F	16	1809. Schills Offiziere in Wesel erschossen. 1859. Nationalverein gegründet.
S	17	1871. Eröffnung des Mont Cenis Tunnels.
S	18	1786. Justinus Kerner geb.
M	19	1819. Erlass der Karlsbader Beschlüsse.
D	20	1898. Theodor Fontane gest.
M	21	1860. Schopenhauer gest.
D	22	1870. Ausfall der Metzer Garnison zurückgeschlagen.
F	23	1791. Körner geb.
S	24	1873. Burschentag in Bensheim. 1862. Bismarck wird preußischer Ministerpräsident.
S	25	1813. Prof. Karl Biedermann (alt. Bursch) geb.
M	26	1759. General York geb.
D	27	1870. Kapitulation von Straßburg. 1785. Friesen geb.
M	28	1883. Einweihung des Niederwald-Denkmals
D	29	1820. Burschentag in Dresden.
F	30	1745. Friedrich der Große siegt bei Soor.

Teutonia-Klrt.

Oktober.

S	1	1827. Dichter Wilhelm Müller gest.
S	2	1870. Sieg der Division Kummer bei Metz.
M	3	1735. Lothringen an Frankreich verloren.
D	4	1839. York von Wartenburg gest.
M	5	1795. Sand geb. 1884. Gründung der B. Cimbria-Berlin.
D	6	1829. Stephensons erste Lokomotive im Tätigkeit.
F	7	1794. Dichter Wilhelm Müller geb.
S	8	1820. Dresdener Burschentag. 1862. Bismarck wird Ministerpräsident.
S	9	1870. Orleans erstürmt.
M	10	1890. Einrichtung des Kolonialrats. 1847. Julius Rosen (alt. Bursch.) geb.
D	11	1825. Konrad Ferdinand Meyer geb.
M	12	1892. Lothar Bucher gest.
D	13	1821. Rud. Virchow geb.
F	14	1491. Minister Jolly gest.
S	15	1805. Kaulbach geb. 1844. Nietzsche geb.
S	16	1813. Schlacht bei Möckern.
M	17	1815. Emanuel Geibel geb.
D	18	1813. Schlacht bei Leipzig. **1818. Erstes Wartburgfest.** 1899. Gewährung des Rechtes an die technischen Hochschulen, den Doktortitel zu verleihen.
M	19	
D	20	1822. Dichter Heinrich Voß gest.
F	21	1817. Wilhelm Roscher geb.
S	22	1809. Scheidler (alt. Bursch.) gest. **1858. Kaiserin Auguste Viktoria geb.**
S	23	1801. Lorzing geb.
M	24	1795. Polens dritte Teilung.
D	25	1816. D. Marquardsen (alt. Bursch.) geb. 1817. Lothar Bucher geb.
M	26	1800. Generalfeldmarschall Graf Moltke geb.
D	27	1817. Gründung der a.B.B. der Raczeks. 1848. B. Arminia-Breslau. 1870. Kapitulation von Metz.
F	28	1888. Gründung der B. Germania-Marburg.
S	29	1790. Diesterweg geb.
S	30	1864. Wiener Frieden.
M	31	1517. Luther schlägt die 95 Thesen an die Schloßkirche in Wittenberg an.

November.

D	1	1834. Gründung der B. Marchia-Bonn. 1903. Theodor Mommsen gest.	D	17	1869. Eröffnung des Suezkanals.
M	2	1817. Auszug der Marburger Studenten nach Gistelberg und Cassel.	F	18	1837. Erklärung der Göttinger Sieben. 1827. Wilhelm Hauff (alt. Bursch.) gest.
D	3	1860. Gründung der B. Germania-Breslau.	S	19	1828. Franz Schubert gest.
F	4	1820. Gründung der Bonner Burschenschaft.	S	20	1901. Prof. Aegidi (alt. Bursch.) gest.
S	5	1494. Hans Sachs geb.	M	21	1811. Heinrich von Kleist gest.
S	6	1632. Schlacht bei Lützen.	D	22	1854. Gründung der B. Gothia-Königsberg.
M	7	1856. Gründung der B. Alemannia-Heidelberg. 1810. Fritz Reuter (alt. Bursch.) geb.	M	23	1870. Bayerns Beitrittserklärung zum Deutschen Reiche.
D	8	1880. Gründung der B. Alemannia-Straßburg.	D	24	1785. Boeckh geb.
M	9	1848. Robert Blum in Wien erschossen.	F	25	1814. von Mayer geb.
D	10	1759. Schiller geb. 1874. Gründung des Eisenacher Deputierten-Konvents. 1483. Martin Luther geb.	S	26	1819. Auflösung der Jenaischen Burschenschaft.
F	11	1870. Die Gubensche Schlacht-Großepaukerei zwisch Mitgl. der Bonner Burschenschaft u. den dortigen Landsmannsch.	S	27	1875. Gründung der B. Teutonia-Königsberg.
S	12	1842. Gründung der B. Germania-Würzburg.	M	28	1870. Schlacht bei Amiens.
S	13	1882. Gottfried Kinkel gest.	D	29	1802. Wilhelm Hauff (alt. Bursch.) geb.
M	14	1855. Gründung der B. Teutonia-Kiel. 1831. Hegel gest.	M	30	1817. Theodor Mommsen geb. 1814. von Marquardsen (alt. Bursch.) gest.
D	15	1856. Gründung der B. Franconia-Heidelberg.			
M	16	1898. Riehl gest.			

Alemannia-Gießen.

Dezember.

D	1	1817. Gründung der Erlanger Burschenschaft auf den Reis.	S	17	1845. Gründung der B. Saltngia-Halle.
F	2	1817. Heinrich von Eybe (alt. Zürich) geb. 1822 Auszug der Jenaischen Studenten nach K.bl.	S	18	1786. Karl Maria von Weber geb.
S	3	1857. Christian Rauch gest. 1834. Gründung der B. Hochheimia Königsberg.	M	19	1562. Schlacht bei Dreux.
S	4	1409. Universität Leipzig gegründet.	D	20	1806. Sachsen zum Königreich erhoben.
M	5	1791. Mozart gest.	M	21	1795. Leopold von Ranke geb.
D	6	1834. Freischarenführer von Lützow gest.	D	22	1815. Franz Abt geb.
M	7	1736. Gründung der Universität Göttingen.	F	23	1807. Eyth geb.
D	8	1815. Adolf Menzel geb. 1869. Unfehlbarkeitserklärung des Papstes.	S	24	1866. Schleswig-Holstein kommt zu Preußen.
F	9	1832. Die Bonner Burschenschaft löst sich auf.	S	25	**Weihnachten.** 1745. Friede zu Dresden.
S	10	1845. Hans Herrig geb.	M	26	**1769. Ernst Moritz Arndt geb.**
S	11	1845. Gründung der B. Franconia-Bonn. 1857. Dichter Mag von Eichendorff gest.	D	27	1896. Prof. Schliemann gest.
M	12	1816. Grbg. d. B. Germania-Tübingen; 1844. Grbg. d. B Arminia-Würzburg; 1849. Grbg. d. B Germania Erl.	M	28	1455. Joh. Reuchlin geb.
D	13	1848. Gründung der B. Germania-Jena. 1863. Hebbel gest.	D	29	1813. Danzig kapituliert.
M	14	1720. Justus Möser geb.	F	30	1819. Theodor Fontane geb.
D	15	1784. Ludwig Devrient geb.	S	31	**Sylvester.** 1870. Einzug Victor Emanuels in Rom.
F	16	1742. Blücher geb. 1770. Beethoven geb.			

Dokumente und Thatsachen der Burschenschaft.

Von Dr. Hugo Böttger (Arminia a. d. B. Jena).

Die bald hundertjährige deutsche Burschenschaft hat viel erlebt und ist doch von den Stürmen ihres Lebens nicht gebeugt. Als eine besonders eigenartig deutsche Studentenkorporation wird sie, so dürfen wir aus ihrer gegenwärtigen Frische und Lebensfrohheit schließen, auch gegenüber zersetzenden Einflüssen der neugestaltenden Zukunft ihren Bestand sich zu sichern wissen. Haben die Karlsbader Beschlüsse, die Centraluntersuchungskommission, dauerhaftes Mißtrauen und Uebelwollen sie nicht zu vernichten vermocht, hat sich die Burschenschaft bisher den Zeitfortschritten anzupassen verstanden, ohne ihres Wesens Kern zu verlieren, so wird sie wohl auch in den künftigen Tagen eine Besonderheit des deutschen Studententhums, eine gute Schule unseres Volksthums, eine nationale Eigenthümlichkeit Deutschlands bleiben. Studentenverbindungen, Vergnügungsklubs und Vereinigungen zur Pflege besserer Konnexionen giebt's überall in der Welt. Eine Burschenschaft hat nur auf deutschem Boden entstehen können, ihre Geschichte ist ein Stück deutscher Geschichte, ihre Geschichte ist in vielen Fällen die Geschichte der bedeutenden Männer Deutschlands.

Wir greifen aus der großen Zahl hervorragender Männer, die aus der Burschenschaft hervorgegangen sind, nur einige wenige heraus: Staatsmänner und Politiker wie Gagern, Karl Mathy, von Mühler, Stahl, Arnold Ruge, Jens Uwe Lornsen, Beseler, Rodbertus, Julius Fröbel, Wehrenpfennig, Abeken, Karl Schurz, Lorenz von Stein, Aegidi; Forscher und Gelehrte wie Karl von Hase, Leo, Georg Weber, Kuno Fischer, Trendelenburg, Häußer, Carrière, Lüble, von Raumer, Treitschle, Esmarch, Kußmaul, Laband und Hans von Aufseß, den Begründer des deutschen Nationalmuseums in Nürnberg; Dichter und Schriftsteller wie Viktor Scheffel, Spielhagen, Roquette, Laube, Simrock,

1

Hoffmann von Fallersleben, Stradwitz, Alexis, Hauff, Fritz Reuter, Julius Mosen 2c. Man kann sich eine deutsche Kulturentwicklung ohne diese Männer nicht vorstellen. Und da eine ununterbrochene Ergänzung und Vertiefung des deutschen Kulturlebens durch Männer aus dem burschenschaftlichen Lager bis auf den heutigen Tag erfolgt, so ist eben die Burschenschaft heute noch ein unentbehrlicher Theil nationalen und freiheitlichen Studentenlebens, so daß sich sofort ein berechtigter Erbe erheben würde, sobald die Burschenschaft von Neuem unterdrückt oder von innen umgestaltet und entwerthet werden sollte.

Dreierlei hat die Burschenschaft gewollt und erreicht: Sie war ein integrirender Bestandtheil der deutschen Einheitsbewegung und ist auch heute ein starker Hort nationaler Politik in der deutschen Studentenschaft. Sie hat die ungesunde Suprematie einer Studentenverbindung gebrochen, sie hat erfolgreich für die Gleichberechtigung aller Studirenden gekämpft und damit einem vielgestaltigen Korporationsleben erst den Boden erschlossen und geebnet. Sie hat eine Form studentischen Lebens in Deutschland entwickelt, welche Sitte und gute Zucht mit Freiheit, monarchische Gesinnung mit freiheitlicher Lebensanschauung, Ernst mit Fröhlichkeit, Waffenfreudigkeit mit dem Respekt der freien Persönlichkeit, geschichtliche Tradition mit dem Sinne für Fortschritt vereint. Nicht erreicht hat sie die Einigung aller Studenten in einer großen Burschengemeinde, aber dieser Plan war nach meiner Auffassung auch von Anfang an nur ein Mittel, um zunächst einmal veraltete Justitutionen aufzusaugen. Man mußte tabula rasa machen, um Neues entstehen sehen zu können, man mußte alle Kräfte vereinigen, um die Widerstrebenden mitzureißen. Auch in der ersten Burschenschaft finden wir übrigens schon engere und äußere Verbindung, also die Keime zur korporativen Spezialisirung, und daß sich über kurz oder lang Absonderungen vollziehen mußten, liegt in der Eigenart unserer Universitäten und ihrer Bürger, liegt in der Natur der Deutschen, von denen Sybel sagt: „Es sind starke, eigenwillige Naturen, die nur mit ihres Gleichen sich vertragen und sich von der kleinsten Verschiedenheit ebenso abgestoßen fühlen, wie von der größten." Wenn, was nachweislich ist und in folgendem erwiesen werden soll, die Burschenschaft an ihrem Theile mitgewirkt hat, die itio in partes in unserer nationalen Entwickelung zu bekämpfen, so wird man es ihr nicht als ein allzugroßes Versehen auslegen, daß ihr in der Studentenpolitik die Zusammenfassung der widerstrebenden Theile auf die Dauer nicht gelungen, daß vielmehr ihr Plan thatsächlich ins Gegentheil umgeschlagen ist und wir jetzt eine bunte Vielgestaltigkeit im deutschen Verbindungsleben der Hochschulen haben, welche sich bemüht, jeder Liebhaberei und jedem Bedürfniß gerecht zu werden. Daß hier ein Zuviel geworden ist und jetzt wieder Zusammengehen, Kartelle und Vereinigungen Gleichgesinnter geboten sein mögen, will die Burschenschaft nicht verkennen.

Etwaigen Einigungsbestrebungen wird, so meinen wir, auch nicht geschadet, sondern gedient, wenn jede Gruppe von historischer Bedeutung gelegentlich ihre geschichtliche Bilanz zieht und veröffentlicht und damit Klarheit darüber verbreitet, was sie werth ist, was sie bei etwaigem Zusammengehen mit anderen

Gruppen an Kapital einschießen kann und welche Werthschätzung sie dementsprechend verlangen muß. Unsere geschichtliche Darstellung soll also nicht die Zersplitterung der Kräfte, wie sie jetzt auf Deutschlands hohen Schulen herrscht, verewigen helfen. Sie soll aber vor Allem auch nicht, das möchten wir unserer selbst, nicht Andrer wegen besonders betonen, unberechtigtem Stolze dienen, denn im Grunde schafft sich jede Generation ihr Schicksal selbst und das Gewesene ist für die reale Machtentfaltung, auf die es doch schließlich ankommt, nicht übermäßig werthvoll. Es kann nur als Sporn betrachtet werden, in der Leistungsfähigkeit nicht hinter den dahingegangenen Generationen zurückzustehen. Die geschichtliche Darstellung soll also klar und deutlich sagen: So sind wir geworden, und auf dieser Grundlage wird sich eine gesunde Weiterentwickelung ergeben. Unser Streben hat in guten und bösen Tagen dem Vaterlande gegolten, dem Vaterlande hat die Burschenschaft ehrenhafte und tüchtige Männer in reicher Anzahl gestellt. In dem Begriffe eines freien, geeinten deutschen Reiches, in der Erziehung unserer Angehörigen zu besten deutschen Staatsbürgern, die das Vaterland über Eigeninteresse und Partei setzen, erschöpft und vollendet sich die Lebensaufgabe der Burschenschaft. Mögen ihre Ziele stets so edel sein wie ihre Vergangenheit, mögen ihre Erfolge stets die des Reiches sein, dann wird Alles wohl gelingen.

I.

Vorboten.

Das napoleonische System der angeblichen Verbrüderung der Völker und der thatsächlichen tyrannischen Beherrschung von halb Europa hatte in Deutschland die politischen Zustände auf den Punkt der Unhaltbarkeit gebracht. Freilich hatte der Korse Deutschland geeint; freilich war der Rheinbund unter dem erhabenen Schutz des Kaisers der Franzosen entstanden, aber es war eine naturwidrig merkwürdige Zusammenfassung deutscher Stämme, eine Karrikatur deutscher Einheit. Im Süden die königlichen Kronen von Bayern und Württemberg, die großherzoglichen von Baden, Hessen ꝛc. von Napoleon geschaffen, sie wurden mit ebenfalls neugeschaffenen Mittelstaaten zu einem Bunde vereinigt, gerade stark genug, um die Ohnmacht Deutschlands nach außen und innen zu gewährleisten. Die beiden Mächte, die noch eine selbstständige Bedeutung hatten, Preußen und Oesterreich, hielten sich gegenseitig in Schach, lähmten ihre Kräfte, weil sie ihre eigenen Machtfragen ins Reine bringen mußten. Sie hatten jedenfalls nicht Zeit, an's Deutsche Reich zu denken. Preußen war von der Höhe des friedericianischen Staates herabgestürzt und hatte nach Jena und Auerstädt seine führenden Geschlechter in mangelhafter moralischer und politischer Verfassung vorgefunden. Da vollzieht sich fast ein Wunder. Es entstehen dem König von Preußen in Scharnhorst und Stein plötzlich und unerwartet Helfer von hohem Muthe und selbstloser Treue, da bemerken wir eine Anspannung der Volkskräfte,

1 *

ein Auffassen zur befreienden That, wie es eben nur tiefste Noth bei einem im Kerne unverwundbaren Volke erzeugen kann. So wurde der Freiheits=krieg ein wunderbar helles und kräftiges Präludium für die Einheitsbewegung in Deutschland. Die Lehre der letzten Jahre, in denen eine fremde Hand in Teutschland die Völker und die Throne bezwungen und geleitet hatte, war denn doch zu eindringlich gewesen: In solcher Uneinigkeit und Zersplitterung — den Gedanken erfaßte das Volk, — mußten ja die deutschen Stämme immer und immer wieder das Ausland zum Mitregieren und zur beliebigen Inter=vention einladen. Groß war freilich der Ruhm der deutschen Wissenschaft, ihrer Aufklärung und Humanität. Was halfen uns aber in dieser Welt der harten Realitäten unsere Dichter und Denker, die welterobernden Werke unserer Schiller, Goethe und Kant? Der Name Deutschland existirte nicht auf der Landkarte und keinenfalls im Sprachschatz der europäischen Diplomatie.

Namentlich in der Ostmark empfand man die Schmach der Zerklüftung des Reiches und sann man auf Abhülfe durch Zusammenschluß der Deutsch=gesinnten. 1808 schon wurde in Königsberg i./Pr. der „Sittlich Wissen=schaftliche Verein" gegründet, bekannter geworden unter dem Namen

Tugendbund.

Der Verein[1]) entstand zu einer Zeit, als die Franzosen nach Losreißung der einen Hälfte des preußischen Staates noch fast die ganze andere Hälfte besetzt hielten. Man wollte in dieser Vereinigung die geistigen und mora=lischen Kräfte des preußischen Volkes beleben, den Verlust an physischer und politischer Kraft ersetzen und zur Wiedergewinnung dieser physischen und politischen Kraft die Nation vorbereiten. Fürstliche Personen, Bürger, Krieger, Beamte, Gelehrte, Künstler, Industrielle, alles war im Verein ver=treten. Der Bund, vom König von Preußen bestätigt, wurde jedoch alsbald durch Eingriff Napoleons 1809 von den Behörden aufgelöst.

Im nächsten Jahre gründete Friedrich Ludwig Jahn in Gemeinschaft mit anderen patriotischen Männern den

Deutschen Bund,

der einem ähnlichen Zwecke dienen sollte, nämlich „den gesunkenen Muth aufzurichten, dem Franzosenthum entgegenzuarbeiten und sich vorzubereiten, bei einer günstigen Veränderung der Umstände für das Wohl von Deutsch=land und von Preußen thätig mitwirken zu können". Der Deutsche Bund bestand bis 1813. Die Geistesverwandtschaft mit der Königsberger Vereinigung liegt auf der Hand, wie damals theils heimlich, theils offen an vielen Orten Deutschlands das Bestreben zu Tage trat, sich in Noth und Herzens=bedrängniß mit Gleichgesinnten zu vereinen und die politische Lähmung zu überwinden. Der erste Zweck war wohl meist auf die Beseitigung der Franzosenwirthschaft im Lande gerichtet, aber immer bewußter tritt nach und

---

[1]) Krug, „Wesen und Wirken des sogenannten Tugendbundes". Leipzig 1817.

nach ein vornehmerer und intensiverer Selbstzweck hervor. Gewisse Einheitsbestrebungen schieben sich in den Vordergrund, und sie sind es, welche die
Wachsamkeit und den Widerstand der am Alten hängenden Kräfte im Staatsleben aufrufen und die politische Entwickelung des 19. Jahrhunderts durch
einen schweren Konflikt treiben.

Die deutsche Vielheit hatte das Verlangen nach Einheit erzeugt. 1667
noch hatte Samuel von Pufendorf das Deutsche Reich für ein juristisches
„Monstrum" erklärt. Wenn mehrere Staaten in ein Verhältniß mit einander treten, so könne das nur ein völkerrechtlicher Bund, eine Bundes-
genossenschaft sein. Jeder Versuch, über Staaten einen Staat zu machen,
sei monströs. In diesem Geiste lehrten die nachfolgenden Staatsrechts-
lehrer die deutsche Jugend und Niemand war darum auch groß empört, als
in dem Frieden von Preßburg (1805) das Deutsche Reich, die Conféderation
Germanique, bei „lebendigem Leibe für todt erklärt wurde". [1]) Desgleichen
war die literarische Bildung des achtzehnten Jahrhunderts durchaus kosmo-
politisch; Aufklärung, Humanität, Weltbürgerthum waren die geistigen Trieb-
federn, die kein Vaterlandsgefühl und keine vaterländische Dichtung aufkommen
ließen. Den Umschwung bezeichnen

Fichtes Reden an die Deutsche Nation.

Sie erklären die nationalen Eigenthümlichkeiten nicht für etwas Zu-
fälliges, das überwunden werden sollte, das vielmehr die Grundlage einer
sittlichen Weltanschauung werden müsse. Indem der edle Mensch seinem
Volk lebt und das Bewußtsein hat, daß in dem Volk und durch das Volk
die Eigenart, der er angehört, auch nach seinem Tode fortlebt, wird ihm die
Nationalität zum Träger der Unsterblichkeit auf Erden. Ihre Verwirklichung
kann diese Idee nur in einem nationalen Staate finden. Es giebt aber nur
ein Mittel, den nationalen Staat zu erreichen: die Erziehung der gesammten
Nation. Fichte fordert die Erziehung zum sittlichen Wollen. Darum soll
das neue Geschlecht erzogen werden nicht zum Dulden, sondern zum Handeln,
damit es die Unerträglichkeit seines Zustandes einsehe und einen neuen
schaffe. Muthig, während noch die Franzosen Berlin besetzt hielten, trug
Fichte diese Reden den Berliner Hochschülern vor (1808). Sie hatten eine
ungeahnte Wirkung.

Zunächst eine Reaktion. Die über die Maßen perfide Schrift vom
Geheimrath Schmalz [2]) rief alle alten Götter vom Olymp herab, um den
Einheitsgedanken im Keim zu zerstören. Seine Schrift erzeugt eine ganze
Literatur von Streitschriften, welche uns den bedeutsamen Prozeß zeigen, wie
eine Nation allmählich erwacht und welchen merkwürdigen Befürchtungen diese

---

[1]) Jastrow. Geschichte des deutschen Einheitstraums und seine Erfüllung.
Berlin 1885. S. 67.

[2]) Berichtigung einer Stelle in der Bredow-Venturinischen Chronik, Ueber
politische Vereine ꝛc. Berlin 1815.

Lebensäußerungen des Volkes begegnen. Schmalz hatte u. A. behauptet, es hätte sich, als der König den Aufruf an sein Volk erlassen, keine Begeisterung, überall ruhiges und desto kräftigeres Pflichtgefühl geregt. „Alles eilte zu den Waffen, und zu jeder Thätigkeit, wie man aus ganz gewöhnlicher Bürgerpflicht zum Löschen einer Feuersbrunst beim Feuerlärm eilt". Diese subalterne Denkart mußte empören, zumal, da doch Alle Zeugen gewesen waren, wie gewaltig die Erhebung gewirkt hatte, wie Greise und Kinder, Krüppel und Frauen sich begeisterungsvoll dem Vater-lande ihr Alles und ihr Sein geopfert hatten. Es hagelten die Angriffe auf Schmalz [1] und dieser wehrte sich, indem er das nationale Problem als ein Erzeugniß demagogischer Phantasie den Fürsten und Regierungen in schreck-lichen Farben vor die Augen stellte. Die Taktik von Schmalz ist maßgebend gewesen für den weiteren Kampf gegen Alles, was mit der Einheitsbewegung in Fühlung stand. Gab doch, um nur eins herauszugreifen, die von Metternich und seiner Gefolgschaft im Deutschen Bunde eingesetzte amtliche Central-Untersuchungskommission der Periode von 1806 bis 1815 die Ueber-schrift: Ideen einer allgemeinen Regeneration von Deutschland. Sie zieht alle Bestrebungen in Deutschland, „welche auf die Freiheit und Einheit desselben gerichtet waren" in Betracht und findet darin den Anfang der demagogischen Bewegung! [2]

In seiner Vertheidigungsschrift gegen Niebuhr denunzirte also Schmalz die nationalen Vereinigungen jener Tage als Unruhestifter und Zerstörer der partikularen Regierungen [3]: „Und gesetzt," so führt er aus, „ein Kaiser und Reich wären wirklich wünschenswerther als der Bund; welcher Wahnsinn ist es dann, das Gute schmähen, weil das Bessere unmöglich ist? Ich möchte doch auch den Plan sehen, wie ein Kaiser zu konstituiren sey, welcher mit Macht alle teutsche Völker zusammen halten könne, ohne die einzelnen Regierungen zu vernichten. Und wäre nicht jeder Teutsche ein unteutscher, meineidiger Verräther, welcher wünschen könnte, daß sein Fürst zum Pair würde?" Die alte Pufendorfsche Maxime in die häßlichen Formen des Servilismus gekleidet! Es sah finster aus in den Köpfen der maßgebenden Persönlichkeiten in Preußen und Deutschland; und in sie sollte die nationale Bewegung den ersten, irritirenden Lichtschein tragen.

---

[1] Förster, „Von der Begeisterung des preußischen Volks im Jahre 1813". Berlin 1816. — Ludwig Wieland, „Bemerkungen gegen die Schrift von Schmalz". Erfurt 1816. — Wieland, „Ueber die Schmalz'sche Vertheidigungsschrift". Erfurt 1816. — „Die neuen Obskuranten im Jahre 1815". Leipzig 1815. — „Wenige Worte vom Unugendbund". Westteutschland 1816. — Koppe, „Die Stimme eines preußischen Staatsbürgers". Köln 1815. — „Ueber die teutschen Gesellschaften 1815". — Niebuhr, „Ueber geheime Verbindungen". Berlin 1815.

[2] Ilse, „Geschichte der politischen Untersuchungen". Frankfurt 1860. S. 58.

[3] Ueber des Herrn B. G. Niebuhrs Schrift wider die meinige, politische Vereine betreffend. Berlin 1815. S. 8.

Nicht minder traurig aber stand es mit dem Geist der deutschen Studentenschaft zur Zeit des Zusammenbruchs des preußischen Staats. Es herrschte der Raufbold und Renommist. Fichtes Kampf gegen die Orden und Landsmannschaften ist ein sprechender Beweis hierfür.[1] „Es kam eine Zeit,“ schreibt der korpsfreundliche Dolch,[2] „in welcher die Herrschaft des Duells für den größten Theil der Studenten selbst drückend wurde, daß man trachtete sich desselben zu entledigen. Einzelne Bestimmungen des Comment, welche zur Zeit ihrer Entstehung ganz wohlberechtigt sein mochten, wurden jetzt zu Tyrannen, da sie nicht mehr zeitgemäß oder da sie mangelhaft abgefaßt waren. Man hatte nichtsdestoweniger nicht das Herz, dieselben zu verbessern oder zu entfernen, indem man mit einer merkwürdigen Zähigkeit am Ueberlieferten festhielt und die Senioren und wenige Raufbolde mit drohender Miene, den Schläger in der Hand, als Wächter des Comment an der Spitze standen. Es ist lächerlich aber wahr, daß eine Zeit kam (es waren die letzten zwanzig Jahre des 18. Jahrhunderts), in welcher einige Wenige, denen alle Uebrigen als Opposition gegenüberstanden, das ganze Studentenleben beherrschten.“ Die Sittenschilderungen aus jener Zeit stimmen darin überein, daß häufig Rohheit, wüster Ton, Unsittlichkeit an der Tagesordnung waren. Die Studentenlieder und Stammbücher bringen Derbheiten von zum Theil unbeschreiblicher Kraft, und die Chroniken berichten von Gewaltthaten und Ausschreitungen mancher Art.

Eine wesentliche Stütze fand das Treiben im damaligen Verbindungsleben. In ihm spiegelte sich zugleich die Zeit der partikularistischen Abschließung der deutschen Stämme getreu wieder; denn die

Landsmannschaften,

die herrschenden Verbindungen der Hochschulen, vereinigten immer nur die Landsleute, die engeren und engsten Stammesgenossen, sie legten allen Landsleuten den Zwang auf, bei ihnen einzutreten und die landsmannschaftliche Masche zu tragen, auch ihrer Gerichtsbarkeit und ihrer Verfassung sich zu unterwerfen. Wenn neuerdings von anderer Seite[3] die Schilderungen der vorburschenschaftlichen Studentenschaft als tendenziöse Uebertreibungen der Gebrüder Keil ausgegeben werden, so muß dem widersprochen werden. Die Keils mögen sich hier und da im Urtheil geirrt haben, das ist menschlich und anderen Leuten mehr passirt, ihre Quellenbenutzung ist aber durchaus wahrheitsgemäß. Man lese doch nur, wenn man die nachträglichen Schilderungen nicht gelten lassen will, die beim ersten Wartburgfest gehaltenen Reden, sie hätten ja gar keinen Sinn gehabt und hätten auch gar keine

[1] Hobohm, Fichtes Einfluß auf das akademische Leben. „Burschenschaftl. Blätter“ 16. Jahrg. W.-S. 1901/02 Nr. 2, 4, 5, 6.

[2] Geschichte des deutschen Studententhums. Leipzig 1858. S. 256.

[3] Fabricius, „Die deutschen Corps“. Berlin 1898. S. 282.

Wirkung erzielen können, wenn die darin liegenden Anklagen gegen die vorburschenschaftliche Studentenschaft, gegen die Landsmannschaften und ihren verderblichen Einfluß, nicht auf Thatsachen sich gegründet hätten. Diese Anklagen sind aber dieselben, welche Keil und andere Geschichtsschreiber erwähnen. Wenn Fabricius es so darstellt, als wäre Alles nicht so schlimm gewesen, als hätten die Landsmannschaften ganz aus sich heraus den Weg zur Reform gefunden, als wäre einfach auf S. C.-Beschluß die Burschenschaft gegründet, so möge man die Reden Okens und Rödigers auf der Wartburg nachlesen, um zu ermessen, wie sehr diese gemüthliche Nachkorrigirung der Geschichte sich als unrichtig und tendenziös erweist. Oken[1] ruft den damaligen Landsmannschaften zu: „Der Studirte, er sei her, wo er wolle, kann sein Geschäft und seine Anstellung in Oesterreich, Preußen, Bayern, Hannover, Sachsen, in Schwaben, Franken, Thüringen, Hessen, Mecklenburg, Holstein, am Rhein und in der Schweiz finden. Er spricht nicht mehr die Sprache seines Dorfes, seiner Stadt; er versteht nicht dieses oder jenes Handwerk, was an eine bestimmte Werkstätte oder an die Scholle fesselte; er ist ein universaler Mensch! Eine Schande ist es, durch Studiren es nicht weiter gebracht zu haben, als ein Thüringer, ein Hesse, ein Franke, in Schwabe, ein Rheinländer geblieben zu sein. Eine Schande ist es, darauf sich etwas einzubilden, daß man nichts weiter als ein Provinzial-Landsmann geworden ist. Sprecht ihr denn Provinzialsprachen? Lebt ihr nach Provinzialsitten? Nein! Ihr werdet roth, daß man so etwas einen Studirten nur fragen kann." Noch schärfer hebt Rödiger das nationale Bedürfniß hervor, die landsmannschaftliche Zersplitterung los zu werden: „Ich rede nicht wider die alten Formen unseres Burschenlebens, in denen als Erzeugnissen der unglückseligen Vergangenheit allein der Schlaffheit, Eitelkeit und Ungerechtigkeit gedient ist, und die neuerwachte Flamme vaterländischer Begeisterung nicht wehen kann; aber ich sage euch, huldigt nur dem wahren Geist der Zeit, nicht dem der Mode und er wird sich selbst die Formen schaffen, die ihn tragen sollen; Formen, in denen ein Wetteifer entbrenne für das Wahre, Gute und Schöne, und ein gesundes gemeinsames Urtheil lebe, in dem jeder emporgetragen und emportragend zum Mann erstarke, der die wahre Bürgerkrone zu tragen würdig ist. Denn reicher Eitelkeit und anmaßlicher Dummheit soll nicht das Wichtigste und Schwererrungene geopfert werden, das einige und deutsche Leben und Streben."

Noch eine besondere Quelle der burschenschaftlichen Empfindungswelt müssen wir neben dem Erwachen des Nationalgefühls und des Protestes gegen landsmannschaftliche Verwilderung erwähnen: die Romantik und das Empfindsame der Nachschillerschen Periode. Das läßt sich auf die verschiedenste Art erweisen; die einfachste und klarste ist vielleicht ein Kapitel aus Karl von Hases „Ideale und Irrthümer",[2] etwa das vom Leipziger

[1] Kieser, Das Wartburgfest. Jena 1818. S. 112.
[2] Leipzig 1894. S. 28.

Studenten zu lesen. Nur einige Sätze können wir anführen: „Im Spät-
herbst (1819) hatte ich die zerstreuten Blätter vergangener Tage gesammelt
und alles reinlich in einem Bande zusammengetragen. Einiges Schalkhafte
ist dabei, einiges trotzig Vaterländische, vorherrschend doch das zärtlich
Empfindsame, in Lied und Romanze, in verschlungenen Reimen und antiken
Versmaßen. Der Gedanke, es zu veröffentlichen, ist dabei gewesen, aber in
einiger Scheu und in der Lust an Maskeraden, die mich lange verfolgt hat,
auch wohl in einer Ahnung, daß es mein eigener Nachlaß sei aus jungen
Jahren, nannte ich's Herrmanns Nachlaß, und eine Vorrede berichtet vom
Leben und Sterben dieses Freundes, das eben nur das Rosenöl war des
dichterisch und sehnsüchtig Hinsterbenden aus meinem eigenen Leben, ohne seinen
Ueberschuß an munterer Jugendkraft. Ich hatte schon mehrere Jahre an
der linken Brustseite einen Dolch getragen, den die Glauchauische Schwester,
die auch meinen eitlen Wünschen gern nachgab, mir hatte machen lassen, wie
sie von mir wußte, am wenigsten um Jemand ein Leid damit zu thun; mir
war's ebenso sehr ein Gefühl persönlicher Sicherheit als ein sicherer Todten-
führer, wenn das Leben gar zu trübe komme.“ Von solcher Mondschein-
stimmung und Schwärmerei, die wir heute schwer verstehen, lebt's und webt's
im Treiben und Reden der ersten Burschenschafter.

Schließlich wollen wir doch auch die Liebe zur Freiheit, welche die
jungen Burschen von 1813 vorantrieb, nicht vergessen. Zunächst Freiheit vom
Joche Napoleons, dann aber doch auch freie Menschenwürde und politisch
freie Volksentwicklung überhaupt. Was die französische Revolution neben
allen Schrecken an Gutem ans Tageslicht gebracht, die Beseitigung der
drückendsten Vorrechte, die Erklärung der Menschenrechte, Verfassung, Theilung
der Gewalten im Staate, Alles das regte die Gemüther noch immer an,
und nicht umsonst sang darum E. M. Arndt:

> Zu den Waffen! zu den Waffen!
> Als Männer hat uns Gott geschaffen
> Auf, Männer, auf! und schlaget drein!
> Laßt Hörner und Trompeten klingen,
> Laßt Sturm von allen Thürmen ringen,
> Die Freiheit soll die Losung sein!

Berather der akademischen Jugend jener Tage waren in erster Linie
Fichte und Jahn, der letztere mit seinem „Deutschen Volksthum“. Jahn trug
sich längst mit dem Plane einer Gegenströmung gegen die Landsmannschaften.
Schon 1806, so hat er sich geäußert, lag der Plan zur Burschenschaft als
einer die Studirenden aus dem alleinigen Gesichtspunkt des Deutschthums
ohne Rücksicht auf ihr partikulares Vaterland umfassenden Verbindung in
der Seele Einiger. Der Gedanke konnte sich aber in dieser Zeit nationaler
Kleingläubigkeit noch nicht durchsetzen.

Auf den Hochschulen wollte Jahn Gemeinschaften begründen, welche diese Ideen in der akademischen Jugend verbreiten sollten. Zu diesem Zwecke arbeitete er einen

Entwurf der Ordnung und Einrichtung der deutschen Burschenschaften

aus. Nach ihm sind Burschen alle diejenigen, welche wissenschaftliche Bildung genossen haben und sich auf den hohen Schulen wissenschaftlichen Weitrebungen widmen.

Als das freiere deutsche Jugendleben in allen anderen Ständen beschränkt wurde, habe es eine Freistatt auf den hohen Schulen gefunden und heiße nunmehr Burschenleben, dessen herkömmliche überlieferte Gewohnheiten Burschenbrauch genannt wurden; er stamme als ehrenwerthes Nachbleibsel aus alter, schöner Zeit und bewahre in sich die alten Ueberbleibsel von früherem herrlichem Leben der freien deutschen Jugend. Der Zweck der Burschenverbindung sei: das Burschenleben zu genießen, zu erhalten und auf die Nachburschen zu bringen. Das spätere bürgerliche Leben müsse den Burschenverbindungen mit Recht fremd bleiben und könne nie ein Gegenstand ihrer Regeln werden; aber sie dürften nie wider die deutsche Volksthümlichkeit verstoßen und niemals vergessen, daß die heiligste Pflicht des deutschen Jünglings und des gelehrten sei, ein deutscher Mann zu werden und dereinst im bürgerlichen Leben für Volk und Vaterland zu wirken. Darum müsse jeder Bursch mit der Einsicht die Kraft paaren, etwas Tüchtiges zu lernen, sich deutsch auszubilden, für Volk und Vaterland leiblich und geistig und sich in den Waffen zu üben. Nur Ehrliche und Wehrliche, die das Sittengesetz und das Gesetz der Ehre hielten, könnten Burschen werden. Der ehrliche und wehrliche Bursche müsse die Ehre höher schätzen als das Leben. Volk und deutsches Vaterland müsse ihm über alles hoch gelten, und er müsse deutsch sein in Worten, Werken und Leben. Wer seine eigene Ehre beflecke oder sie beschimpfen lasse, ohne die Unbill zu ahnden, werde nie die Volksehre wehren und rächen; wer sich selber knechten lasse, werde nie die deutsche Selbständigkeit schirmen, wer in der Jugend kein Selbstgefühl besitze, werde nie zum Volksgefühl gelangen. Sein Burschenrecht verliere, wer seine Ehre ungeahndet beschimpfen lasse, wer sein Ehrenwort breche, wer bei gesundem Leibe doch nicht die Führung der Waffen erlernen wolle, wer sich gar keinen wissenschaftlichen Beschäftigungen widme, wer einem Beleidigten keine Genugthuung gebe, wer wider das deutsche Volk und Vaterland freventlich thue oder verächtlich handle, mit Worten und Werken, heimlich oder öffentlich.

Die gesammte Burschenschaft jeder hohen Schule mache ein Ganzes aus, ein freies Gemeinwesen freier Leute. Alle besonderen Vereinigungen seien dadurch aufgehoben, abgethan, für tot und nichtig erklärt. Der Pennalismus dürfte nicht wiederkehren, er verleite die Aelteren zu Anmaßungen und zerstöre die Freiheit und Gleichheit.

Die Landsmannschaften und die aus ihnen herausgesonderten Kränzchen widersprächen dem Begriff vom einigen deutschen Volk und seien der deutschen Volksthümlichkeit zu offenbar feindlich und verderblich, weil sie die Zersplitterung förderten, unnütze Händel verursachten, einen undeutschen Brauch einzuführen suchten, Zeit und Geld vergeudeten, die Selbständigkeit einschränkten, Kleinigkeiten und Tand zur Hauptsache machten. Ihre Ausrottung sei jedes deutschen Burschen Pflicht, da sie das Vaterland gefährdeten und das Volk nach Erdschollen zersplitterten.

In Frankfurt traf Jahn 1814 mit Freiherrn von Stein, Arndt, Reimer und anderen Gleichgesinnten zusammen, und es scheint, daß aus dieser Begegnung die vaterländische Bewegung in Nord und Süd neue Kräfte erhalten hat. Während Jahn in Norddeutschland wirkte, Arndt den „Entwurf einer deutschen Gesellschaft" schrieb, waren im Süden Wilhelm Snell, die Gebrüder Welcker, Hoffmann, Weidig am Werke, um die Idee der deutschen Einheit zu fördern und weiter zu tragen. Es wurden nach dem Vorbild des Tugendbundes die „Deutschen Gesellschaften" gegründet.[1] In Gießen wurde 1814 eine deutsche Lesegesellschaft gegründet mit den Brüdern Follenius an der Spitze, in Heidelberg schlossen sich Löning, von Mühlenfels, Hofmann ꝛc. zusammen, nach Kiel trug Karl Welcker den deutschen Gedanken. So war überall der Geist vorbereitet, welcher die deutsche akademische Jugend höheren Zielen zuführen sollte, als sie das Treiben der Landsmannschaften dargeboten hatten.

II.

Gründung der Burschenschaft in Jena.

Die Frage, warum gerade Jena der Ort war, wo die deutsche Burschenschaft entstehen sollte, beantworten die Gebrüder Keil in ihrer „Geschichte der Gründung der Burschenschaft" folgendermaßen: „Der Grundgedanke und Entwicklungsgang der thüringischen Universität, der „nationalsten' unter allen deutschen Hochschulen, ihre liberalen Statuten, der unter Deutschlands Fürsten einzig dastehende weimarische Großherzog Karl August, der mit dem wärmsten Interesse für deutsche Dichtung zugleich Sinn und Liebe für das gemeinsame deutsche Vaterland, politisches Urtheil und Theilnahme an aller freien Regung und Ausbildung des Volksgeistes und Volkslebens verband und sich als der erste beeilt hatte, sein gegebenes Fürstenwort durch Ertheilung einer freisinnigen Landesverfassung einzulösen, das Wirken eines Luden, eines Oken, eines Fries, Kieser u. A., welche die studirende Jugend zu ihren begeisterten Schülern hatten, dieselbe zur Wehrhaftmachung und zu einer vernunftgemäßen, der Neuzeit entsprechenden Ordnung des Studentenstaats eifrig anregten und überdies die erste wahrhaft deutsche politische Presse schufen — alles dies machte das Gelingen der burschenschaftlichen Bewegung und Organisation erst möglich."

In Jena war es die 1811 gegründete Landsmannschaft der Mecklenburger, Vandalia mit den Farben Schwarz-Roth mit

---

[1] Meinecke, Die deutschen Gesellschaften und der Hoffmannsche Bund. Stuttgart 1891.

goldner Perkuſſion, welche, vermuthlich angeregt durch die Berliner Vandalia, die ein Jahr vorher gegründet, alſo wohl vom Jahnſchen Einfluß berührt war, die Reform des Studentenlebens durchführen half. Vaterländiſcher Geiſt war in der Vandalia nicht fremd, ſie veranſtaltete im September 1812 auf dem Kunitzberg ein patriotiſches Feſt, das in einen Schwur gegen Napoleon ausklang. Als 1813 der Aufruf zu den Waffen erſcholl, zogen faſt alle Vandalen ins Feld, ſie trafen unter den Lützowern Gleichgeſinnte, die bereits von Jahn beeinflußt waren. So brachte denn der Vandale Kaſſenberger aus dem Feldzuge Jahns Entwurf zur Gründung der Burſchenſchaft mit nach Jena, er gründete in Jena zunächſt eine ſogenannte „Wehrſchaft“, einen akademiſchen Landſturm, deſſen Mitglieder zum Theil am Freiheitskampf theilgenommen hatten und daher wohl geeignet waren, die Landsmannſchaften mit neuem Geiſte zu erfüllen.

Das Werk gelang nach längeren Kämpfen und Debatten, die Landsmannſchaften der Thüringer und Franken zeigten ſich bereit, in die neue Burſchengemeinde aufzugehen, nur die Sachſen hielten noch am „Comment“ feſt. So kam der 12. Juni 1815 heran. Die von den früheren Vandalen geführte Gemeinſchaft der Jenaiſchen Studenten zog zur „Tanne“, wo nach dem Arndt'ſchen Liede „Sind wir vereint zur guten Stunde“ Horn die Eröffnungsanſprache der Burſchenſchaft hielt. Die Landsmannſchaften ſenkten zum Zeichen, daß ſie ſich auflöſten, ihre Fahnen. Die deutſche Burſchenſchaft in Jena war gegründet.

Die Farben waren Schwarz-Roth mit goldener Perkuſſion, ihr Wahrſpruch zuerſt „Dem Biedern Ehr und Achtung!“ dann ſpäter der der Teutonia-Halle: „Ehre, Freiheit, Vaterland!“ An die Spitze der Verfaſſung wurden folgende Grundanſichten geſtellt:[1]

Freiheit und Ehre ſind die Grundtriebe des Burſchenlebens. Die Freiheit iſt nothwendig gegeben durch die Beſtimmung der Burſchen, nämlich Ausbildung und Ausleben der geſammten Perſönlichkeit. Die Ehre iſt nothwendig im Gefolge der Freiheit: denn das Selbſtgefühl iſt die Wurzel der Ehre; ſein Selbſt fühlt und begreift nur rein und klar der Freie. Das Bewußtſein aber, das Höchſte und Edelſte zu erſtreben, das Gefühl der Kraft, ſich ſelbſt geltend machen zu können und ſeinen Muth ſelbſt darzuthun, giebt dem Burſchen die Ehre. Das Gefühl der Nothwendigkeit, daß die Freiheit, durch welche nur der Univerſitäts-zweck erreichbar iſt, erhalten und unverletzt beſchirmt werden müſſen, der Gedanke, daß dies nur möglich ſei durch gemeinſchaftliche Kraft, der brüderliche Sinn und das Gemeingefühl, zu einem Ganzen zu gehören, ſie fordern wohl alle gleich lebhaft auf zu Verein und Verbindung. Und in der That ſind aus ſolchen Bedürfniſſen und ſolchen Beweggründen ſchon von früheſter Zeit der Hochſchulen an die mannigfaltigſten akademiſchen Verbindungen hervorgegangen. Aber nur ſolche Verbindungen, die auf den Geiſt gegründet ſind, auf welchen überhaupt nur Verbindungen gegründet werden ſollten, auf den Geiſt, der uns das ſichern kann, was uns nächſt Gott das Heiligſte und Höchſte ſein muß, nämlich Freiheit und

---

[1] Keil, Geſchichte des Jenaiſchen Studentenlebens. 1858. S. 361 ff.

Selbständigkeit des Vaterlandes, nur solche Verbindungen sind dem Zweck und dem Wesen der Hochschule angemessen, weil nur in ihnen die allseitige Ausbildung der Jugendkraft zum Heile unseres Volkes befördert und erhalten werden kann. Eine solche Verbindung der Burschen nennen wir Burschenschaft.

Aus der Konstitution heben wir folgende Grundsätze hervor:

Damit das neuerwachte Bewußtsein der Volkseinheit nicht untergehe und um mancherlei Nachtheilen der Trennung in Landsmannschaften vorzubeugen, möge künftighin nur eine Verbindung auf den Hochschulen sein, welche alle Burschen umfasse. Durch die Immatrikulation erhalte jeder Studirende mit den anderen in allem Wesentlichen gleiche Rechte, daher müßten alle gleichen Theil an der Gesetzgebung haben, die Verwaltung durch solche, die von allen gewählt worden, besorgt und alle Beschlüsse von allen genehmigt, alle Urtheile, durch welche wesentliche Rechte genommen würden, von allen erlassen werden. Das Band deutscher Burschen solle nicht ein spitziger überreizbarer Eigendünkel, sondern müsse von Liebe und Wahrheit gewoben sein; es müsse daher bei vorfallenden Beleidigungen sowohl der Versuch zur Vermittlung von Rechtswegen eintreten, als auch ein von allen ernanntes Ehrengericht (das Vorsteher-Kollegium) im Namen Aller die Ehre des Einzelnen, wenn derselbe aus frechem Muthwillen oder aus Lügenhaftigkeit beleidigt worden, für unverletzt erklären dürfen.

Jeder ehrenhafte Bursch sollte Mitglied werden können, aber Niemand zum Beitritt gezwungen werden; keinerlei Autorität, als die des überlegenen Geistes, sollte sich geltend machen dürfen; nur sollten die Mitglieder, mit Rücksicht auf die geringere Erfahrung, erst im zweiten Halbjahr entscheidende Stimme erhalten. Schwarzer deutscher Rock mit langem schwarzen Beinkleid sollte als gemeinsame, auf eine einfach schöne deutsche Volkstracht hinwirkende Tracht gelten und Erkennungszeichen sein, und zwischen allen Mitgliedern das brüderliche Du die freundliche Einigung ausdrücken. Nicht die Mitglieder der Burschenschaft selbst, sondern jeder Student sollte durch die Burschenschaft gegen muthwillige und grundlose Beleidigung, selbst wenn sie von Mitgliedern der Burschenschaft ihm angethan worden, sein Recht finden können. Das Duell sollte als das letzte Mittel zur Wiederherstellung der Ehre gelten, nur wirkliche Ehrenduelle von dem zur Verhandlung der Ehrenstreitigkeiten eingesetzten Ehrengericht zugelassen werden.

Ein Vorsteher-Kollegium, aus neun Vorstehern und drei Kandidaten bestehend, sollte die verwaltende, richterliche und ausführende, ein Ausschuß, aus einundzwanzig Mitgliedern und sieben Kandidaten bestehend, die aufsehende Behörde der Burschenschaft sein; durch den häufigen Wechsel der übrigens mit keinerlei Vorrecht ausgestatteten Vorsteher sollte möglichst Aller Meinung zu gebührender Geltung kommen. Alle Verhandlungen, alle Versammlungen sollten öffentlich, ebenso offen auch das Verhältniß zu der Regierung und zu den Behörden sein.

Es gehörten der jenaischen Burschenschaft bei ihrer Gründung 113 Mitglieder, 9 Vorsteher und 21 Ausschußmänner an. Von den 11 Gründern waren neun Vandalen. Die Namen der elf Studenten, welche die Burschenschaft ins Leben gerufen haben, waren: Karl Hermann Scheidler aus Gotha, Heinrich Arminius Riemann aus Ratzeburg (Mecklenburg), Dortü aus

Berlin, Karl Horn aus Neustrelitz in Mecklenburg, Adolf Friedrich Schröder und Karl Aterhart aus Mecklenburg, Wilhelm Kaffenberger aus Frankfurt a. M., J. Walter aus Livland, Heinrichs und Probsthan aus Mecklenburg, Karl Vogt aus Arnstadt. Sie waren fast alle Lützower gewesen.

III.

Die Ausbreitung der Burschenschaft auf andere Hochschulen.

Die folgenden Aufzeichnungen können auf Vollständigkeit keinen Anspruch erheben, da sich die Gründung der Burschenschaft an manchen Orten noch in Dunkel hüllt, die Akten allzu verstreut umherliegen und außerdem das geschichtliche Urbild nicht selten durch politische Machenschaften verzerrt erscheint.

In Heidelberg[1]) hatten Walther und Follen schon zur Zeit der Gründung der Jenenser Burschenschaft die Teutonia aufgethan, welche den Landsmannschaften und ihrem commentwüthigen Verhalten ein Paroli biegen wollten und es erreichten, daß sich alle Landsmannschaften auflösten mit Ausnahme der Suevia, in welche sich die Reste der übrigen Landsmannschaften flüchteten. Im Sommer 1816 kamen mehrere Jenenser Burschenschafter nach Heidelberg. Sie traten in die von dem geistvollen und feurigen Carové geleitete Teutonia ein, dieser arbeitete mit den Jenensern die neue Verfassung aus, welche er am 23. Februar 1817 den Kommilitonen mit dem Erfolge vortrug, daß alsbald die Burschenschaft in Heidelberg errichtet wurde.

Die Reform des Studentenlebens war in Freiburg 1815 noch nicht recht zum Durchbruch gekommen, die Erinnerungen an die Freiheitskämpfe waren hier nicht von der gleichen Lebenskraft wie im Norden. Allerdings empfand man die landsmannschaftliche Herrschaft als veraltete Mummerei, als „bösen Krebs an dem intellektuellen und moralischen Dasein der Jugend“, wie Münch, ein Theilnehmer an der ersten burschenschaftlichen Bewegung in Freiburg, berichtet.[2]) Münch hatte erst eine Art von Reformkorps, die Helvetia aufgethan, womit aber wenig erreicht war. Nach dem Wartburgfest wurde ein altkatholischer wissenschaftlicher Bund von Bader, Kaiser, Hölzlein, Münch ꝛc. gebildet, aus dem sich dann unter thätiger Betheiligung von Tübinger und Erlanger Burschenschaftern eine regelrechte Burschenschaft entwickelte.

---

[1]) Wild, Schwarz-Roth-Gold in Heidelberg. „Burschenschaftl. Blätter“ 1. Jahrg. Nr. 290.

[2]) Oppermann, Die Anfänge der burschenschaftlichen Bewegung in Freiburg. „Burschenschaftl. Blätter“ 15. Jahrg. Nr. 7, 8, 9.

Besonders schwere Jugendjahre scheint die Burschenschaft in Erlangen[1]) gehabt zu haben. Von dem Schwunge der Begeisterung, wie sie im Norden die Freiheitskriege entfesselt hatten, war auch hier nichts zu spüren, hauptsächlich die Abneigung gegen die Landsmannschaften bildete die Triebfeder. Der Tübinger Burschenschafter Sand und einige seiner Freunde, Ulrich und Clöter, hatten gehofft, die Frankonia zur Burschenschaft umzustimmen, waren aber ohne Erfolg geblieben. Die Landsmannschaften belegten die Abtrünnigen mit Verruf, und nur 12 Unbeugsame erklärten dem Seniorenkonvent, „daß sie das bisherige Burschenwesen als zu entartet erkannten, daß etwas Besseres, der Zeit Gemäßes, an die Stelle des Bisherigen treten müßte, und daß sie sich deshalb, weil dieses Treiben von der bisherigen Verfassung gehindert worden sei, von dieser lossagten, um für sich wenigstens dieses Edlere aufzustellen". In der Nacht vom 27. auf den 28. August 1816 konstituirte sich auf dem Altstädter Berg die erste Erlanger Burschenschaft.

In Gießen war die „Deutsche Lesegesellschaft", eine der patriotischen Vereinigungen, der Ausgangspunkt der Burschenschaft. Ernst Welker schreibt darüber an seinen Bruder Karl Theodor nach Kiel: „Da die Studenten[2]) ganz und gar nicht dem Andrang unserer Zeit Genüge leisteten und von einer Erbärmlichkeit und Gehalt- und Gestaltlosigkeit auf die andere verfielen, und da ich noch Andere fand, denen diese Kraftlosigkeit und Gemeinheit zum Ekel war und die das Feuer und Liebe genug besaßen, um das Gute zu wollen und dafür zu sterben, so habe ich im Anfang Juni (1815) eine deutsche Verbindung hier mit der größten Vorsicht und Auswahl gestiftet, von der ich recht viel Gutes hoffe und erwarten darf, daß Alles einen so guten Gang geht . . . Die Form der Verbindung ist zwar nicht in Allem ordnungsmäßig, aber in der Hauptsache weit genug von der Landsmannschaft verschieden und liegt zwischen beiden. Manchen Formen des Burschenlebens, denen nur die Seele ausgestorben war und die nur noch als bloße Gerippe dastanden, suchen wir eine neue Seele zu geben und sie neu, nur nach der Zeit modifizirt, zu beleben; andere, die uns veraltet und für unsere Zeit unpassend scheinen, verbannen wir."

Die alte Leipziger Burschenschaft[3]) stand zur Jenaischen in engster Beziehung. Ihre Gründung war unter Mitwirkung der Jenenser erfolgt, ihre Verfassung hatten Jenenser und Leipziger gemeinsam ausgearbeitet. Am 7. Juni 1818 lag die Verfassung in endgültiger Fassung vor. Die Burschenschaft trat nach ihrem Entstehen sofort in die schärfste Gegnerschaft zu den Landsmannschaften.

---

[1]) Geschichte der Erlanger Burschenschaft. „Burschenschaftl. Blätter" 2. Jahrg. Nr. 14.

[2]) Meinecke, Zur Gründungsgeschichte der Gießener Burschenschaft. „Burschenschaftl. Blätter" 7. Jahrg. Nr. 3.

[3]) Hawickhorst, Verfassung der Leipziger Burschenschaft von 1818. „Burschenschaftl. Blätter" 14. Jahrg. S.-S. 1900 Nr. 5.

Marburg[1]) hatte bereits Ende Juli 1816 eine burschenschaftliche Verbindung Teutonia, welche die Landsmannschaften bekämpfte und von ihnen mit gleichem Haß bedacht wurde. Man einigte sich schließlich, indem man 1818 eine allgemeine Burschenschaft mit dem Namen Germania gründete. In Königsberg fand die Burschenschaft sogleich Anklang; sie wurde jedoch von oben unterdrückt, ihre Ideen fanden, soweit sie sich auf Einigung sämmtlicher Studenten beziehen, in den zwanziger Jahren in dem „allgemeinen Burschencomment" ihre Verwirklichung.[2])

IV.
Der Geist in der ersten Burschenschaft.

Die Burschenschaften strebten danach — das Zeugniß wird ihnen allgemein ausgestellt — durch Einfachheit der Sitten den in der Verfassungsurkunde ausgesprochenen Grundsätzen Ehre zu machen Im Uebrigen waren sie froher Laune und dem Becher- und Liederklang nicht abgeneigt. Daß ein forscher Geist in der Burschenschaft lebte, daß sie niemals der Zufluchtsort klingenscheuer Elemente war, und daß sie bei aller Verachtung renommistischer Raufhändel auch einen männlich-frischen Streit gelten ließ und für ihn die richtige Austragungsart kannte, das Alles geht auch daraus hervor, daß im Sommer 1815, wo allerdings die meisten Burschen noch im Gegensatz zu einander standen, in einer Woche fanden in Jena — so berichtet Weffelhöft[3]) — 147 Duelle statt. Die sogenannte Renommage, die absichtliche und ganz unberechtigte Beleidigung, ließ das Ehrengericht freilich regelmäßig zurücknehmen, nach Befinden unter Abbitte. Im Uebrigen aber war man fleißig auf dem Paukboden und auf der Mensur. Nichts verkehrter also als sich die erste Burschenschaft als eine vermuckerte, vorsichtige, lediglich mit idealen Phantomen sich abplagende Gesellschaft vorzustellen! Man war fröhlich, ohne roh und lärmend zu sein, man paukte, ohne den point d'honneur auf der Degenspitze zu tragen. Die Keils schildern die Burschenschaft als eine nothwendige, dem Zeitgeiste angemessene Reform des gesellschaftlichen Lebens der Studirenden: „Wohl war in der Burschenschaft auch eine Fülle politischer Ideen, Ahnungen und Wünsche rege; konnte dies aber auch anders sein? Mit Begeisterung waren ja die Jünglinge dem Rufe der Fürsten zu den Waffen gefolgt, aber indem sie gefolgt waren, war ihnen auch die kühnste Hoffnung für des Vaterlandes Freiheit und Ehre, für die Herstellung des Reichs und die Gestaltung des Vaterlandes durch die Fürsten und Völker Deutschlands zur Seite gegangen. Manche

---

[1]) Heer, Geschichte der Marburger Arminia. Marburg 1896. S. 13 ff.
[2]) Geschichte der Burschenschaft Germania zu Königsberg.
[3]) Weffelhöft, Deutsche Jugend in weiland Burschenschaften und Turngemeinden. Magdeburg 1828. S. 29.

waren gefallen, die Ueberlebenden aber zu ihren Studien zurückgekehrt, der
Erfüllung ihrer Hoffnungen getrost entgegensehend. Diese Jünglinge aber
— waren sie Studenten gewöhnlicher Art, wie sie früher auf die Universitäten gekommen? Nicht am Alter allein waren sie voraus (viele standen
im 24. Lebensjahre und in noch reiferem Alter), sondern auch die Zeit hatte
sie gekräftigt. Viele waren Offiziere geworden, einige trugen Orden; alle
aber hatten das Gefühl, daß sie dem Tode in das Auge geschaut hatten,
daß die Rechnung ihres Lebens abgeschlossen gewesen war." Als schon die
gesammte Reaktion über Jena und die Burschenschaft herfiel, konnte Großherzog Karl August im Jahre 1819 vor dem Bundestage der Burschenschaft durch seinen Gesandten, Geh. Rath von Hendrich, kein anderes Zeugniß
ausstellen, als das ehrenvollste: „Es sei erfreulich gewesen, daß nach den
Kriegsjahren 1813 und 1814 die aus dem Felde zurückkehrenden Jünglinge
das Thörichte und Schädliche der landsmannschaftlichen Spaltungen selbst
erkannt und den Entschluß gefaßt hätten, die Einigkeit der Deutschen auch
in ihrem Zusammenleben zu erhalten, schon in ihrem Jugendleben einer
Idee zu huldigen, welche für das deutsche Vaterland von so hoher Bedeutung sei ... Wahrheit, Mäßigkeit, Religiosität seien als Tugenden anerkannt worden, auf welche der Studirende unter Studirenden habe stolz
sein dürfen."

Daß dieser Geist nicht nur in Jena lebte, sondern durch die Burschenschaft auf die meisten Hochschulen sich verpflanzt hatte, dürfen wir u. A.
aus den Lebenserinnerungen Karls von Hase[1]) schließen, der in Leipzig
und Erlangen studirt hatte. „Die Burschenschaft als solche hatte nichts unmittelbar Politisches," so urtheilt er, „an sich, sie dachte nicht an einen
sofortigen Einfluß auf den Staat; dennoch hatte sie eine politische Bedeutung
und würde die größte Bedeutung erlangt haben, wenn sie, unter verständigen
Schutz genommen, ihr Ziel erreicht hätte. Auch hatten wir davon ein starkes
Bewußtsein, indem wir uns ideal mit der ganzen gebildeten Jugend
zusammenfassend, unter einander sagten: von uns, die wir nach wenigen
Jahren die Staaten und die Herzen lenken werden, wird der Sieg gesetzlicher Freiheit und die wahre Einigung unseres Volks ausgehen . . . . .
Innerhalb der Burschenschaft brachte das altdeutsche Wesen in seinen Uebertreibungen manche Lächerlichkeit zu Tage, und die universale Absicht, die
doch nur in Jena auf kurze Zeit durchgesetzt werden konnte, ließ manche
Mitglieder aufnehmen, die man in ihrer Wehrlosigkeit und Harmlosigkeit
bisher nicht gewohnt war, als vollberechtigte Mitglieder einer Verbindung
zu sehen. Dennoch war es ein ideales Jugendleben, auch in seiner ver-
kümmerten Wirklichkeit, nicht ohne Bedeutung für das, was jetzt im ganzen
Volke gilt." Uebrigens war keineswegs das ganze Burschenleben auf diesen
ernsten Ton gestimmt. Humor und Laune kamen in allerhand gegenseitiger
Neckerei und Ulk zum erfreulichen Durchbruch, was man ebenfalls bei Hase

---

[1]) Ideale und Irrthümer. S. 36.

bestätigt finden wird. Nur ein Beispiel von schlagfertigem Humor (S. 49): „Nach einem modernen und gerade Leipziger Sitte sehr fremden Einfall der Burschenschaft wollten wir ein allgemeines sich Duzen unter den Studenten einführen. Zumal der sächsische Adel beklagte sich bitter deshalb. „Ich kann doch," sagte mir einer aus diesem Kreise, „mich nicht Du nennen mit dem Sohn meines Schneiders oder Schusters!" Ich antwortete: „Das kannst du halten, wie du willst, wir aber nennen jeden von euch, den wir für ehrenhaft halten, du; ihr könnt uns meinetwegen Euer Gnaden nennen."

V.

Das Wartburgfest.

Das Jahr 1817 brachte die dreihundertjährige Jubelfeier der Reformation. Im Sommer wurde darum von der Jenaischen Burschenschaft der Plan der Wartburgfeier, welche eine Feier der lutherischen Befreiungsthat, der Schlacht bei Leipzig und der Erneuerung des deutschen Studentenlebens sein sollte, entworfen. Man schickte Rundschreiben an die übrigen Hochschulen, worauf brüderlich gehaltene Antworten einliefen, sodaß man sich vertrauensvoll zum Feste rüsten konnte.[1] Vom Großherzog war nicht nur die förmliche Erlaubniß zur Begehung des Festes auf der Wartburg gegeben, sondern auch Verfügung getroffen worden, daß die Studirenden, da die öffentlichen Gasthäuser nicht hingereicht hätten, die Menge zu fassen, von den Bürgern der Stadt unentgeltlich aufgenommen würden. Der Eisenachschen Regierungsbehörde war der Auftrag gegeben, die innere und äußere Einrichtung der Feier den Studirenden allein zu überlassen, durch keine polizeiliche, Mißtrauen beweisende Maßregeln die ehrliebende, wegen ihres ausgezeichneten sittlichen Betragens den übrigen deutschen Universitäten als Beispiel vorangehende Jenaische akademische Jugend, sowie die der übrigen deutschen Akademien zu kränken, ihr deshalb die Wartburg völlig zu übergeben und nur wegen des auf derselben befindlichen Pulverthurms die nöthige Vorsicht anzuempfehlen. Aus den großherzoglichen Forsten bei Eisenach wurde das zu den Oktoberfeuern nöthige Holz unentgeltlich geliefert, die Fischteiche zur Speisung auf der Wartburg geöffnet und überdies zur abendlichen Erleuchtung der Wartburg selbst eine bedeutende Summe bewilligt. „Wer von denen, die damals das Fest mitfeierten, erinnert sich nicht noch jener Tage gewissermaßen wie eines Maientages seiner Jugend" sagt H. Leo in seiner Selbstbiographie. Zu Eisenach erlangen am 18. Oktober 1817 bereits Morgens 6 Uhr feierlich die Kirchenglocken. Vom nahen Walde wurde Eichenlaub herangetragen und zum Schmuck des Baretts vertheilt. Den Zug auf die Wartburg nennt Friesen einen „heiligen Zug". Langsam und ernst

---

[1] „B. Bl." Jahrg. XVI Nr. 4. S.·S. 1902. S. 85 ff. Langguth. Vom Geiste des ersten Wartburgfestes.

ging er hinan; gegen 10 Uhr schritt er seinem Ziele entgegen. Vom Hofe ging es in den festlich geschmückten Saal.

Vor dem Rednerstuhl standen im Halbkreis mit blanken Schwertern die Beamten; ernstes Schweigen herrschte im Saal, ein kurzes, stilles Gebet, dann brauste von dem Vorsänger Dürr aus Berlin, in Jena Theologie studirend, angestimmt, das Lied: „Eine feste Burg ist unser Gott" durch die Räume und hinauf zu der bescheidenen Klause, wo des Liedes Dichter vor 300 Jahren für geistige Aufklärung geschafft hatte. Darauf betrat der erwählte Redner des Tages, Riemann aus Ratzeburg, stud. theol. in Jena, Ritter des Eisernen Kreuzes, das er bei Belle-Alliance erworben hatte, den Rednerstuhl. Mit schüchterner Bescheidenheit begrüßte er die hochansehnliche Versammlung, im Namen der Jenaischen Burschen die aus allen Gauen Deutschlands gekommenen Brüder, Die versammelt waren, um mit jenen „das Wiedergeburtsfest des freien Gedankens und das Errettungsfest des Vaterlandes aus schmählichem Sklavenjoch zu feiern." Er berührte die Hauptmomente der denkwürdigen Zeiten, denen diese Feier gewidmet war, die hehren Geistesthaten und Geistessiege und die hohen Kämpfer Huß und Luther. Dann ging er über zu der Klage, daß jene Siege des Glaubens nicht die volle Segensfrucht getragen, daß über vielem Großen und Schönen, was Wissenschaft und Kunst angebahnt und erreicht, „des Vaterlandes vergessen worden sei, seiner Tugend und Sitte", daß auch die Fürsten über dem scheinbaren Vortheil ihrer Länder das gemeinsame Wohl vergessen und die deutschen Stämme, einander feindselig gegenüberstehend, die unheilvolle Trennung nur gefestet. Für solches Verachten der Volksthümlichkeit und der Einheit des Vaterlandes sei die Strafe gekommen durch den Arm des welschen Volkes, „das Anfangs zur Freude der Welt, der Freiheit Fackel entzündend, bald einer schändlichen Herrsch- und Raubsucht Raum gab und Deutschland in Ketten schlug". Alles ersehnte einen Retter. Endlich schlug in Moskaus Brande die Flamme der Freiheit empor, und glorreiche Siege wurden erfochten. Vier Jahre seien seitdem verflossen, das deutsche Vaterland habe schöne Hoffnungen gehegt, aber alle seien vereitelt. Von allen Fürsten Deutschlands habe nur Einer sein gegebenes Wort eingelöst, der, in dessen freiem Lande die Versammelten dieses Fest begingen.

Mit steigender Begeisterung ermuthigte der Redner die deutsche Jugend, „Alle Brüder, alle Söhne eines und desselben Vaterlandes, eine eherne Mauer zu bilden gegen jegliche äußeren und inneren Feinde, entgegen dem Schrecken des Todes, entgegen der Blendung vom Glanz der Throne, nimmer erlöschen zu lassen das Streben nach Erkenntniß der Wahrheit, das Streben nach jeglicher menschlichen und vaterländischen Tugend, daß sie — einst wirksam eintretend in das bürgerliche Leben — fest und unverrückt im Auge behalten wollten das Ziel des Gemeinwohls: die Liebe zum einigen deutschen Vaterlande.

Heilige Stille herrschte in der Versammlung. „Aus den Regionen der Unsterblichen schien das Geisterreich sich aufgethan zu haben, das

Gelübde der frommen Jugend anzunehmen und den Schwur des Kampfes für Freiheit und Recht in ihrer Gegenwart zu besiegeln." (Kieser.)

Am Abend unternahm die Burschenschaft einen Fackelzug auf den Wartenberg, und hier wurde nun die für die Burschenschaft schwer verhängnißvolle

Verbrennungsscene auf dem Wartenberge

von einem Theil der Festgenossen, vermuthlich von dem radikaleren, ausgeführt. Der Landsturm hatte achtzehn mächtige Feuer angezündet, Röbiger hielt eine begeisterte Rede über religiöse und politische Freiheit in Deutschland, aus der wir eine markante Stelle oben angeführt haben. Bald darauf trat Maßmann mit einem großen Korbe voll Bücher, bezw. Makulatur, auf der Büchertitel angegeben waren, an ein Feuer heran. In seiner Ansprache betonte er, daß die Burschenschaft mit der Liebe paaren solle den tiefen grimmigen Haß wider das Böse und Verkehrte und darum wider alle Bösen und Tauben im Vaterlande. „Das soll unser Volk erfahren, das ist der treibende Gedanken zu diesem ernsten Schritte, der manchem ein Gericht sein wird seiner Thaten, Gedanken und Schriften."

So wurden denn die Werke von Ancillon, von Cölln, Crome, Dabelow, von Haller, Immermann, Kotzebue, von Kamptz, Schmalz, Ascher und Anderen den Flammen übergeben — Gänse-, Schweine- und Hundeschmalz, wie es bei der Verbrennung hieß — und dazu wurden noch verbrannt ein Schnürleib, ein Zopf und ein Korporalstock. Zweck der burschikosen Scene war, gegen die einheitsfeindliche und reaktionäre politische Literatur und gegen „Zopf und Philisterei", gegen Gamaschenthum und Polizeiwillkür zu protestiren. Im Ganzen eine That, die der Jugend nahe lag und die man nur harmlos aufzufassen brauchte, damit sie harmlos war und blieb. Aber man hatte mit jener That, wie sich bald herausstellen sollte, in einen aufgeregten Bienenschwarm geschlagen.

Am nächsten Tage legte noch Carové von Heidelberg das Wesen der Burschenschaft dar. Man habe vordem nur nach äußerem Glanz gehascht, man habe nicht sein, sondern nur scheinen wollen und an die Stelle des kernhaften Ehrgefühls das lustige, spitzige point d'honneur gesetzt, die Landsmannschaften hätten sich schroff gegenübergestanden und blutige Fehden ausgefochten. Daß nun die Burschenehre jetzt nicht mehr darin bestehen könne, bloß ein gewandter Fechter oder ein unüberwindlicher Trinker zu sein, oder die Heiligkeit der Person durch jedes unbedeutende Wort oder durch ein schiefes Gesicht verletzt zu fühlen, davon möchte nur billig jeder deutsche Bursche überzeugt sein, wenn er nicht taub sei wie ein Stein für die Klänge der Zeit und gefühllos gegen das Große und Schöne seines Volkes.

Man kann sich heute kaum noch eine Vorstellung davon machen, wie diese Flammenscene auf dem Wartenberge gegen die reaktionäre Finsterniß kontrastiren mußte, welche über dem kontinentalen Europa brütete. Die „Heilige Allianz" des Kaisers von Rußland, des Kaisers von Oesterreich

und des Königs von Preußen betrachtete sich ja „als Bevollmächtigte der
Vorsehung", Oesterreich und Rußland hatten überall in Deutschland ihre
Polizei und ihre Spione. Durch die Napoleonische Herrschaft und ihre
Folgen waren einige hundert selbständige Staaten mediatisirt und ein Bund
von 39 souveränen Staaten gegründet worden, jeder mit großem Hofstaat,
veralteten Ansprüchen, mit einer Armee von vornehmen Nichtsthuern.
Metternich, die Seele der deutsch-österreichischen Politik nach 1815, hatte da
wirklich nicht einmal übermäßig viel zu thun, um diesen Bund in Unordnung
und Unselbständigkeit zu halten, das Spiel der Intrigue zu entfesseln und
auf diese Weise Oesterreich die Suprematie zu gewährleisten. Metternich
war aber nicht nur die Seele der politischen, er war auch die Seele der wirthschaftlichen Reaktion. Ihm traute man die Macht zu, den heraufsteigenden
wirthschaftlichen Liberalismus wieder zurückzuwerfen, die „ungesunden" Ideen
von Gewerbefreiheit und Bauernbefreiung wieder von der Bildfläche zu verbannen, und thatsächlich sind denn auch politische und wirthschaftliche
Reaktion in der nächsten Folgezeit getreulich zusammengegangen.

Es ist unseres Erachtens nicht ganz richtig, anzunehmen, daß erst die
Verbrennungsscene auf dem Wartenberge Anlaß gegeben habe, der Burschenschaft eine besondere politische und polizeiliche Beachtung zu schenken. Sie
war bereits gezeichnet. Jede Vereinigung, welche gerade darauf schwor,
daß das Bestehende ausgezeichnet und daß Wünsche nach etwas Besserem
verwerflich wären, war von vornherein einer Gesellschaftsschicht verdächtig,
welcher noch die Schrecken der französischen Revolution in den Knochen saß
und die aus ihr nur das Eine gelernt hatte, daß Alles organisirt werden
müsse, um sich den Bestand der Vorrechte noch für einige Zeit zu sichern.
Längst vorher war die national gesinnte Studentenschaft denunzirt worden;
die Maßmannsche Kapuzinade und die Verletzung literarischer Eitelkeiten verschärften bloß die Erregung gegen die Burschenschaften, sie gaben nur das
Signal ab, um die ganze reaktionäre Meute loszulassen.

Vor Allem war es der schon erwähnte Geheimrath

Schmalz,

der in seiner Denunziation den Deutschgesinnten Revolution und Umsturz
der staatlichen Ordnung, gewaltsame Pläne zur Herstellung der deutschen
Einheit vorwarf. Schmalz betrachtete sich als Ritter Georg, der die ganze
Drachenbrut der nationalpolitischen Schriften, als da waren: „Ueber Deutschlands Wiedergeburt" (1813), Arndts: „Der Rhein, Deutschlands Strom,
aber nicht Deutschlands Grenze", Wellers: „Deutschlands Freiheit" 1814,
Kohlrausch: „Deutsche Zukunft" 1814, Butles: „Unerläßliche Bedingungen
des Friedens mit Frankreich" (1815), insbesondere aber auch Jahns „Runen-
blätter" und „Turnkunst" (1814) vernichten wollte. Alle diese Schriften,
die sicher zum Theil mehr altfränkisch als umstürzlerisch waren, galten ihm
und Anderen als verdächtig. Zeitschriften wie die „Nemesis", der „Wächter",
die „Germania", kurz ungefähr Alles was gedruckt wurde, war ihm staats-

gefährlich und demagogisch. Schmalz sagt selbst, daß er seine frühere Mit-
gliedschaft am Tugendbund durch seine Publizistik wieder gut zu machen sich
bemüht habe. Nach Schmalz waren die demagogischen Umtriebe zu erkennen[1]
einmal an dem „leidenschaftlichen Predigen unbedingten Todhasses gegen
Frankreich", zweitens an dem Streben nach einem Repräsentationssystem und
drittens an dem Streben nach einer Reorganisation des deutschen Vaterlandes. Auf die Art ließ sich allerdings eine polizeiliche Einregistrirung,
eine klare und reinliche Scheidung der Staatsbürger leicht durchführen.

Es ist schwer zu verstehen, wie sehr dieser Publizist die weitgehendste
Belobigung in der Presse fand. Die „Allg. Lit. Zeit." 1815 Nr. 214[2]
hob es rühmend hervor, daß er die Leute bekämpfte, welche mit ihrer
Deutschheit die redtlichen Deutschen beunruhigten unter dem Vorwande, für
Deutschlands Einheit zu wirken, „die es nie hatte und nie geben
kann". Natürlich hatte ein so ausgezeichneter Publizist Nachahmer, die
womöglich noch ihren Herrn und Meister übertrumpften. In der anonymen
Schrift „Die Deutschen Roth- und Schwarzmäntler" (Neubrandenburg)
werden besonders Görres und Arndt verantwortlich gemacht, die sich „in
den niedrigsten Schmähungen erschöpften", sich „zu Mentoren und Censoren
der Könige und ihrer Minister, sowie der berühmtesten Staatsmänner auf-
warfen". Mit der Einführung des Repräsentativsystems hofften die Volks-
beglücker „zu Amt, Ansehen und Einnahmen" zu gelangen. „Welch eine
Aussicht, die heiligsten Interessen der Staaten solchen Händen anvertraut zu
sehen! Horrendum et ingens monstrum!" — Eine eigene Zunft von
Schmalzgesellen hatte sich somit aufgethan und die Hof- und Adelspartei
hob Schmalz und seinesgleichen in den Himmel, die Fürsten überschütteten sie
mit Orden und Auszeichnungen.

Und diese Säule des preußischen Feudalismus hatte man auf dem
Wartenberge angetastet, und den Herrn Geheimrath von Kamptz, Ancillon,
Kotzebue und Andere dazu. Sie rächten sich, indem sie die akademische Jugend
als aller Ordnung feind und demagogisch anklagten und indem sie ihr eigenes
Unglück zu dem der deutschen Staaten und Fürsten stempelten. von Kamptz[3]
mahnte zunächst die verführte Jugend an das praeteritos si reddat annos!
Die Jünglinge sollten die „von ihren Vätern oft gewiß sehr mühsam, mit
herber Entbehrung und im Schweiß des väterlichen Angesichts erworbenen
Studiengelder ihrer Bestimmung gemäß" verwenden, „fleißig Collegia hören
und repetiren". Als wenn das die Landsmannschaften gethan hätten! Dann
aber geht's ans Denunziren: „Was soll der Staat für seine Vertheidigung
von Jünglingen erwarten, die den bittersten und höhnendsten Haß gegen
stehende Heere, die doch nur allein uns gegen den äußeren Feind schützen

---

[1] Rechtlieb Zeitgeist „Entlarvung der sogenannten demagogischen Umtriebe". Altenburg 1834. S. 149 ff.
[2] Zeitgeist a. a. O. S. 160.
[3] Rechtliche Erörterung über öffentliche Verbrennung von Druckschriften.
Berlin 1817.

können, aussprechen? Welche Ehrfurcht für Gesetze und Vorgesetzte soll er
von einer Jugend erwarten, welche schon in unbärtigem Alter die Gesetze
ihrer Fürsten öffentlich verbrennt und verhöhnt?" Schließlich spricht er
von „Wartburgsorgien" und nennt die Studenten Altflicker und junge
Montesquieus, Censoren ihrer Landesherrn und empfiehlt sie der staatlichen
Aufsicht. Ascher[1]) polemisirte gegen den evangelisch religiösen Geist, jammert
über den erwachten Antijudaismus und perorirt gegen deutsche Gesinnung: „Deutsch, Deutschheit und Deutschthum waren die Paniere, mit
welchen sie vor den Augen von ganz Europa Front machten. Es war der
lächerlichste Aufzug, den man sich denken konnte." Duldung und Kosmo-
politismus seien verletzt: „Ganz Deutschland hat die Art, wie die Wartburgsfeier begangen worden, in Erstaunen versetzt. Ich finde nichts Befremdendes
darin. Das finde ich befremdend, daß dem Unwesen, das sie veranlaßt,
nicht schon längst gesteuert ist." Die offiziöse Presse, namentlich die österreichische, zeterte ebenfalls gewaltig gegen Unbotmäßigkeit und Verwilderung
und verlangte unverzügliches Einschreiten der Behörde.

Zugleich wurden Gerüchte ausgesprengt, auf der Wartburg — man
verwechselte Wartenberg und Wartburg — sei u. A. auch die Akte der
Heiligen Allianz verbrannt. Die reaktionäre Partei, angestachelt durch die
Eingebungen der beleidigten Schriftsteller, schürten den Verdacht der Macht-
habenden. Das Fest, welches „als einen Silberblick deutscher Geschichte und
als ein Blüthendurchbruch unserer Zeit" gefeiert worden war, wurde verketzert
und die Burschenschaft als eine wider die bestehenden Regierungen gerichtete
Verbindung geschildert und verdammt. Freiherr von Stein[2]) meinte freilich,
„daß kein Grund gewesen, die Versammlung der jungen Leute zu verhindern,
sie hatten einen guten und edlen Zweck: vaterländische Gesinnungen zu beleben und zu unterhalten, dem läppischen Wesen der Landsmannschaften ab-
zuhelfen." Aber was half das Alles? Oesterreich war empört. Der
„österreichische Beobachter" prägte das später zu Tode gehetzte Wort: „jede
Theilnahme von Jünglingen am öffentlichen Leben ist ein Verbrechen."

So waren die Regierungen wachsam gemacht, Preußen und Oesterreich
schickten ihre Gesandten nach Jena, um sich die Rabenbrut aus der Nähe
anzusehen. Sie konnten freilich nur berichten, daß sie „von der Ordnung,
der Disziplin und der trefflichen Gesinnung" der Studenten überrascht seien.

Im Innern der Burschenschaft hatte das Wartburgfest die Wirkung,
daß es den Zusammenschluß der Burschenschaften der einzelnen Hochschulen
zur nothwendigen Allgemeinen Burschenschaft förderte und daß auf den
Burschentagen in Jena (3. April 1818 und 10. bis 19. Oktober 1818)
die Verfassung der Allgemeinen deutschen Burschenschaft
vorberathen und angenommen wurde.

[1]) Die Wartburgsfeier. Leipzig 1818.
[2]) Stein an Minister von Gersdorff in Weimar, 10. Dezember 1817.

Die Verfassung vom 18. Oktober 1818 enthielt in den §§ 1 bis 4 folgende „Allgemeine Grundsätze":

I. Allgemeine Grundsätze.

§ 1. Die allgemeine deutsche Burschenschaft ist die freie und natürliche Vereinigung der gesammten auf den Hochschulen wissenschaftlich sich bildenden deutschen Jugend zu einem Ganzen, gegründet auf das Verhältniß der deutschen Jugend zur werdenden Einheit des deutschen Volkes.

§ 2. Die allgemeine deutsche Burschenschaft als freies Gemeinwesen stellt als den Mittelpunkt ihres Wirkens folgende allgemein anerkannten Grundsätze auf:

    a) Einheit, Freiheit und Gleichheit aller Burschen untereinander, möglichste Gleichheit aller Rechte und Pflichten;

    b) christlich deutsche Ausbildung einer jeden leiblichen und geistigen Kraft zum Dienste des Vaterlandes.

§ 3. Das Zusammenleben aller deutschen Burschen im Geiste dieser Sätze stellt die höchste Idee der allgemeinen deutschen Burschenschaft dar, — die Einheit aller deutschen Burschen im Geiste wie im Leben.

§ 4. Die allgemeine deutsche Burschenschaft tritt nun dadurch ins Leben, daß sie sich allmählich immer mehr als ein Bild ihres in Gleichheit und Freiheit blühenden Volkes darstellt, daß sie ein volksthümliches Burschenleben in der Ausbildung einer jeden leiblichen und geistigen Kraft erhält, und im freien, gleichen und geordneten Gemeinwesen ihre Glieder zum Volksleben vorbereitet, damit jedes derselben zu einer solchen Stufe des Selbstbewußtseins erhoben werde, daß es in seiner reinen Eigenthümlichkeit den Glanz und die Herrlichkeit deutschen Volkslebens darstellt.

Die „Verfassung" bestimmte weiter das Zusammenarbeiten der Burschenschaften der einzelnen Hochschulen.

Alljährlich sollte eine Versammlung von Abgeordneten aller einzelnen Hochschulen, wo Burschenschaften sind, um die Zeit des 18. Oktober stattfinden, zu der eine jede womöglich drei Bevollmächtigte sendet. (§. 8.) Der in der allgemeinen deutschen Burschenschaft ausgesprochene Gesammtwille ist entscheidend für jede einzelne Burschenschaft (§. 9). Der Abgeordneten-Versammlung steht die höchste Richter-Gewalt zu: a) in Streitigkeiten der einzelnen Burschenschaften unter einander; b) in Streitigkeiten einzelner Mitglieder mit ihren Burschenschaften (§. 11). Ihr steht die Prüfung der Verfassungen von den einzelnen Burschenschaften zu sowie die Entscheidung, ob etwas in der Verfassung mit den von ihr allgemein anerkannten Grundsätzen übereinstimme oder nicht. In letzterem Falle trägt sie auf Abänderung des nicht Uebereinstimmenden bei den einzelnen Burschenschaften an.

Das Verhältniß der einzelnen Burschenschaften unter einander sollten folgende Bestimmungen regeln:

Die einzelnen Burschenschaften haben sich als gleiche Theile des großen Ganzen anzusehen (§. 19). Alle ihre Streitigkeiten unter einander können nie im Zweikampf ausgemacht werden, sondern werden vom Burschentage vernunftgemäß entschieden, wenn sie sich nicht selbst oder durch dritte Vermittelung vergleichen können (§. 20). Jede Burschenschaft erkennt alle von den anderen verhängten Strafen als rechtmäßig und auch für sie bindend an, so lange die allgemeine deutsche Burschenschaft sie nicht für unrechtmäßig erkennt (§. 21). Es versteht sich von selbst, daß, wer in der einen Burschenschaft gewesen, von selbst durch Erklärung seines Willens und nach Verpflichtung auf den Brauch der anderen Hochschule angehört (§. 22). Es findet gegenseitige Gastfreundschaft statt. Alle Verbindungen neben der Burschenschaft sind eo ipso in Verschiß (§. 24). Wo aber Landsmannschaften oder andere Verbindungen neben einer Burschenschaft schon von langer Zeit her bestehen, muß sich die einzelne Burschenschaft so viel als möglich suchen, dieselbe auf dem Wege der Ueberzeugung zu gewinnen, indem sie ihnen die Wahrheit theils durch ihr ganzes Leben, theils auch, wo es ihr wirksam scheint, durch Unterredungen klar zu machen sucht. Wird die Burschenschaft aber von ihnen angegriffen und in der freien Darstellung ihrer Gesinnungen gehindert, so hat sie die kräftigsten Maßregeln zu nehmen, die gerade der Augenblick erfordert und allen nur möglichen Beistand der allgemeinen deutschen Burschenschaft zu erwarten (§. 25). Mit Hochschulen, wo keine Burschenschaft ist, sondern bloß Landsmannschaften sind, hat die allgemeine teutsche Burschenschaft weiter keine Berührung; um sie aber nicht zum Sammelplatz von allerlei Gesindel zu machen, zeigt sie auch ihnen die als schlecht anerkannten Burschen an (§. 26). Wenn aber auf solchen Hochschulen Einzelne eine Burschenschaft stiften wollen, so leistet die allgemeine teutsche Burschenschaft denselben alle nur mögliche Hülfe und verpflichtet besonders dazu die nächste Burschenschaft (§. 27). Wenn Ausländer sich auf teutschen Hochschulen befinden, so wird ihnen gestattet, sich so frei und volksthümlich auszubilden, als sie es nur wollen; weil es aber nicht natürlich ist, daß sie als Ausländer, die wirklich nur solche sein wollen, in die Burschenschaft treten, so wird ihnen gestattet, eigene Verbindungen auszumachen, jedoch darf eine Gemeinschaft von Ausländern nie eine entscheidende Stimme in allgemeinen Burschen-Angelegenheiten haben und muß sich in Allem dem herrschenden Brauch unterwerfen (§. 28). Mit denjenigen Burschen, die in keiner Gemeinschaft leben, hält die Burschenschaft Frieden. Sie gewährt ihnen die vollkommenste Freiheit, die sie als Menschen haben können; jedoch verlangt sie mit Recht von ihnen, sich nach dem herrschenden Brauche ihrer Hochschulen zu richten. Ihre Ehrensachen mit Mitgliedern der Burschenschaft werden nach dem Brauch derselben ausgemacht, jedoch können sie sich ehrenhafte Sekundanten und Zeugen nehmen, die aber mit dem Brauch bekannt sein müssen (§. 29). Gegen den, der sich weigert, Ehrensachen nach Burschensitte auszumachen, wird nach Burschenweise verfahren (§. 81).

Also ein Trutz- und Schutzbündniß der Burschenschaften stellte die Verfassung von 1818 dar, indem sie den Verruf regelte, den Verkehr untereinander vorschrieb, die rechtsprechenden Behörden einsetzte und gegen unhonorige Studenten die nöthigen Maßnahmen bewirkte. Die erfolgte Stiftung des großen Bundes wurde den Studirenden der deutschen Hochschulen durch eine Zuschrift kundgegeben. So war Alles wohlbestellt und vorläufig der reaktionären Sturmfluth kräftige Dämme entgegengesetzt. Wie wenig Großherzog Karl August von Sachsen-Weimar der Verleumdung des Wartburgfestes Gehör geschenkt hat, beweist die Thatsache, daß er nach der Geburt des Erbprinzen, des nachfolgenden Großherzogs Carl Alexander, die Jenaische Burschenschaft als Taufpathen einlud. Sie sandte zu dem Taufakte, der am 5. Juli 1818 stattfand, die drei Mitglieder: Binzer, Sieverssen und Graf Keller und kam dann im Laufe des Abends selbst mit 500 Mann angezogen, um im Schloßhofe „dem durchlauchtigsten Großherzog von Weimar, dem verehrten Erhalter der jenaischen Hochschule, dem geliebten Beschützer deutschen Rechtes und deutscher Freiheit und dem ganzen großherzoglichen Hause ein freies freudiges Hoch" darzubringen.

VI.
Die Karlsbader Beschlüsse und Auflösung der Burschenschaft.

Indessen die internationale Reaktion und die Gegner der neuen Zeit waren unaufhörlich an der Arbeit, die Bewegung auf den deutschen Hochschulen zu verunglimpfen. Der russische Staatsrath von Stourdza überreichte dem zu Aachen seit Oktober 1818 „zur Berathung über die Mittel zur Abwendung der Revolution" versammelten europäischen Monarchenkongreß seine Schrift „Mémoire sur l'état actuel de l'Allemagne"[1] und erklärte in dieser Schrift die deutschen Universitäten für Schlupfwinkel aller Verworfenheit und Nichtswürdigkeit — la jeunesse, soustraite à l'empire des lois, se plonge dans tous les excès qui derivent de la rebellion de l'esprit et de la corruption du coeur. — Stourdza empfahl die Uebergabe des höheren Unterrichts in die Hände eines hierarchischen Regimentes. Zwei Burschen, von Henning und Graf Bocholz, sandten dem Stourdza Forderungen, die dieser ablehnte. Diese Vorgänge, das straflose Denunziren, Lästern und Beleidigen, welche sich dieser landfremde Russe erlaubte, empörte die Jugend. Aber es war nicht der einzige Anlaß zur Indignation: Troislose Gleichgültigkeit in den regierenden Kreisen gegenüber dem nationalen Einheitsgedanken, die hülflose Bundesakte das einzige Befriedigungsmittel für nationale Bedürfnisse; außer den drei Königen von England, Holland und Dänemark, welche für ihre deutschen Staaten, Hannover, Luxemburg und Holstein im Bunde theilnahmen, führten in der deutschen Politik Rußland und Oesterreich das große Wort, kein Verfassungsleben, sondern blindes Autoritätsprinzip. „Man muß es gestehen," schreibt Sybel, „niemals ist einem großen, mit frischem Siegeslorbeer gekrönten Volke eine kümmerlichere Unverfassung auferlegt worden, als es damals dem deutschen Bunde durch die Bundesakte geschah." Für die Burschenschaft kam noch die ewige Verketzerung und Verleumdung hinzu, um die Gemüther zu erhitzen und edle Bestrebungen bei Einzelnen in Fanatismus und Verzweiflung umschlagen zu lassen.

Am 23. März 1819 wurde der Staatsrath von

Kotzebue

zu Mannheim durch Karl Ludwig Sand aus Wunsiedel ermordet. Nach kurzer Zeit in Tübingen war Sand in Erlangen Landsmanuschafter, um

---

[1] Paris, November 1818.

die Landsmannschaft Franconia in eine Burschenschaft umzuwandeln, er war beim Wartburgfest Mitglied des allgemeinen Ausschusses für Erlangen und wurde dort auf Kotzebue, dessen Schriften man auf dem Wartenberge in effigie verbrannt hatte, aufmerksam. Kotzebue, damals der erfolgreichste deutsche Poet, seicht und oberflächlich, hatte auch eine „Geschichte des deutschen Reiches" geschrieben, welche die entschiedene Abweisung der Burschenschafter erfahren hatte. Kotzebue hatte sich nach seiner Art mit höhnischen Ausfällen gegen den deutschen Charakter und die deutsche Jugend in seinem „Litterarischen Wochenblatt" gewehrt und hatte durch seine bissige Rabulistik die Studenten aufgebracht. Zugleich nahm man ihn mit Recht für einen russischen Spion, welcher von Weimar aus als diplomatischer Vertreter Rußlands über Jena und seine Studenten die verlogensten Berichte nach Petersburg und mit diesem Umwege in die europäische Politik geschickt hatte. Als nun gar Kotzebue das Machwerk Stourdzas in seinem Wochenblatt als eine Schrift herausgestrichen hatte, welche große, auf lauter Thatsachen gestützte Wahrheiten enthalten, war die Empörung allgemein, und sie gab Sand den Gedanken ein, den Vaterlandsverräther niederzustoßen. Die beste Beurtheilung der unseligen That hat wohl Professor de Wette in der Trostschrift gegeben, welche er sofort nach der Ermordung Kotzebues an Sands Mutter schickte und welche er mit dem Verlust seiner Professur zu büßen hatte. Er schrieb damals: „Die begangene That ist freilich nicht nur ungesetzlich und vor dem weltlichen Richter strafbar, sondern auch allgemein betrachtet, unsittlich und der sittlichen Gesetzgebung zuwiderlaufend. ... Aber ist von der Beurtheilung irgend einer geschehenen Handlung die Rede, so darf man nie das allgemeine Gesetz als Maßstab gebrauchen, sondern die Ueberzeugung und die Beweggründe des Handelnden. ... So wie die That geschehen ist, durch diesen reinen frommen Jüngling, mit diesem Glauben, mit dieser Zuversicht, so ist sie ein schönes Zeichen der Zeit. Und was auch das Schicksal Ihres Sohnes sein mag, er hat genug gelebt, da er für den höchsten Trieb seines Herzens zu sterben beschlossen hat."

Natürlich wurde die That Sands der gesammten Burschenschaft zur Last gelegt; mit gefälschten Dokumenten versuchte man eine Verschwörung nachzuweisen, obwohl der Brief Sands an die Jenaische Burschenschaft, worin er um „ihrem allenfallsigen Antrage zuvorzukommen" um seine Entlassung bittet, da man Anstoß an ihm nehmen könnte, wenn er „fürs Vaterland auf dem Rabensteine sterben sollte", die Isolirtheit seines Handelns außer Frage stellt. Wie hätte er Ausschluß oder Abgabe erwarten können, wenn er im Auftrage oder mit Zustimmung der Burschenschaft gehandelt hätte. Im Uebrigen fand nachher die That weit über die Kreise der Burschenschaft hinaus eine mehr oder minder leidenschaftliche Vertheidigung, sodaß von einer Ideengemeinschaft nur im Kreise der Burschenschaften keine Rede sein konnte. Was half's, die national-freiheitliche Bewegung war gefährlich und sie zu unterdrücken kam die That Sands gerade zur rechten Zeit.

Eine zweite That kam ihnen weiter zu Hilfe, das Attentat des Apothekers Löning gegen den Nassauer Präsidenten von Jbell in Bad Schwalbach. Eine vollständig verrückte That, denn von Jbell war ein allgemein geachteter und beliebter Mann mit liberalen Tendenzen. Jetzt war aber allen Widersachern Deutschlands, allen freiheitsfeindlichen Elementen, allen Gegnern der wirthschaftlichen Reformen, mit anderen Worten allen antinationalen und illiberalen Elementen eine durch ganz Deutschland verzweigte Verschwörung erwiesen. Der weimarischen Regierung, die dies bestritt, wagte der badische Gesandte von Bersett in Karlsbad zu erwidern: in Ermangelung von anderen Mitschuldigen Sands wären diejenigen dafür zu halten, welche sie leugneten. Ein erhabener Führer durch das Labyrinth jener Zeit!

Zwar legten die Erhalterstaaten der Universität Jena: Sachsen-Weimar und Sachsen-Gotha durch ihren Gesandten, Geheimrath von Hendrich, in der Sitzung des Bundestages vom 1. April 1819 kräftigen Einspruch ein gegen die Angriffe, welche sich unisono und in erster Linie auf die Thüringische Universität richtete. Es wurde durch ihn der Burschenschaft das Zeugniß gegeben, daß sie in Jena ein edleres Studentenleben eingeführt und die Gesetzmäßigkeit befördert habe. Zu ihrer politischen Tendenz wurde bemerkt: „Beklagen muß man hierneben den bösen Willen oder die Unvorsichtigkeit derer, welche eben solche Ansichten den Studenten zuerst angedichtet, welche deshalb mit einer großen Wichtigkeit gegen sie gesprochen, und vielleicht dadurch den Keim des Uebels unter sie gebracht haben." Und weiter: „Als die studirende Jugend im Jahre 1813 auf Deutschlands Hochschulen aufstand, als sie eilte, theilzunehmen an dem Kampfe für die Freiheit, die Ehre, die Sitte, die Sprache des Vaterlandes, da wurde sie mit offenen Armen empfangen, da wurde sie in Schaaren geordnet, da sah man in ihr keine Kinder, sondern werdende Männer. Als sie zurückkehrte aus dem Kampfe, als sie auf Zeichen männlicher Handlungen sich berufen durfte, da konnte ihr nicht sofort das laute, sonst nur dem Manne geziemende Sprechen und Schreiben über die Güter untersagt werden, für welche sie geblutet hatte, für welche in ihrer Mitte Freunde und Brüder gefallen waren, da konnte man nicht sofort diejenigen als Unmündige behandeln, welche man in ihrer edlen Begeisterung als Emanzipirte, als Wahrhafte gebraucht hatte." So Sachsen-Weimars freimüthige, aber völlig erfolglose Sprache am Bundestage.

Das Verbot der Preußen, in Jena zu studiren, das Schließen der Turnplätze in Preußen, die Verfolgung und Maßregelung von Arndt, Jahn, Görres, Welcker, waren nur die Vorläufer größerer Unterdrückungsaktionen. Im August 1819 trat eine Anzahl deutscher Minister unter Metternichs Vorsitze zu einem Kongreß in Karlsbad zusammen, das Ergebniß der Berathungen waren die

Karlsbader Beschlüsse.

Am 20. September 1819 wurde ein „provisorischer Bundestagsbeschluß über die in Ansehung der Universitäten zu ergreifenden Maßregeln" gefaßt, dessen dritter Paragraph lautet:

„Die seit langer Zeit bestehenden Gesetze gegen geheime oder nicht autorisirte Verbindungen auf Universitäten sollen in ihrer ganzen Kraft und Strenge aufrecht erhalten und insbesondere auf den seit einigen Jahren gestifteten, unter dem Namen „Die Allgemeine Burschenschaft" bekannten Verein um so bestimmter ausgedehnt werden, als diesem Verein die schlechterdings unzulässige Voraussetzung einer fortdauernden Gemeinschaft und Korrespondenz zwischen den verschiedenen Universitäten zu Grunde liegt. Den Regierungsbevollmächtigten soll in Ansehung dieses Punktes eine vorzügliche Wachsamkeit zur Pflicht gemacht werden.

„Die Regierungen vereinigen sich darüber, daß die Individuen, welche nach Bekanntmachung des gegenwärtigen Beschlusses erweislich in geheimen oder nicht autorisirten Verbindungen geblieben oder in solche getreten sind, bei keinem öffentlichen Amt zugelassen werden sollen."

In derselben Sitzung wurde vom Bundestage die

Mainzer Central-Untersuchungs-Kommission

eingesetzt, welche eine „möglichst gründliche und umfassende Untersuchung und Feststellung des Thatbestandes, des Ursprungs und der mannigfachen Verzweigungen der gegen die bestehende Verfassung und innere Ruhe sowohl des ganzen Bundes als einzelner Bundesstaaten gerichteten revolutionären Umtriebe und demagogischen Verbindungen" anstellen sollte. Auf jeder Universität wurde ein Regierungsbevollmächtigter des Bundes angestellt mit dem Amte, „über die strengste Vollziehung der bestehenden Gesetze und Disziplinarvorschriften zu wachen, den Geist, in welchem die akademischen Lehrer bei ihren öffentlichen und Privatvorträgen verfahren, sorgfältig zu beobachten und demselben, jedoch ohne unmittelbare Einmischung in das Wissenschaftliche und die Lehrmethoden, eine heilsame, auf die künftige Bestimmung der studirenden Jugend berechnete Richtung zu geben, endlich Allem, was zur Beförderung der Sittlichkeit, der guten Ordnung und des äußeren Anstandes unter den Studirenden dienen kann, seine unausgesetzte Aufmerksamkeit zu widmen."

Dieses sittlich schwere Pathos hatte sich der Vertraute Metternichs, Gentz, abgerungen, dieweil sich die Konferenzen der Minister zwanglos dem vornehmen und üppigen Babelleben in Karlsbad angepaßt hatten. Sie hatten weder das Frühstück und die Morgenpromenade gestört, noch die Visitenzeit unterbrochen oder die Diners und Ausflüge verhindert. Um 7 oder 8 Uhr Abends begann die Konferenz und dauerte höchstens ein paar Stunden. Es wurde eine ohnehin verlorene oder schwer zu füllende Zeit nützlich verbracht. Aegidi[1]) fällt ein scharfes Urtheil über die Karlsbader Kur, die man dem deutschen Volke angedeihen ließ: „Man erschrickt vor der Macht des Wahns, je mehr man sich in die Geschichte dieses Jahres vertieft. Auch die wohlthuende Ueberzeugung, die sich einem Jeden aufdrängt, daß unser Volk unschuldig an Allem war, um dessentwillen seine ganze Fort-

---

¹) Aus dem Jahre 1819. Hamburg 1861 S. 11.

entwickelung verkümmert, sein politisches Leben vergiftet ward und seine damals noch reine Willensrichtung dann verhängnißvoll in Schuld und Irrthum verstrickt wurde, ist nur geeignet, den Wahn noch gräßlicher erscheinen zu lassen. . . . Die Folge des Wiener Kongresses war einfach der Mangel eines guten Gewissens auf Seite der Regierungen. Gewissensangst verwirrt aber. Und hierin liegt der Hauptgrund der Geistesstörung, die dann so verhängnißvoll wirkte."

Kurz, in Karlbad hatten sich neun Minister vereint, um nach Metternichs Anträgen den verruchten Gedanken der deutschen Einheit für alle Zukunft aus den deutschen Köpfen auszurotten (Sybel).

Die offene freie Gemeinschaft der Burschen wurde unterdrückt mit der Wirkung, daß sich die Landsmannschaften wieder aufthaten und die Burschenschaften nur im Geheimen fortleben durften. Der Versuch, dem Studentenleben einen edleren Inhalt zu geben, es mit nationalem Streben, mit freiheitlichem Empfinden und männlichem Ernst zu erfüllen, wurde von der von Metternich geführten Machthaberschaft zurückgewiesen. Das alte Raufen und Saufen, das gedankenlose Commentreiten war ungefährlicher.

In Jena löste sich in Folge eines Großherzoglichen Patents am 26. November 1819 die Burschenschaft auf. Zum feierlichen Akte versammelte man sich im Rosensaal. Das Ergebniß der mit dem Prorektor gepflogenen Verhandlungen wurde vom Sprecher bekannt gegeben, und man sang tief bewegt die Schlußstrophe des Bundesliedes:

> Rückt dichter in der heilgen Runde
> Und klingt den letzten Jubelklang,
> Von Herz zu Herz, von Mund zu Munde
> Es brause freudig der Gesang:
> Das Wort, das unsern Bund geschürzet,
> Das Heil, das uns kein Teufel raubt,
> Und Zwingherrntrug uns nimmer kürzet,
> Das sei gehalten und geglaubt.

An den Großherzog, der dem Bundesbefehle hatte gehorchen müssen, sandte man eine Adresse zum Ausdruck des Dankes und der Rechtfertigung. Es hieß darin u. A.:

„Jetzt ist die Schule geschlossen. Jeder geht hinweg mit dem, was er in ihr gelernt hat; er wird es behalten und es wird in ihm fortleben. Was als wahr begriffen ist vom Ganzen, wird auch wahr bleiben im Einzelnen. Der Geist der Burschenschaft, sittlicher Einheit und Gleichheit in unserem Burschenschaftsleben, der Geist der Gerechtigkeit und der Liebe zum gegenseitigen Vaterlande, das Höchste, dessen Menschen sich bewußt werden mögen, dieser Geist wird dem Einzelnen innewohnen und nach dem Maße seiner Kräfte ihn fortwährend zum Guten leiten."

Die offizielle Auflösung der Burschenschaft war erfolgt, jedoch noch in der folgenden Nacht beriethen die Vorstandsmitglieder der jenaischen Burschenschaft, wie nach Zerstörung der äußeren Form Brauch und Geist

der Burschenschaft fortleben sollte und wie die neuerwachten landsmannschaftlichen Strömungen niedergehalten werden könnten. Wie man es mit dem
Binzer'schen Liede sang:

> „Die Form kann zerbrechen,
> Was hat's denn für Noth.
> Der Geist lebt in uns Allen,
> Und unsere Burg ist Gott!"

so lebte man weiter, ohne sich beugen zu lassen. Mit der zwanglosen Zu-
sammenkunft der Burschenschafter, die man zunächst wählte, ließ sich indessen das Wiedererstehen der Landsmannschaften bezw. die Neubildung von
Korps nicht verhindern. An den meisten Universitäten thaten sich solche
Verbindungen auf, deren Zweck war, Freundschaft und Lebensgenuß zu
pflegen, vaterländische und studentische Einheitsbestrebungen jedoch zu
ignoriren. Soviel hatte jedoch schon jetzt die burschenschaftliche Bewegung durchgesetzt, daß das Prinzip der landsmannschaftlichen Werbedistrikte,
die Abschließung nach regionalen und Landesgrenzen, ver-
schwunden war.

VII.
Trübe Zeiten.

Haupt[1]) beklagt es bereits 1820, daß die Universitätsbehörden und
Regierungen fast durchgängig die Landsmannschaften begünstigten und die
Burschenschaft, ungeachtet sie sich überall frei und offen verband, ohne ein
Geheimniß daraus zu machen, verfolgten und nicht bestehen lassen wollten.
Und Görres[2]) giebt dazu die plausible Erklärung: „Aber es schien, als ob
das Bild der verhaßten Einheit schon verletze; gerade die schöne, sittliche
Würde und Ruhe, die sich in der Burschenschaft entwickelte, schien mehr
zu ängstigen als das Gegentheil, das bisher an den Landsmannschaften
bestanden hatte; darum wurden diese wohl eher begünstigt. Die Burschenschaften wurden fast allemal mit der Erklärung, selbst da, wo man ihr mit
einigem Wohlwollen begegnete, zurückgewiesen, daß jede engere Vereinigung
der Studirenden, sie möge auch die allerbesten Zwecke haben, als einen Staat
im Staate bildend, von den Gesetzen verboten sei." Damit war die
Burschenschaft trotz ihres höheren Lebensinhalts auf das Niveau einer beliebigen Commentverbindung herabgedrückt und noch dazu mit den moralischen
Nachtheilen einer Verschwörung belastet. Man muß dies und die trostlosen
politischen Zustände in Deutschland dazu wohl im Auge behalten, um dann
zu verstehen, wie hier und da die Burschenschaft ins Extrem getrieben, wie
ihr so manches gute Material entzogen, wie sie zu Kompromissen mit Ein-
richtungen der Landsmannschaften und Korps genöthigt wird, wie sie mit
dem Verrath der Ueberläufer, mit der Lauheit der Kampfmüden zu kämpfen

---

[1]) „Landsmannschaften und Burschenschaften" S. XV.
[2]) Görres: „Teutschland und die Revolution" 1819 S. 104.

hat, also ihre ganze Eigenart nicht immer entfalten kann, sondern häufig mit halben Kräften auf Irrwegen zum Ziele zu gelangen versuchen muß. Die Burschenschaft war ferner bei allen ihren Aktionen gegenüber reinen Freundschafts- und Vergnügungsverbindungen insofern im Nachtheile, daß die Anderen ihr Ziel sehr bald erreicht hatten, während sie selbst es, dank der trostlosen Zustände, nicht erreichen konnte. Die Vielgestaltigkeit der Meinungen, die Freiheit der Diskussion, das Recht der Individualität für einen Jeden in der Burschenschaft ist deren Vorzug und Schwäche. Wer sich lediglich mit Commentfragen befaßt, lediglich Pläne schmiedet, um die Hausmacht zu befestigen, Allgemeininteressen grundsätzlich verneint, hat ein leichteres Leben und Denken, als eine Korporation, in deren Natur es liegt, sich vaterländische und allgemein studentische Aufgaben zu stellen.

Die schöne, von aller Poesie der Jugendfrische und Romantik getragene erste Phase burschenschaftlichen Lebens ist 1820 abgeschlossen. Es folgt eine Zeit unruhiger Gährung und schwerer Arbeit an sich selbst. In dieser Zeit der Burschenschaft finden wir alle Bewegungselemente der deutschen Politik der Mitte des vorigen Jahrhunderts wieder: Streben zur Einheit, Verzweiflung an der Einsicht und nationalen Zuverlässigkeit der Fürsten, hier und da ein Schuß sentimentaler Romantik und Polenschwärmerei. Hierüber vom heutigen Standpunkt des Erreichten und Gesättigten mit erhabenem Spott zu reden oder zu schreiben, ist unendlich billig.

Das Wiedererstehen der Korps ließ eine geschlossene Organisation der burschenschaftlichen Bestrebungen als nothwendig erscheinen, sollte nicht der alte Geist der Unduldsamkeit und Engherzigkeit von Neuem zum Siege gelangen. Im Sommer 1820 entstanden unter Führung von Mitgliedern der älteren Burschenschaft von Neuem Burschenschaften in Jena, Berlin, Erlangen, Heidelberg, Leipzig 2c. Die Burschentage in Dresden (1820), Streitberg (1821), Bensheim (1822) sind die äußeren Lebenszeichen von dem Bestehen des Verbandes und von dem Bedürfnisse des Zusammenschlusses und des Gedankenaustausches in trüben Zeiten. Diese Burschentage fanden geheim und verstedt statt und waren nur von einer kleinen Zahl Eingeweihter beschidt. Vom Streitberger Burschentage berichtet z. B. Karl von Hase[1]): „Wir haben wiederum sechs Tage eifrig und einträchtig verhandelt, ohne daß ich bei dem vorsichtigen Schweigen des Tagebuchs mich des Einzelnen zu erinnern wüßte. Der Freiherr von Rotenhan, der so manches Jahr Präsident der zweiten Kammer in München geworden ist, bewährte schon seine milde Umsicht in der Leitung der Verhandlungen. Mit ihm war als der andere Deputirte von Würzburg Stahl (der spätere konservative Führer) gekommen, dessen scharfsinnige Beredsamkeit auch bereits ihre Macht übte." Im Uebrigen stellt die Central-Untersuchungskommission nach dem Dresdner Burschentage den Burschenschaften ein Zeugniß aus,[2]) das damals sehr ungünstig

1) A. a. O. S. 72.
2) Ilse a. a. O. S. 137.

lautete, inzwischen aber wohl einen besseren Klang erhalten hat. Sie erklärte nämlich, das feststehende und immer wiederkehrende Resultat ihrer Verhandlungen sei gewesen, daß das gesammte deutsche Volk einen Staat ausmachen, eine Regierung haben müsse, und daß Konstitutionen von den Regierungen bewilligt werden müßten.

Auf dem Bensheimer Burschentage wurde über den Zustand der Burschenschaft nach dem Hauptbericht der Central-Untersuchungskommission vom 11. Dezember 1827 u. A. Folgendes mitgetheilt:[1]

Im Allgemeinen verfolgten die höheren Staatsbehörden die burschenschaftlichen Verbindungen, die Universitätsbehörden verfuhren nicht sowohl aus Ueberzeugung, als in Folge ihrer Verpflichtungen den Anordnungen der höheren Staatsbehörden gemäß. Wirklich konstituirte Burschenschaften existirten nur noch in Erlangen, Heidelberg und Leipzig, auf den meisten anderen Universitäten aber nur burschenschaftliche Vereine. Diese sollten übrigens, wenn sie nur in einem Namensverzeichnisse die allernöthigste Form hätten, künftig bei den allgemeinen Burschentagen ebensogut Sitz und Stimme haben, als die konstituirten Burschenschaften. Es wurde ferner empfohlen, „sich mit den Regierungen und den Behörden nicht in unfreundliches Verhältniß zu setzen, sondern vielmehr Veranlassung zu Aufsehen und öffentlichem Spektakel zu vermeiden und so die Existenz der Burschenschaft zu sichern.“ Zur Wiedererweckung der Burschenschaften in Göttingen, Bonn und Berlin wurde den Burschenschaften benachbarter Universitäten aufgetragen, Einige aus ihrer Mitte zu bestimmen, sich dorthin zu begeben, sich dort immatrikuliren zu lassen und zur Wiedereinrichtung mitzuwirken. In Bezug auf die innere Einrichtung der Burschenschaft wurde die Verfassungsurkunde vom 18. October 1818 nach den in Dresden und Streitberg beschlossenen Abänderungen neu redigirt. Die Burschenschaft wurde verschieden von dem Streitberger Burschentage als „eine Bildungsschule in wissenschaftlicher und sittlicher Beziehung für das Leben im Staate“ definirt. Gegen die bei der Darlegung des Zustandes der Burschenschaften bemerkten Extreme, welche sich im Einzelnen zeigten, sollten die besseren Mitglieder die übrigen warnen.

Nach dem Berichte der Central-Untersuchungskommission hatten die burschenschaftlichen Vereinigungen jener Zeit verschiedenartige Formen. Formlose engere Vereine, um die sich die Allgemeinheit herumschloß, burschenschaftliche Klubs, mehr oder minder geheime Konventikel, je nachdem die behördliche Aufsicht die öffentliche Bethätigung zuließ oder unterdrückte. In Jena war die Burschenschaft keine öffentlich anerkannte Vereinigung, allein sie trug die früheren Abzeichen, man versammelte sich, kam zu Hunderten aus der Versammlung mit dem Gesange eines Körner'schen Liedes, man hielt festliche Aufzüge und entfaltete sogar die Burschenfahne. Die Behörden ignorirten die Existenz der Burschenschaft. Eine Aenderung vollzog sich nach der Verhaftung von Robert Wesselhöft in Berlin; die jenaische Burschenschaft mußte sich von Neuem offiziell auflösen. Die Vorsteher traf die Relegation, zunächst ohne jegliche Hoffnung auf spätere Anstellung in Staats-, Kirchen- oder Schulämtern; alle Anderen mußten ihren

---

[1] Handbuch für den deutschen Burschenschafter. 1897 S. 100 f.

3

Namen in das Strafbuch eintragen, wobei ihnen bemerkt wurde, daß es nur von ihrem ferneren Betragen abhänge, ob sie zur Staatsprüfung zugelassen werden sollten oder nicht. Für den eigentlichen Bestand der Burschenschaft hatten diese behördlichen Eingriffe immer nur vorübergehend Bedeutung, die Burschenschaft blieb am Leben, ja sie änderte sich im Charakter vielleicht nur insofern, daß sich bei Einzelnen unter ihnen der romantische Hang verstärkte und daß sich Trotz und Verbitterung einschlich. Immer aber war noch Raum für frohes Burschentreiben und freien studentischen Sinn, was sich unter Anderen in dem Auszuge der Jenaischen Studenten nach Kahla offenbarte, einer Sezession, welche 1822 die Burschenschaft veranlaßte als Protest gegen das akademische Verbot des Singens auf der Straße.

Seit 1821 bemerkt man neben der Hauptströmung in der Burschenschaft eine Bewegung, die zum hoffnungslosen Radikalismus hindrängt, gegen den aber die klareren Köpfe protestiren.[1]) Im Frühjahr 1821 war der Mecklenburger Adolf von Sprewitz, Student in Jena, aus der Schweiz, wo er mit italienischen Verschwörern verkehrt hatte, mit dem Auftrage zurückgekommen, auf den deutschen Universitäten für einen

geheimen Bund

zu werben zur Herbeiführung eines Zustandes der Einigung und Befreiung des deutschen Volkes. Der Auftrag war von einigen älteren Universitätsgenossen ausgegangen, die nach der Schweiz geflüchtet waren, besonders von dem Gießener Unbedingten Karl Follen. In neun Artikeln, welche wahrscheinlich den Satzungen eines italienischen Geheimbundes nachgebildet waren, wird ausgesprochen, daß die Aufnahme durch Beeidigung geschah, daß jedem Mitglied nur wenig andere Mitglieder bekannt sein durften, daß man sich Waffen anschaffen und sich darin üben sollte, schließlich daß dem Verräther der Tod drohe. Man spiegelte den Studenten einen bestehenden Männerbund vor, dessen Oberen sie gehorchen sollte, ohne sie zu kennen oder kennen zu lernen. So erhielten Theile einzelner Burschenschaften den Charakter einer mystischen Verschwörung mit all den unerfreulichen Begleiterscheinungen des Theatralischen, der Wichtigthuerei, der Unklarheit und der Unaufrichtigkeit. Zugleich that man auf diese Weise den Polizeispionen den Gefallen, ihnen ins Garn zu laufen.

Wie die Reaktion diese Strömung zu ihren Gunsten ausbeutete, verdeutlicht am besten die Schrift von Fabritius: „Ueber den herrschenden Unfug auf teutschen Universitäten, Gymnasien oder Fakultäten oder Geschichte der akademischen Verschwörung gegen Königthum, Christenthum und Eigenthum."[2]) Die Schrift dieses Sykophanten war „den erhabenen Stiftern des heiligen Bundes Alexander I und Franz I, den Königen von Hannover, von

---

[1]) Hase, Ideale und Irrthümer, S. 76 ff. — Gegentheilige Auffassung bei Arnold Ruge: „Aus früher Zeit" (Berlin 1862) Band II S. 54.

[2]) Mainz 1822.

Preußen, von Bayern und von Württemberg, dem Großherzog von Baden, allen übrigen christlichen Souveränen und Bundesfürsten nach verschiedenem Range, Hoheit und Würde" schließlich den Staatsdienern und Ministern zu= geeignet. Fabritius faßte die Sache so auf: „Zwischen dem Staat und den Universitäten liegt offenbar ein stillschweigender Vertrag oder die Uebereinkunft zum Grunde: ich ertheile dir Schuß, Ehre und Ansehen — deinen Lehrern Unterhalt und Versorgung; ihr aber bildet mir dagegen eine ge= sittete, fromme, kenntnißreiche Jugend." Auf Grund dieses Viktualienverhältnisses werden Fichte, Kant, Schelling als frech und ruchlos, im Geiste identisch mit der „französischen Banditen= und Mordbrennerbande" verworfen. Die Verleumdungen Stourdza's über die deutschen Universitäten billigt Fabritius in vollem Umfange, er habe „nicht zu viel, viel aber noch zu wenig gesagt" (S. 169); die Einmischung Rußlands in deutsche Angelegenheit wird verherrlicht: „jeder Staat hätte das vollkommenste Recht, einen Nachbar= staat gegen sittliche und physische Gefahren zu warnen und zu verhüten, daß das Uebel nicht weiter um sich greife." Am Ende erklärt er sich mit allen Vor= schlägen Stourdza's einverstanden: die „inneren Greuel und das heillose Ver= derben der Hochschulen" verdiene keine andere Behandlung. „Gottesleugnerei und Herabwürdigung des Allerheiligsten zum Profansten ist von unseren Tagesweisen und Akademikern in eine Kunstform gebracht worden, so daß die Souveräne am Ende gezwungen sein werden, die Universitäten und andere höhere Lehranstalten aus noch triftigen Gründen aufzuheben als die Klöster."

Ueber das sonstige Leben in der damaligen Burschenschaft, soweit sie nicht von der Verschwörung infizirt war, berichten die Keils [1] von Jena folgender= maßen: „Im Allgemeinen herrschte ein heiteres Leben in der Burschenschaft, eine Fülle bedeutender Köpfe und charakteristischer Persönlichkeiten war in ihr vereinigt. Ihre Richtung war eine vorzugsweise deutsch=volksthümliche, nicht eine politisch=radikale. Wichtig war besonders das Element der wissen= schaftlichen Belehrung, welches durch das Institut der sogenannten Kränzchen gewonnen wurde. Diese waren doppelter Art: Fuchskränzchen und Ver= bindungskränzchen, und wurden zu Anfang eines jeden Semesters durch den Vorstand in der Weise eingerichtet, daß die sämmtlichen Mitglieder der Burschenschaft in derartig kleine Abtheilungen vertheilt und unter die Leitung eines erfahrenen älteren Mitgliedes, des „Kränzchenführers" gestellt wurden. Durch die Fuchskränzchen sollen die neuangekommenen Mitglieder in das Universitäts= und Verbindungsleben eingeführt werden; daher waren das akademische Leben, das Duell, die Landsmannschaften, die Burschenschaft und deren Geschichte vorzugsweise Gegenstände der Unterhaltung, denen sich Vor= träge über historische und philosophische Themata anreihten. Die Ver= bindungskränzchen waren dagegen für die Besprechung von Verbindungs= Gesetzvorschlägen und nächstdem zu staatsrechtlichen und politischen Diskussionen

[1] A. a. O. S. 614.

beſtimmt. Oft wurden in dieſen Kränzchen auch die Verfaſſungen der deutſchen Staaten miteinander verglichen und hierbei die Debatten über die Vorzüge der ganzen Verfaſſung und einzelner Abtheilungen und Paragraphen derſelben mit großer Lebhaftigkeit geführt."

Die Konſtitution der Burſchenſchaft war in Jena nach 1826 derart, daß ſie ſich in die „Verbindung" im engeren Sinne oder „engere Verbindung" und in die weitere Verbindung oder Renoncenſchaft theilte. In der engeren Verbindung lag die geſammte geſetzgebende und verwaltende Macht. Allmonatlich hielt ſie eine Verſammlung ab und wählte aus ihrer Mitte den Vorſtand und das aus fünf Mitgliedern zuſammengeſetzte Ehrengericht, ohne deſſen Billigung kein Duell ſtattfinden durfte. Die Renoncen durften die Farben tragen, hatten jedoch nur das Recht, in ſchriftlichen Eingaben ihre Wünſche zu äußern. Der Eintritt in die engere Verbindung geſchah mittels Anmeldung durch ein die Aufnahme befürwortendes Mitglied der engeren Verbindung, worauf nach einer vierwöchentlichen Probezeit die Abſtimmung erfolgte. Zur Aufnahme wurde eine Zweidrittelmehrheit gefordert. 1826 beſtand die Burſchenſchaft in Jena aus etwa 50 Mitgliedern der engeren Verbindung und etwa 130 Renoncen.

Daß die Sprewitz'ſche Verſchwörung in der That nur Einzelne in ihren Bann gezogen hatte und das Ganze nicht bewegte, daß in dieſem Ganzen vielmehr ein erheblich mehr nationaler als politiſch-radikaler Geiſt lebte, laſſen auch die Lebenserinnerungen des Hofprediger Wilſing[1]) klar erkennen. Von drei Hochſchulen: Bonn, Halle, Gießen, ſtellt er der damaligen Burſchenſchaft, der er angehört hat, das Zeugniß rein vaterländiſcher Geſinnung aus: „Die Idee einer Einigung aller deutſchen Stämme hielt man hoch und dieſe Idee bildete ein weſentliches Moment, welches uns von den Landsmannſchaften trennte. . . . Von revolutionären, oder auch nur an ſolche ſtreifenden Ideen, geſchweige Strebungen habe ich zu jener Zeit in der Bonner Burſchenſchaft nichts wahrgenommen. . . . In unſeren kleinen Zuſammenkünften (in Halle) wurde freilich inſoweit auch Politik getrieben, als wir die Vorleſung Ludens über Politik gemeinſchaftlich laſen und beſprachen. Dazu wurden auch wohl Ariſtoteles und Platos Ausſprüche und Anſichten herbeigezogen. Inſonderheit aber war die ſehnlich herbeigewünſchte Herſtellung eines einigen, wirklichen Deutſchen Reichs mit deutſcher Kaiſerherrlichkeit Gegenſtand unſerer Beſprechungen." Man ſang wohl:

„Neununddreißig Fürſtenknechte
Aus altadligem Geſchlechte
Knacken, Teutſchland zum Verdruß,
Stets an einer tauben Nuß."

war aber deswegen dem Könige nicht weniger ergeben, und ſo entſchieden wie möglich wurde immer und immer wieder betont, daß „ein Burſchen-

---

[1]) Die Ziele und Organiſation der Burſchenſchaft in Halle und Gießen in den Jahren 1826 bis 1828, „B.Bl." 2. Jahrg. Nr. 18.

schafter in keiner Weise an irgendwie revolutionär erscheinenden Bewegungen Theil nehmen dürfe und werde, vielmehr solche, wodurch nur Unheil und größere Zerrissenheit für das Vaterland kommen müsse, stets verwerfe".

Ueber die Art der Verfolgungen, welchen die Burschenschaft jener Zeit ausgesetzt war, berichtet die Zentral-Untersuchungskommission,[1]) daß im Allgemeinen die höheren Staatsbehörden die burschenschaftlichen Verbindungen verfolgten, die Universitätsbehörden nur nothgedrungen vorgängen, so daß die Untersuchungen — abgesehen von einigen Universitäten, wie Berlin, Breslau, Bonn und Göttingen, wo mit voller Strenge die Auflösung bewirkt worden sei — für die Burschenschaft einen mehr vortheilhaften als nachtheiligen Erfolg gehabt hätten. Ueber das Letztere wird sich streiten lassen. Wir meinen, daß behördliche Chikanen niemals den Korporationen, die damit bedacht werden, zu Gute kommen. Das Gegentheil in der Regel freilich auch nicht.

Immerhin ist die Annahme unbedingt verkehrt, daß lediglich Idyllen in der Burschenschaft gelebt wurden. Nach Hases Urtheil war man fleißig, schmiedete Pläne fürs Deutsche Reich, stritt sich mit den Korps, lag auf der Hut vor den Behörden und hatte auch im Inneren manche Gegensätze, soweit sie sich nicht zum gegenseitigen Verruf und zur Nichtanerkennung zuspitzten, mit der Waffe oder mit der Rede auszugleichen. Nicht zum Ausgleiche kam die

Spaltung in arministische und germanistische Richtung,

wie sie 1827 von Erlangen ausgegangen war. In der dort neu konstituirten Burschenschaft bildeten sich zwei Richtungen[2]): „Die am 5. Februar 1827 abgezweigte Burschenschaft, welche sich Germania nannte im Gegensatz zu der Arminia, wie der in der Allgemeinheit verbleibende Theil sich nannte, erachtete es von Anfang an als eine Aufgabe, „eine Kenntniß der Geschichte der jüngsten Vergangenheit in Blüthe zu erhalten und mit den politischen Tagesereignissen vertraut zu bleiben". Als Zweck stellte sie hin: „Vorbereitung zur Herbeiführung eines frei und gerecht geordneten und in volksthümlicher Einheit gesicherten Staatslebens vermittelst Beförderung eines moralisch wissenschaftlichen Lebens auf der Hochschule".

So bestanden denn nun in Erlangen zwei Burschenschaften, welche sich als germanische und arminische in Gegensatz zu einander stellten, beide aber als die einzig wahre Burschenschaft anerkannt sein wollten. Ein aus der Jenaer, Leipziger und Würzburger Burschenschaft gebildeter Burschentag auf der Altenburg bei Bamberg (1827) sollte die Angelegenheit schlichten.

Er verlangte, daß beide Erlanger Parteien sich auflösen und eine neue Burschenschaft bilden sollten, jedoch so, daß die Mitglieder einer jeden der

---

[1]) Ilse a. a. O. S. 172.
[2]) Wilhelm Kalb, Die alte Burschenschaft und ihre Entwicklung in Erlangen.

vorigen Parteien die Zahl von 40 nicht übersteigen. Diese neue konstituirte Burschenschaft nimmt die Grundsätze der Allgemeinen deutschen Burschenschaft an und tritt in ihren Verband. Die Konstitution der neuen Burschenschaft wird von einer Kommission, wozu jede der vorigen Parteien eine gleiche Anzahl Mitglieder stellt, entworfen und als Zweck aufgestellt: Vorbereitung zur Herbeiführung eines für uns gerecht geordneten und in vollsthümlicher Einheit gesicherten Staatslebens vermittelst Beförderung eines moralisch wissenschaftlichen Lebens auf der Hochschule. Gegen diejenige Partei, welche diesen Bestimmungen bis zum 1. Dezember 1827 nicht nachgekommen ist, sollte die Strafe des immerwährenden Verrufes eintreten. Etwa noch entstehende Streitigkeiten über Nebenpunkte sollte die geschäftsführende Burschenschaft in Jena entscheiden.

Diese Bedingungen nahm die Erlanger Arminia nicht an, und der Burschentag ging ohne zufriedenstellendes Ergebniß auseinander. Daher schickten die Erlanger Germanen einige Abgeordnete nach Jena mit der Bitte, endlich die Germania als rechtmäßige Erlanger Burschenschaft anzuerkennen; dies that die Jenaische Burschenschaft, wobei zu bemerken ist, daß dies wohl mit geringer Majorität geschah, denn auch innerhalb der Jenaischen Burschenschaft gab es dieselben Parteien aus denselben Gründen; die Spaltung in Jena sollte auch bald erfolgen.

Es wurde jedoch von dort aus eine Wiedervereinigung der Erlanger Burschenschaft angestrebt, Jenaische Burschenschafter siedelten nach Erlangen über, und so kam zu Ende des Sommers 1828 eine Einigung zustande, freilich nur vorübergehender Art. Die Gegensätze ließen sich nicht ausgleichen und schon im Dezember 1828 trennte man sich wieder in Arminia und Germania. Auch der im Jahre 1829 einberufene Würzburger Burschentag brachte keine Lösung, Germania wurde anerkannt und Arminia in den Verruf gesteckt.

Der Nürnberger Burschentag von 1830 bemühte sich, die divergirenden Geister durch eine Neufassung der Konstitution unter einen Hut zu bringen, wobei der erste allgemeine Grundsatz eine schärfere Fassung des Sittlichkeitsprinzips, das in der früheren Verfassung mit der Wissenschaftlichkeit ("moralisch wissenschaftliches Leben" zusammengekoppelt war), erfuhr und die körperliche Ausbildung mehr berücksichtigt wurde. Der erste allgemeine Grundsatz lautete nach der neuen Fassung folgendermaßen:

Die Allgemeine deutsche Burschenschaft ist die freie Vereinigung deutscher Jünglinge auf den Hochschulen, deren Zweck ist: Vorbereitung zur Herbeiführung eines frei und gerecht geordneten und durch Einheit des deutschen Volkes gesicherten Staatslebens mittelst sittlicher, wissenschaftlicher und körperlicher Ausbildung.

Mit ähnlichen, die Kräfte lahmlegenden Haarspaltereien[1] befaßte man sich in Jena. Auch dort betonten die germanistisch gesinnten Mitglieder

---

[1] Bei den Korps sah es nicht besser aus, eher schlechter, denn was sie mit allem Streiten und Zanken zu Stande brachten, war die 1826/1827 bewirkte Revision des Biercomments, worin die Spitzfindigkeiten des „Guten Morgen- und Guten Abend-Bietens", des Vortrinkens, des Ex Pleno-Bietens geregelt wurden. Hier wie dort querolles allemandes!

hauptsächlich den Werth des Fecht- und Turnbodens und suchten mit den Korps ein Satisfaktionsverhältniß einzugehen. Dem gegenüber legte die arministisch gesinnte Partei mehr Werth auf ein Burschenleben im alten hergebrachten Stil und hatte die Mehrzahl der Renoncen für sich. Die germanistische Partei hatte, was das Verfassungsleben der Burschenschaft angeht, mehr aristokratische, die arministische mehr demokratische Tendenzen; in politicis waren jedoch die Germanen die radikaleren. Die Majorität, die arministische Richtung, löste 1830 die engere Verbindung auf und setzte an ihre Stelle einen in jedem Halbjahr neu zu wählenden Ausschuß von 50 Mitgliedern, sie strich auch die Renoncenschaft. Damit gab sie allerdings der Verbindung einen äußerst beweglichen Rahmen. Die Germanistischen behielten ihre Ansichten bei und beide Parteien bestanden in wechselseitigem Verruf nebeneinander. Diese Streitigkeiten pflanzten sich auf alle Hochschulen fort, und die nächsten Jahre des inneren Lebens in den Burschenschaften waren mit Bemühungen angefüllt, die Parteien zu versöhnen, wobei man immer weiter auseinanderkam und die Germanisten sich immer mehr dem Radikalismus zuwandten. Die germanistische Partei verlangte, daß in Zukunft mehr eine praktisch-politische Tendenz durch die Burschenschaft verwirklicht werde, namentlich durch Mitarbeit an Zeitungen und Zeitschriften und durch Gründung von bürgerlichen Vereinen. Jede Burschenschaft solle durch Zeitungsaufsätze auf das Volk einzuwirken suchen, die Burschenschaften sollten sich einzelner Volksblätter bemächtigen und Einfluß auf die Volksstimmung gewinnen. Ein eigenes Erkennungszeichen solle die Gesinnungsgenossen verbinden. Der germanistische Burschentag zu Frankfurt a. M. (1831) beschloß, aus der allgemeinen Verfassung das Wort „Vorbereitung" zu streichen, so daß es nunmehr nur noch hieß: Herbeiführung eines frei und gerecht geordneten und in Volkseinheit gesicherten Staatslebens u. s. w. Somit war ausgesprochen, daß die Burschenschafter praktische Politik treiben sollten, die „revolutionäre Tendenz" war also anerkannt. Unter Umständen sollte jeder Burschenschafter verpflichtet sein, selbst mit Gewalt die Einheit und Freiheit Deutschlands zu erstreben und an Volksaufständen theilzunehmen, die zur Erreichung dieses Zieles führen könnten. Als Blätter, deren man sich zur Verbreitung dieser burschenschaftlichen Gesinnung bedienen sollte, wurden vorgeschlagen die „Deutsche Tribüne", der „Hochwächter", der „Baseler Verfassungsfreund" und vielleicht „Der Weltbote". Bestimmte Erkennungszeichen (Bruchzahlen) unter den Aufsätzen sollten dem Eingeweihten verrathen, von welcher Burschenschaft der Aufsatz herrührte.

Es war eine politische Fluthwelle über die Burschenschaft gekommen. Jung und Alt trachtete Einfluß auf das öffentliche Leben zu gewinnen, und die Mainzer Central-Untersuchungskommission hat es in ihren Akten der Nachwelt aufbewahrt, wer Alles in jener Zeit den „revolutionären" Einheitsgedanken gehegt und gepflegt hat. Von 1819 bis 1827 hat sie Hunderte in Gefängnissen umhergeschleppt, nur 117 sind wirklich angeklagt, von diesen mußten 44 völlig freigesprochen werden.[1]) Die 72 Verurtheilten aber, die in die Festungen geschickt wurden, hatten nichts Verwerfliches als ihre Beziehung zur Burschenschaft auf dem Schuldkonto zu stehen. Wir nennen nur wenige Namen: den Kirchengeschichtslehrer Karl Hase, die späteren Mitglieder des Frankfurter Parlaments: Arnold Ruge, von Rotenhan, von Herzog, Dr. Eisemann, Anselm Feuerbach, den Dichter Wilhelm Hauff, die Redakteure der „Augsburger Allgemeinen Zeitung" Rebold und Kolb, den Theologen Wislicenus. Angesichts der Schamlosigkeiten der Central-Untersuchungskommission, die unter den Männern, welche „die revolutionären Bestrebungen, auch ohne Absicht, veranlaßt, aufgemuntert und befördert haben", Arnold Stein, Gneisenau, Blücher, York, Schleiermacher, Fichte, den preußischen Minister Eichhorn aufführt, muß man sich heute wundern, daß nicht noch viel mehr Menschen jener Tage dem Radikalismus verfallen waren und daß der Radikalismus nicht noch gewaltsamere Ausdrucksformen gefunden hat, als die kleinen und regelmäßig wirkungslosen Putsche.

Nach dem Erlaß des freisinnigen Badischen Preßgesetzes schossen in Baden die Zeitungen wild in die Halme, zugleich war ein Vaterlands- oder Preßverein bemüht, für die Freiheit der Presse in ganz Deutschland zu agitiren. Man hielt den Gedanken der Wiedergeburt Deutschlands und eines Verfassungslebens wach und unterstützte die wegen Preßvergehens Bestraften. Die Burschenschaften an vielen Universitäten traten dem Preßverein bei, was sich u. A. in den Beschlüssen der Burschentage wiederspiegelt, die Presse mit Artikeln zu unterstützen.

Alles war mit Politik durchtränkt, auch die Volksfeste. Es war Stimmung genügend vorhanden für die Einladung der pfälzischen Liberalen an alle Volksfreunde in Deutschland zu dem „großen deutschen Nationalfest" auf der Hambacher Schloßruine. Dies

Hambacher Fest

vom 27. Mai 1832 versammelte an 30 000 Menschen, darunter viele junge und alte Burschenschafter, in einem merkwürdigen Gedankengemisch des Strebens nach Einheit und Verfassung, des politischen Radikalismus und der Polen- und Franzosenschwärmerei. Nur ein gutes prophetisches Wort des Hauptveranstalters jenes Festes, des alten Burschenschafters Wirth, wollen wir als reiches Weizenkorn aus der Spreu der Ueberschwenglichkeiten aussondern. Wirth rief es aus: „daß wir unsererseits mit einer Abtretung des linken Rheinufers an Frankreich selbst die Freiheit nicht erkaufen wollen, daß vielmehr bei jedem Versuche Frankreichs, auch nur eine Scholle deutschen Bodens zu erobern, auf der Stelle alle Opposition im Innern schweigen und ganz Deutschland sich gegen Frankreich erheben würde und müßte, daß die dann zu erhoffende Wieder-

---

[1]) Ilse, „Geschichte der politischen Untersuchungen von 1819 bis 1827 und von 1833 bis 1842".

befreiung unferes deutfchen Vaterlandes umgekehrt die Wiedervereinigung von Elfaß und Lothringen wahrfcheinlich zur Folge
haben würde — über alles diefes kann unter Deutfchen nur eine
Stimme herrfchen."

Diefer nach unferer heutigen Auffaffung gefunde nationale Grundton
konnte indeß die revolutionären Reben- und Zwifchentöne des radikalen
Orchefters nicht verdecken, jedenfalls nicht die Reaktion abhalten, das
revolutionäre Waffer, das in Hambach zu Tage gefördert wurde, auf ihre
Mühlen zu treiben. Der Bundestag faßte am 28. Juni 1832 fechs „Aus-
nahmebefchlüffe" gegen Preßfreiheit, Vereinsbildung, Volksverfamm-
lungen, gegen die Veröffentlichung unbequemer Parlamentsreden, die alten
Burfchenfchafter von Gagern, Paul Pfizer u. A. wurden zur Niederlegung
ihrer amtlichen Stellungen gezwungen. In gleichem Maße, wie die Reaktion
ihre Maßnahmen verfchärfte, verftärkte natürlich der Vaterlandsverein feine
Agitationen und feine Bemühungen, die Burfchenfchaften vor dem Radikalismus zu fpannen. Von Intereffe find die Verhandlungen des Stuttgarter
Burfchentages[1] (1832), auf dem Würzburg, Erlangen, München,
Tübingen, Kiel und Heidelberg vertreten waren.

Der Würzburger Bisltcenus, ein Mitglied des Preßvereins, fprach von der
bevorftehenden Volkserhebung, an welcher ganz Deutfchland theilnehmen werde.
Als Mittel dazu erfcheine ein engeres Anfchließen der Burfchenfchaften an die
Vaterlands- und Preßvereine oder Gründung folcher, wo fie nicht beftänden. Die
Gefchäftsführende, zu welcher Heidelberg erwählt wurde, ward beauftragt, fich
nach den Mitgliedern des Vaterlandsvereins zu erkundigen und ihnen einen dahin
gehenden Antrag der Burfchenfchaft zu machen. Ferner follte fich jede Burfchenfchaft fo in ihrem Innern organifiren dürfen, wie es ihr gut fcheine, fobald fie
nur in Uebereinftimmung mit dem angenommenen leitenden Grundfätzen der allgemeinen deutfchen Burfchenfchaft bleibe, wie diefe in der allgemeinen Konftitution,
von welcher jede Burfchenfchaft eine Abfchrift erhalten habe, ausgefprochen fei.
Jedes einzelne Mitglied einer Burfchenfchaft folle auf die politifchen Erfcheinungen
in feiner Umgebung achten und feiner Burfchenfchaft melden, welche dann vierfel-
jährlich an die Gefchäftsführende zu berichten haben; auch Philifter follten in die
Burfchenfchaft aufgenommen werden. Da die Kieler und Tübinger erklärten, daß
diefe Befchlüffe von Kiel und Tübingen auf keinen Fall angenommen würden,
fo fei den einzelnen Deputirten nahegelegt worden, nach Kräften für die Annahme
zu forgen. Gelänge dies nicht, fo könnten fich die fich weigernden Burfchenfchaften
trennen, während die andern im Kartell verblieben. Alle Deputirte gaben fich
das Ehrenwort, über diefe Befchlüffe nichts auszufagen.

Geplant war nach Angabe der radikalen Führer des Vaterlandsvereins
eine allgemeine Volkserhebung; fo wenigftens wurde den Studenten vor-
geredet. Man hatte vor, den Aufftand in Frankfurt a. M., dem Sitze des
Bundestages, ausbrechen zu laffen, die Bundestagsmitglieder aufzuheben,
fich der Bundeskaffe zu bemächtigen und eine proviforifche Regierung ein-

---

[1] Handbuch S. 131.

zuſeßen. Dann würde ſich ganz Süddeutſchland erheben, von Beſançon ein polniſches Hülfskorps heranziehen 2c. 2c. und was Alles der ſteckbrieflich verfolgte Göttinger Corpsſtudent Rauſchenplat von einer Univerſität zur andern trug. Am 3. April 1833 fand der

Frankfurter Wachenſturm

ſtatt. Etwa 50 Menſchen waren nach Frankfurt geeilt, darunter die Hälfte Burſchenſchafter aus Heidelberg, Erlangen, Göttingen, Gießen, Straßburg.[1] Wie die Hauptwache genommen wurde, die, obwohl der Plan bereits ver- rathen, nur um 10 Mann verſtärkt worden war, wie die Konſtablerwache erſtürmt und ſchließlich die Jünglinge vom Militär kampfunfähig gemacht wurden, wie die eigentlichen Urheber des kindiſchen Anſchlages ſämmtlich zu entflieben vermochten, das Alles legt den Gedanken nahe, daß es ſich bei dem ganzen Unternehmen um ein Stück Polizeiſpißelthum, um beſtellte Arbeit gehandelt hat, geeignet und inſcenirt, von Neuem gegen die nationale Bewegung und gegen die Burſchenſchaft einzuſchreiten.

Zunächſt wurde eine neue Unterſuchungsbehörde für politiſche Ver- brechen eingeſeßt, die

Bundes-Central-Behörde,

welche das Mainzer Geſchäft der Unſchädlichmachung von Demagogen mit ungeſchwächter Kraft fortſeßte. Eine Verſchärfung der Cenſur wurde für einzelne Zeitungen, z. B. für die „Augsburger Allgemeine Zeitung" be- ſchloſſen. Die Kontrole der Reiſenden wurde verſchärft und die Burſchen- ſchaften von Neuem drangſalirt und der Spionage unterſtellt. Nach dem Bericht der Bundes-Central-Behörde[2] iſt erkannt worden wegen der Burſchen- ſchaft zu Heidelberg, Jena, Halle, München, Würzburg, Erlangen, Tübingen, Kiel, Gießen, Greifswald, Bonn, Breslau. Der Thatbeſtand, welcher dieſen Erkenntniſſen zu Grunde lag, war verſchieden, je nachdem die Burſchen- ſchaften dem allgemeinen Verbande angehört hatten oder nicht, und je nach- dem ſie den Frankfurter auf den Stuttgarter Burſchentage beigetreten waren oder nicht. Die Anſichten der Spruchgerichte darüber, ob der Thatbeſtand einer hochverrätheriſchen Verbindung anzunehmen ſei, ſind hauptſächlich „wegen der leider obwaltenden großen Verſchiedenheit in der Kriminalgeſeßgebung der deutſchen Bundesſtaaten" nicht einhellig geweſen. Grundſaß bei der Urtheilſprechung iſt, ſo wird ausdrücklich angegeben, mehr auf das zu achten, was die Angeklagten wollten, als auf das, was in den Statuten ſtand. Mit Hülfe dieſer Praxis wurde von drei Gerichtshöfen die Entſcheidung gefällt, daß von den zur Unterſuchung ge-

[1] Darlegung der Hauptreſultate aus den wegen der revolutionären Kom- plotte geführten Unterſuchungen. Frankfurt a. M. 1838. S. 46.
[2] Ilſe a. a. O. S. 865 ff.

zogenen Theilnehmern an Burschenschaften theilweise die Todesstrafe verwirkt sei:

1. In dem Haupterkenntnisse des Königlichen Kammergerichts zu Berlin sind von 204 Inquisiten neunundbreißig zur Todesstrafe verurtheilt worden. Dieser Ausspruch ist durch Königliche Gnade bei vier Individuen, gegen welche die geschärfte Todesstrafe ausgesprochen worden war, in lebenswierige und bei den übrigen in breißigjährige Freiheitsstrafe verwandelt worden.

2. Gegen sieben von den Theilnehmern an der Erlanger Burschenschaft erkannte das Appellationsgericht zu Landshut auf die Todesstrafe; die Entscheidung wurde indes in zweiter Instanz von dem Ober-Appellationsgerichte reformirt, und

3. verwarf das Ober-Appellationsgericht zu Jena den Rekurs, welchen die bei der großherzoglichen Landesregierung zu Eisenach zu zeitigen Freiheitsstrafen verurtheilten Mitglieder der Jenaer Burschenschaft eingelegt hatten, weil nach den bestehenden Gesetzen gegen sie rechtlicherweise auf den Tod hätte erkannt werden sollen.

Hunderte von deutschen Jünglingen und Männern wurden für lange Jahre eingekerkert: Fritz Reuter, Heinrich Laube, Sylvester Jordan, Behr, Eisemann und viele Andere. Der Pfarrer Weidig beging Selbstmord im Darmstädter Gefängniß.

Die Burschenschaft ging auch jetzt nicht unter, aber sie spaltete sich aufs Neue, indem sie die

progressistische Bewegung,

die im Keime bereits in der arministischen Strömung steckte, weiter ausbildete. Das Verhältniß zur Politik, die Duell- und Ehrengerichtsfrage, die Frage einer größeren Geschlossenheit oder weitgehenden Freiheit in Bezug auf die Aufnahme von Mitgliedern, auf Versammlungen und konstitutionelles Leben in der Verbindung bildeten den Gegenstand theoretischer Unterhaltungen und praktischer Spaltungen, wobei die Corps, mit denen sich bald diese, bald jene burschenschaftliche Partei zur Demüthigung der anderen, thatsächlich zur Schädigung des Ganzen verband, begreiflicherweise Boden gewannen. Der Progreß strebte nach Aufhebung der erstklassigen Stellung der Verbindungen zur übrigen Studentenschaft, er vertrat auch innerhalb der Burschenschaft ein liberales Prinzip und verlangte, daß der Ausschuß (die engere Verbindung 2c.), welcher die übrigen Mitglieder bevormundete und in ihren Rechten beschränkte, wegfalle. Hinausgehen aus dem engen Konventikel in die breite Oeffentlichkeit, Verkehr mit der Bürgerschaft und pari passu Abstreifen des spezifisch Studentischen, das war der weitere Entwickelungsgang des Progresses, der in Jena durch den Burgkeller, in Bonn durch die

Knorschia, in Breslau durch die Raczets, in Erlaugen durch die Buben-reuther, in Kiel durch die Albertina, in Königsberg durch die Hochhemia, in Heidelberg durch Walhalla und Reckarbund, ferner in Göttingen, Tübingen ꝛc. vertreten war.

So sehr der Progreß unserm heutigen Empfindungsleben widerstreitet und so sicher es ist, daß sich manche völlig ungeeignete Elemente auf diesem Wege Eingang in die burschenschaftliche Partei verschafften, so darf man den Progreß doch keineswegs mit den vorburschenschaftlichen Sulphuristen und Chokolabisten in einen Topf werfen. Die Verworrenheit der vormärzlichen Ideenfülle fand im Progreß ein Ventil, und Viele, welche glaubten, dem wiedererstarkten Formenkram der Corps nur mit Verleugnung aller studenti-schen Formen beizukommen, mit Beseitigung aller historischen Werthe be-gegnen zu können, schlossen sich dem Progreß an. Viel großer Haufe, aber auch manche starke Individualisten und gescheite „Einspänner", Männer einer besseren Zukunft. Sind doch aus solchen progressistischen Vereinen außerordentlich bedeutende Gelehrte, Politiker und Staatsmänner hervor-gegangen. Wir nennen u. A. von Wydenbrugk, Wehrenpfennig, Miquel, Bamberger, Wichert, von Kunowski, Julian Schmidt, Ludwig Friedländer, von Keudel, Hobrecht, Bersmann, Esmarch, Kuno Fischer, Kußmaul ꝛc. Daß die Strömung Einfluß hatte und Ansehen genoß, beweist der Zug des Jenaer Burgkellers nach Weimar am 11. März 1848, um dort das im Lande mißliebige Ministerium Schweitzer abzusetzen und das Ministerium Wyden-brugk durch eine loyale Intervention aus Ruder zu bringen. Das beweist mehr noch das

zweite Wartburgfest,

das ursprünglich von germanistischer Seite angeregt, von den Progressisten ins Werk gesetzt wurde und in allen seinen Beschlüssen die progressistischen Forderungen begünstigte. Am 13. Mai 1848 begann dieses zweite Wart-burgfest,[1] das drei Tage dauerte und eine „allgemeine deutsche Studenten-versammlung" darstellen wollte. Der Burgkeller in Jena und der Progreß von Bonn in Gemeinschaft mit Finkenvertretungen hatten dazu eingeladen. Es war wohl das eigenartigste Studentenparlament, das da auf der wiederum gastfrei zur Verfügung gestellten Wartburg tagte. Etwa 12—1500 Studenten, Burschenschafter, Corpsstudenten, Finken, Wingolf, die akademische Legion von Wien, Alles dies sammelte sich um die schwarz-roth-goldene Fahne. Wieder zog man mit fliegenden Fahnen zum Fest- und Versammlungssaal, es bildete sich sogleich eine Rechte aus einer Minderheit von Germanen, Teutonen, Corps, Wingolf, und eine Linke der Progreßfreundlichen, welche etwa 700 Mann stark war. Von der Gallerie aus erbat sich Graf Keller, der 1817 die Fahne zur Wartburg getragen hatte, das Wort und sprach sich zu Gunsten der Progreßvorschläge aus. Die Mehrheit der Versammlung

[1] Keil a. a. O. S. 509 ff.

nahm schließlich eine Adresse an die Frankfurter Nationalversammlung an.

In dieser wurde verlangt, daß die Universitäten Nationaleigenthum werden,
das Eigenthum der Universitäten vom Gesammtstaate eingezogen werden, daß der
Gesammtstaat die Bedürfnisse der Universitäten bestreiten sollte. Ferner wünschte
man unbedingte Lehr- und Hörfreiheit, Abschaffung der besonderen akademischen
Gerichtsbarkeit, Aufhebung der reaktionären Bestimmungen gegen das Verbindungs-
wesen, Betheiligung an der Wahl der akademischen Behörde und bei der Be-
setzung der Lehrstühle. Schließlich stellte man den Grundsatz auf, daß zur Erlangung eines Staatsamtes kein Universitätsbesuch mehr erforderlich sein sollte.

Alles in Allem recht merkwürdige und übertrieben selbstlose Zeugnisse
allgemeiner Bürgerfreundlichkeit und liberaler Anpassung an das nichtstudenti-
sche Element. Die Frankfurter Nationalversammlung nahm übrigens diese
Wartburgbeschlüsse, so widerspruchsvoll, konfus und unpraktisch sie waren, an.

Nach diesem Wartburgfeste, das trotz der Meinungsverschiedenheiten bei
den Festen und Kommersen ein gefälliges Bild der Einheit der heterogensten
Studentengruppen darbot, tagte noch ein besonderes Studentenparlament,
das noch allerhand Fragen des akademischen Lebens so die von den Examina,
von der Benutzung der Universitätsinstitute und Apparate, von den Hono-
raren, von der Aufhebung des Gymnasialzwangs, zu lösen sich bemühte und
das in Bezug auf die Organisation der Studentenschaften folgenden
Beschluß faßte:

„Die Studenten aller deutschen Universitäten vereinigen sich zu einer großen
organisirten Studentenschaft; die Studentenschaft der einzelnen Universitäten
bildet je eine Abtheilung der allgemeinen Studentenschaft. In dieser ist jeder
Student dem andern gleichberechtigt . . . Jeder Student einer Universität ist auch
akademischer Bürger der andern, sodaß ein allgemeines deutsches Bürgerrecht
besteht. Die Einheit der so beschlossenen deutschen Studentenschaft findet ihren
Ausdruck 1. in dem aus Abgeordneten sämmtlicher Studenten bestehenden „Ge-
sammtausschusse" und 2. in der „Vorörtlichen Centralbehörde".

Wie man sieht, gingen die Studenten gleich mit Siebenmeilenstiefeln in
den deutschen Einheitsstaat hinein, indem sie wenigstens das studentische
Indigenat schafften und alle partikularen Eigenarten der einzelnen Hochschulen verwarfen. Sie vergaßen auch die sozialen Forderungen nicht:
Unentgeltlichkeit des Unterrichts und Gleichberechtigung zum Universitätsbesuch für Alle, die sich dazu berufen fühlen. Daß sie in ihren Wünschen
der Zeit voraneilten, war in diesen vor- und nachmärzlichen Tagen nichts
Besonderes. In der Paulskirche machte man's nicht anders.

VIII.

1848.

Die reale Politik mußte sich in jener Zeit mit einigen wenigen Thaten
begnügen, deren größte der preußisch-deutsche Zollverein von 1833 war.
Er war wohl die werthvollste Vorfrucht für die Reichseinheit, denn er er-

schloß ein bis dahin mit lächerlichen Zollschranken abgesperrtes und zerrissenes Gebiet von annähernd 8000 Quadratmeilen und mit einer Bevölkerung von nahezu 30 Millionen dem freien Verkehr im Innern und stellte eine geschlossene deutsche Volkswirthschaft den fremden Handels- und Industriemächten entgegen. Die wirthschaftlichen Dinge erwiesen sich stärker als die Diplomaten. Sie schufen noch ein zweites großes Einigungsmittel, die ersten Eisenbahnlinien in Deutschland, ein deutsches Eisenbahnnetz, welches Friedrich List unter mannigfachen Opfern zu Stande brachte und wofür er des Landes verwiesen wurde

> Diese Schienen — Hochzeitsbänder,
> Trauungsringe, blank gegossen:
> Liebend tauschen sie die Länder,
> Und die Ehe wird geschlossen.

Die „offizielle Welt" sah solche Entwickelung mit Grauen. Welche anmaßende Bornirtheit herrschte, beweist u. A. auch das Vorgehen gegen die Göttinger Sieben, welche gegen den Verfassungsbruch des Königs Ernst August von Hannover protestirt hatten und dafür ihrer Stellen entsetzt wurden. Eine freiere Richtung schien von der Thronbesteigung Friedrich Wilhelms IV. von Preußen auszugehen. Ernst Moritz Arndt, dem man die Professur genommen, wurde sein Amt zurückgegeben. Jahn, der noch immer unter Polizeiaufsicht stand und sich an keinem Orte aufhalten durfte, wo sich eine Universität oder eine höhere Schule befand, erhielt die völlige Bewegungsfreiheit wieder. Eine allgemeine Amnestie befreite die wegen ihrer Zugehörigkeit zur Burschenschaft in den Festungen befindlichen Jünglinge und Männer, und zugleich wurde in Preußen die zur Untersuchung sogenannter demagogischer Umtriebe niedergesetzte Kommission aufgelöst. So schien fast das Jahr 1840 eine Epoche der Befreiung der Geister einzuleiten. Auch der nationale Gedanke nahm erhöhten Flug, man war sowohl eifrig an der Arbeit, den Kölner Dom vollenden zu helfen und Hermann, dem Cherusker, ein Denkmal zu setzen, als auch gediegenerer vaterländischer Arbeit sein Interesse zu schenken. So ging man an die Verbesserung des vernachlässigten Bundeskriegswesens, man sprach und schrieb mancherlei von der Vereinheitlichung der Maße und Gewichte, von einem gemeinsamen deutschen Handels- und Wechselrecht, von einer Gewerbeordnung. List trug mit seinem wundervollen „Nationalen System der politischen Oekonomie" die ersten Keime einer industriellen Erziehung in das deutsche Volk. Im Uebrigen war die Zeit der Broschüren und Zeitungsartikel; Männer wie der Oberpräsident von Schön mit seiner freiheitlichen Schrift „Woher und Wohin" suchten auf diesem Wege zu überzeugen und zu reformiren.

Indessen war dieser preußisch-deutsche Frühling nur von kurzer Dauer. Friedrich Wilhelm IV. verfiel in romantisch-pietistisch-absolute Ideen und machte durch halbes Nachgeben und plötzliches Abbrechen angeknüpfter Beziehungen zur Volksthümlichkeit die Verfassungskämpfe der vierziger Jahre in Preußen so besonders scharf und erbittert.

Die nationale Bewegung im vormärzlichen Deutschland kann ihre wichtigste Etappe in dem Widerstande

Schleswig-Holsteins

gegen die Vergewaltigung durch Dänemark erblicken. Uwe Lornsen, ein alter Burschenschafter, war es, der dem Kampfe um Schleswig-Holstein durch seine politisch-staatsrechtlichen Arbeiten „Ueber das Verfassungswerk in Schleswig-Holstein" und „Die Unionsverfassung Dänemarks und Schleswig-Holsteins" die wirksamsten Waffen des Rechtes und der wissenschaftlichen Erkenntniß, der Begeisterung für die „up ewig ungedeelten" Herzogthümer schmiedete. Der „Offene Brief" des Königs Christian rief alle deutschen Männer auf die Schanzen, voran den alten Burschenschafter Beseler, den Präsidenten der schleswig-holsteinischen Ständeversammlung. Die Burschenschaft der Universität Kiel, die Bauerschaften der Dithmarsen, die Bürgerschaften der Städte, alles stand fest zusammen, um der Einverleibung Schleswigs ein unbeugsames Veto entgegenzusetzen.

In allen Staaten waren inzwischen die Verfassungsfragen einer gewissen Krisis zugetrieben. Neben dieser politisch-liberalen Strömung ging die nationale in gleichem Tempo. Die deutsche Frage zu lösen, wenigstens den nationalen Gedanken im Fluß zu halten, dazu sollten Interpellationen und Anträge in den Einzellandtagen dienen. Bassermann forderte in der Badischen Kammer eine Vertretung des deutschen Volkes und eine Umgestaltung der Bundesverfassung in nationaler Richtung. Heinrich von Gagern verlangte ein interimistisches Bundesoberhaupt und wollte Preußen mit dieser schwierigen Aufgabe betrauen. Inzwischen aber gingen die Ereignisse tambours battants und über diese Theoreme hinweg. Die französische Februarrevolution von 1848 entfesselte in ganz Deutschland die aufgestaute Empörung. Zwar hatte der Bundestag versucht, die Fluthwelle durch ein Uebermaß vordem populärer Bewilligungen abzufangen. Am 3. März gab er den Regierungen die Aufhebung der Censur frei, am 8. März beschloß er eine „Revision der Bundesverfassung auf wahrhaft zeitgemäßen nationalen Grundlagen", am 10. März erklärte der Bundestag die Farben Schwarz-Roth-Gold für die offiziellen Farben und ließ auf dem Bundespalais in der Eschenheimer Gasse eine große Flagge mit diesen Farben wehen. Indeß nun war es zu spät, die Reue für 33 Jahre Metternichscher Politik konnte des Unwetters Lauf nicht aufhalten, das sich weniger über Oesterreich, wo Metternichs Abschied die Spannung löste, als über Preußen, seine Hauptstadt und seinen Hof entlud.

Berlin war seit dem Beginn der revolutionären Bewegung der Anziehungspunkt für alle ausländischen Desperados; namentlich die Polen waren in Schaaren nach Berlin eingeströmt, und mögen auch die Berliner Bürger, wie anderswo, durch Komplizirungen der Ereignisse, wie die Entladung der Gewehre zweier Grenadiere auf der Schloßbrücke, maßlos erregt gewesen sein, die eigentliche Arbeit der Fanatisirung war, darüber ist die Geschichte jetzt wohl im Klaren, das Werk fremder, namentlich polnischer und französischer Hände. Leider stand diesem Treiben auch oben kein klarer und fester Wille entgegen. Die Proklamation Friedrich Wilhelms IV. vom 21. März, worin er die Erwartung ausspricht, Deutschland werde sich mit Vertrauen ihm anschließen, endet: „Ich habe heute die alten deutschen Farben angenommen und mein Volk unter das ehrwürdige Banner des deutschen Reiches gestellt. Preußen geht fortan in Deutschland auf!" Zur sichtbaren Bethätigung dieses Programms, so schildert Sybel den Vorgang, machte Friedrich Wilhelm IV., von Ministern und Generalen, Bürgern und Studenten umgeben, sie alle mit schwarz-roth-golbnen Binden geschmückt, einen feierlichen Umritt durch die Straßen Berlins und verkündete in mehreren Anreden an die Bevölkerung die neue deutsche Zeit. Wenn auf diese Art das reaktionäre Preußenthum in die schwarz-roth-golbne Einheitsidee umschlug, so konnte aus dieser radikalen Umstülpung kaum etwas Dauerndes und Segensvolles entspringen, und wir Burschenschafter sind weit entfernt davon, in dieser Feier unserer Farben eine Erfüllung der Wünsche der alten Burschenschaft zu sehen. Nahmen doch an dieser Feier außer Polen, Franzosen und Radikalen Leute der schlimmsten Reaktion Theil. Aegidi berichtet,[1]) daß in Berlin die Wohnung des Fürsten Wittgenstein das erste Privathaus war, von welchem 1848 die breifarbige Fahne flatterte, und „der morsche Kampf heftete eine in den Demagogen-Untersuchungsakten aufbewahrte schwarz-roth-golbene Kokarde größten Umfanges an seinen alten Hut".

In diesen entscheidungsschweren Märztagen traten die süddeutschen Politiker, unter ihnen viele Burschenschafter, wie Mathy, Gagern, Welcker, Gervinus, Häußer, Römer, Fetzer, unter den Ruinen des Heidelberger Schlosses zusammen, um die möglichst rasche Einberufung eines deutschen Parlaments zu erwirken. Zunächst gab es ein „Vorparlament", dessen Sitzungen in Frankfurt a. M. unter Vorsitz von Professor Mittermaier am 31. März begannen.

Auf Antrag von Gagern wurde ein Fünfziger-Ausschuß eingesetzt, der bis zum Zusammentritt des Parlaments den Bundestag bei der Wahrung der Interessen der Nation und bei der Verwaltung der Bundesangelegenheiten selbständig berathen, die für nöthig erachteten Anträge an den Bundestag bringen und im Falle einer Gefahr des Vaterlands die Versammlung wieder einberufen sollte. Von Interesse war noch, daß ein kräftiger Druck aus der Versammlung gegen den Bundestag sofortige Wirkung hatte. Die volksfeindlichen Ausnahmebeschlüsse von 1819, 1832 u. s. w. wurden aufgehoben und die Gesandten, die daran mitgewirkt, in der Art entfernt, daß sie ihre Abberufung von ihren Regierungen erbaten. Schließlich wurde der Antrag von Soiron angenommen, „die Beschlußfassung über die künftige Verfassung Deutschlands einzig und allein der vom Volke zu wählenden Nationalversammlung zu überlassen".

―――――――

[1]) „Aus dem Jahre 1819". Hamburg 1861. S. 5.

Nachdem auch der Bundestag von sich aus „die Wahlen von Nationalvertretern" angeordnet hatte, „um zwischen den Regierungen und dem Volke das deutsche Verfassungswerk zu Stande zu bringen", ging das Vorparlament befriedigt auseinander.

Zwischen Paulskirche und Vorparlament fällt der badische Putsch der Heckerleute, welcher der nationalen Bewegung einen Mann von hohem Werthe, den badischen General Hans von Gagern, kostete, fällt ferner die Schlacht bei Kau, das Einrücken der preußischen Garden in Schleswig-Holstein und die aus dem dänischen Handel sich ergebende Erkenntniß der maritimen Schwäche der deutschen Staaten. Eine öffentliche Sammlung für eine deutsche Kriegsflotte war die Erkenntnißfrucht der deutschen Patrioten.

Am 18. März 1848 trat das

erste deutsche Parlament in Frankfurt a. M.

zusammen. In der vorbereitenden ersten Sitzung machte ein Abgeordneter darauf aufmerksam, daß Ernst Moritz Arndt unter ihnen sei. Arndt bestieg unter allgemeiner Bewegung die Rednertribüne. Er komme sich vor, sagte er, wie ein altes gutes deutsches Gewissen. Auch ein anderer der Burschenschaft Wohlbekannter, der Zeit- und Leidensgenosse von Arndt, Jahn, trat gleich am ersten Tage in Aktion, und so waren die Verhandlungen eingeleitet mit einer pietätvollen Erinnerung an die große Zeit von 1813 und 1815. Es ist Modesache geworden, sich mit einer gewissen Erhabenheit über das Parlament der Paulskirche auszusprechen, die Leute hätten viel geredet und nichts erreicht. Sie haben im Augenblick allerdings nichts erreicht, das war nicht ihre Schuld, sie haben aber in ihrem edelsten Bestandtheil, in der Erbkaiserpartei, die festen Richtlinien aufgestellt und die Fundamente für die Institution von Kaiser und Reich gesetzt. Die Paulskirche war die Antwort auf die Karlsbader Beschlüsse von 1819, hier quittirten die damals mißhandelten Burschenschafter in edelster Form die deutsche Schmach, welche ihnen Metternich und sein Gefolge zugedacht hatten. Die Pläne der Erbkaiserpartei bilden das Programm des deutschen Reiches, und diese Partei wurde geführt von dem Heidelberger und Jenaer Burschenschafter Heinrich von Gagern.[1] Ihm standen in der Erbkaiserpartei zur Seite die Heidelberger Burschenschafter Carl Mathy, Beseler, Heckscher, Böcking, Lette, Hergenhahn, Pagenstecher, die Erlanger Burschenschafter Hans von Raumer, von Rotenhan, von Herzog, von der Bonner Burschenschaft Compes, Brake, die Jenenser Graf Keller, Zittel, Briegleb, Busch, Leverkus, der Kieler Burschenschafter Michelsen, die Hallenser Burschenschafter Ziegert, Schwetschke, Wachsmuth, aus Leipzig Karl Biedermann, von München Pfizer, Römer, von Göttingen Rodbertus.[2]

---

[1] Dr. Tietz, Deutsche Burschenschafter in der Paulskirche. „B. Bl." 9. Jahrg. S. 1894/95.

[2] Von anderen Parteien und Fraktionen in der Paulskirche waren noch Burschenschafter: Uhland, Graf Reichenbach, v. Trützschler, Beneden, Eisenmann,

4

Dahlmanns Verfassungsentwurf schlug bereits den deutschen Bundes-
staat mit der Spitze des preußischen Erbkaiserthums und mit dem deutschen
Reichstage als Vertretung der Nation vor. Die Reichsgewalt verfügt nach diesem
Plan ausschließlich über das Kriegswesen, die Diplomatie, das Handels-, Zoll-
und Verkehrswesen. Alle Bundesstaaten bilden ein einziges Zollgebiet. Die bisherigen Kontingente der Bundesstaaten lösen sich auf in ein einziges Reichs-
heer, dessen sämmtliche Offiziere der Kaiser ernennt, wie er auch über die
Garnisonsorte und die Festungen verfügt. Dahlmanns Entwurf überläßt
eine Reihe durchgreifender Maßregeln der Regierung der Einzelstaaten
(Gericht, Polizei, Schule, Kirche ꝛc.) und gewährt dem Volke ausreichende
Freiheitsrechte. Diesen Entwurf nannte der Prinz von Preußen, der nachmalige Kaiser Wilhelm I., als er ihm 1848 vorgelegt wurde, eine großartige
Erscheinung. Er erkannte ihn, wie Maurenbrecher berichtet, wegen seiner
Klarheit, Gediegenheit und Kürze als musterhaft an. Seine Grundsätze pries
er als die nothwendigen, die zur Einheit Deutschlands führen würden.

Bei der Uebernahme des Präsidiums in Frankfurt sprach Heinrich
von Gagern: „Deutschland will Eins sein, Ein Reich, regiert
vom Willen des Volkes unter Mitwirkung aller seiner Gliede-
rungen; diese Mitwirkung auch der Staatsregierungen zu erwirken, liegt mit in dem Berufe dieser Versammlung." Wenn
weiter Gagern und seine Freunde nach dem Reichstag von Kremsier ein
Sonderverhältniß Oesterreichs, den Nichteintritt Oesterreichs in das
künftige Deutsche Reich gutheißen, wenn sie erklären: „Die Verfassung des Deutschen Bundesstaats kann nicht Gegenstand
der Unterhandlungen mit Oesterreich sein", wenn sie schließlich
ein erbliches Kaiserthum als Spitze des Reiches vorschlagen und mit
dieser Würde Preußen bedenken wollten, so haben sie den Ideen
den Weg zum richtigen Ziele gezeigt. Mehr zu leisten lag bei dem Verhalten der maßgebenden Regierungen: Oesterreich und Preußen, sowie gegenüber den Widerständen, welche die Bewegungskräfte radikaler oder reaktionärer
Natur bildeten, außerhalb ihrer Machtsphäre. Die provisorische Central-
gewalt des Reichsverwesers versagte, weil Erzherzog Johann immer in erster
Linie Oesterreicher war; die österreichische Diplomatie schürte in München
und Stuttgart, in Dresden und Hannover den Argwohn, daß Preußen mit
der Frankfurter Kaiserpartei sich zur Unterdrückung der deutschen Könige
verschworen habe; die Demokratie in der Paulskirche strebte nach dem
Tumulte am 7. August über die Amnestieanträge für die politischen Vergehen
darnach, das Parlament auseinander zu sprengen. So brauchten nur der
Vertrag von Malmoe, der diplomatische Sieg Schwarzenbergs in Olmütz
und die militärischen Erfolge des Fürsten Windischgrätz hinzuzukommen, um
den Zerfall des ersten deutschen Parlaments zu besiegeln. Biedermann trifft

---

Wirth, Titus, Bruno Hildebrandt, v. Linde, v. Lasaul, Welcker, v. Wydenbrugk.
Arnold Ruge ꝛc.

wohl das Richtige wenn er ausführt:[1] „Das ganze Werk der Schaffung einer Gesammtverfassung für Deutschland, wie die Frankfurter Nationalversammlung es vorfand und wie sie es hinauszuführen versuchte, war gebaut auf die Voraussetzung allseitiger Einsicht, Selbstverleugnung und Hingebung an eine große Idee — bei den Regierungen wie bei den Bevölkerungen. Diese Faktoren versagten, und darum mußte die Rechnung mit einem Defizit abschließen. Vielleicht ist an mancher entscheidenden Stelle später bereut worden, daß man den Weg friedlicher Auseinandersetzung, der damals eröffnet war, zu betreten verschmäht hat — später, als das gleiche Ziel mit gewaltsamen Mitteln erstrebt werden mußte und erreicht ward. Denn das Ziel, welches das erste deutsche Parlament dem deutschen Volke gezeigt, die Verfassung, für welche es sich nach langen Kämpfen entschieden hat — dieses Ziel und diese Verfassung sind als die allein richtigen von der Folgezeit erkannt worden." Noch weiter geht Sybel:[2] „Die Richtung", so schreibt er, „welche die Nationalversammlung dem vaterländischen Sinne gegeben, ist unvertilgbar geblieben und auch eine glücklichere Folgezeit hätte das Gelingen nicht erlebt, wäre nicht durch unser erstes Parlament, trotz aller Irrthümer über die Mittel mit so gewaltigem Nachdruck das Ziel dem Volke gezeigt worden: die Freiheit im Innern, die Einheit nach Außen!

Nachdem Preußen den badisch-pfälzischen Aufstand niedergeschlagen, wollte es in Gemeinschaft mit Hannover und Sachsen die innere Beruhigung durch Vorlage einer Verfassung bringen, einer Verfassung, die hinsichtlich der nationalen Einheitlichkeit und des freiheitlichen Ausbaues hinter der Frankfurter Reichsverfassung zurückblieb, aber doch immer die Handhabe bot, das Verfassungs- und Einheitswerk nicht verpumpfen zu lassen. Wieder sehen wir die positiven burschenschaftlichen Kräfte der Paulskirche Gagern, Mathy, Hergenhahn am Werke, um in gemeinsamer Besprechung mit 150 Vertrauensmännern in

Gotha

die Einigung des Vaterlandes zu bewerkstelligen und einen Rückfall in die alten vormärzlichen Zustände zu verhindern. Diese „Gothaner" forderten die Regierungen zum Anschluß an den Verfassungsentwurf des „Dreikönigbündnisses" auf. Wenn auch die „Gothaner" wegen ihres Vertrauens zu Preußen den Spott der Demokraten in reichem Maße auf sich luden, so fanden sie doch — und das war wesentlicher — die Zustimmung der gemäßigten und nationalen Richtung in Deutschland.

„Das allgemeine Mißbehagen und Mißvergnügen über die jüngsten Erlebnisse führte zu gründlichem Nachdenken hin über die Gründe des nationalen Scheiterns. Und aus dem Nachdenken über die Erfahrungen

[1] a. a. O. S. 467 f.

[2] Sybel, Begründung des Deutschen Reiches. München 1901. Bd. I, S. 255.

4*

jener Jahre 1848—1850 haben viele Patrioten in Deutschland gründlich gelernt. Die Ueberzeugung, daß einzig mit und durch Preußen der deutsche Staat zu schaffen möglich sei, wurzelte in den Geistern fest und machte stets weitere Propaganda. Mehr und mehr wurden die Politiker auch darüber sich klar, daß die Auseinandersetzung mit Oesterreich allem Anderen vorangehen müsse" (Maurenbrecher). Freilich ging zunächst die sogenannte „Union", die Vereinigung der um das Dreikönigbündniß gruppirten Regierungen bald wieder in die Brüche, und zwar auf Veranlassung der mittelstaatlichen, von Oesterreich ge-leiteten Diplomatie, welche ein einiges Deutschland unter Führung Preußens, um keinen Preis wollte. Unter allen Umständen muß aber die Wirksamkeit der „Gothauer" zu den Akten: „nothwendige nationale Vorarbeit" gelegt werden.

Wir kehren wieder zur aktiven Stubentenschaft zurück. Auch hier, soweit sie sich um Politik und Einheitsbewegung bekümmert, das Bild tief-gehender Spaltungen und des Unfertigen. Der am 15. August 1850 ge-gründete

allgemeine Burschenbund

umfaßte die auf dem Boden des Progresses stehenden Burschenschaften Frankonia, Helvetia und Marcomannia zu Bonn, die Leipziger Burschen-schaft, die Hermunduria, Marcomannia, Violetta zu Leipzig, die Franconia (spätere Teutonia) zu Berlin, den Burgkeller, die Coronia (progressistische Verbindung) zu Jena, die Marcomannia zu Erlangen, die Marburger Studentenschaft (später Burschenschaft), die Alemannia zu Marburg, das Fürstenthal und die Salingia zu Halle, die Hannovera, Hercynia, Neobruns-viga und Arminia zu Göttingen, zusammen also neunzehn. Diesem Bunde standen naturgemäß die übrigen Burschenschaften fern und er löste sich bereits 1852 wieder auf.

IX.

Auf dem Wege zur Einheit.

An der allgemeinen Politik, die bei der Schwäche Preußens mehr und mehr unter dem Einfluß Schwarzenbergs litt, nahmen die Studenten ebenso wenig Antheil, wie die übrige Bevölkerung. Der Radikalismus hatte den Gemäßigten und Nationalen das Heft aus der Hand genommen und in die Hand der Reaktion gespielt. Die Schmach von Olmütz, der Verrath an Kurhessen und Schleswig-Holstein, die Zurückschraubungen der Ver-fassungen waren die Früchte dieser Politik. Der nationale Gedanke war todt, jedenfalls gründlich zum Schweigen gebracht. Es herrschte die „Ruhe des Friedhofes". Obenauf waren Servilismus, Intrigue und ein abwechselndes Wettkriechen vor Rußland und Oesterreich. Das Manteuffel'sche Regiment in Preußen, das eben nach Olmütz geführt hatte, hatte die Gagern'sche oder Gothaische Partei, welche die Zukunft Deutschlands in die Hände von Preußen legen wollte, gesprengt. Was konnte man damals von Preußen erwarten?

Bessere Tage brachen an mit der Regentschaft des Prinzen von Preußen, und man verspürte wieder einen nationalen Lufthauch, als bei Magenta und Solferino Oesterreichs Versuche, die italienischen Einigungs-bestrebungen als eine „die höchsten Güter der Menschheit bedrohende Um-wälzung" zu hindern, zurückgewiesen worden waren. Es trat 1859 die Gefahr an Deutschland recht nahe heran, in die italienisch-französisch-öster-reichischen Händel verwickelt zu werden. Das Gefühl der militärischen und politischen Ohnmacht, das sich da den einzelnen Staaten aufdrängen mußte, richtete die Gedanken naturgemäß wieder auf die einzige große deutsche Frage: Wie schließen wir uns zusammen? Nach dem Frieden von Villa Franca war zwar die unmittelbare Gefahr beseitigt, aber jetzt faßte der im Juli 1859 gegründete

Nationalverein

alle Kräfte zusammen, um die eingeleitete Bewegung am Leben zu erhalten. Bei seiner Konstituirung in Frankfurt a. M. richtete dieser „Deutsche Nationalverein" an das Volk die Mahnung:

„Von allen deutschen Vaterlandsfreunden, mögen sie der demokratischen oder der konstitutionellen Partei angehören, erwarten wir, daß sie die nationale Unabhängigkeit und Einheit höher stellen als die Forderungen der Partei und für die Errichtung einer kräftigen Verfassung Deutschlands in Eintracht und Ausdauer zusammen-wirken."

Unter den Begründern dieser bald 20 000 Personen umfassenden Vereinigung bemerken wir wieder viele alten Burschenschafter wie Franz Duncker, Albrecht Brockhaus, Siegel, Zabel, Katzenstein, Taschner, Cretzschmar, von Rochau, Henneberg, Hoffmann, Kreuznacher, Miquel, Rießer, Lehmann, Brater, Hölder ꝛc.

Möglich, daß die Verlegung des Zentrums dieser Vereinigung nach Koburg, die rege Antheilnahme des sehr ehrbegierigen und nebenbei englisirenden Herzogs Ernst von Koburg an dem Nationalverein ferner die Betheiligung großdeutscher, österreichfreundlicher Elemente und Demokraten seiner natürlichen Politik: Deutschland unter preußischer Spitze! hinderlich war. In Verstimmung über die vermeintliche zu weitgehende Zurückhaltung Preußens in der nationalen Frage und vermuthlich auch wegen des preußischen Militärkonfliktes strich der Nationalverein 1861 auf der Heidel-berger Versammlung die preußische Führung aus seinem Programm, was dieser Vereinigung baldige Auflösung ohne Frage beschleunigt hat. Bei der Beurtheilung dieses National-Vereins ist das Eine als unbestreitbarer Gewinn festzuhalten, daß sich im Nationalverein die gebildeten und patriotischen Kreise des Bürgerthums vereinigten, um Nord und Süd von der Nothwendigkeit nationalpolitischer Reformen zu überzeugen. Daß man sich in der Bewerthung der Bismarckschen staatsmännischen Fähigkeiten irrte, lag zum Theil auch an den wunderlichen Formen dieser Politik. Die burschikose Art, die Gegner in seinem alten Stil von 1847 abzutrumpfen, erzeugte ein wüstes Chaos im Parlament, auch gemäßigte Politiker, wie Sybel und Gneist, geriethen in persönlichen und heftigen Streit mit

Bismarck.

Sie waren namentlich über die „cynische Frivolität" Bismarck's empört.

Was war Bismarck damals den meisten Deutschen? Er war 1847 im Vereinigten Landtage mit rücksichtsloser Entschiedenheit aufgetreten, um die Wünsche nach einer Konstitution zu bekämpfen und alles der freien Initiative des Königs zu überlassen. Er hatte dann die Frankfurter Reichsverfassung als eine Ausgeburt des Prinzips der Volkssouveränetät entschieden verworfen. Er wollte nicht, daß „die preußische Königskrone eingeschmolzen werde, um das Gold zu einer Kaiserkrone zu liefern". Er schwor auf das „spezifische Preußenthum". Weder Armee noch Volk in Preußen, behauptete er, ähnlich wie es Schmalz und Konsorten gethan hatten, hege deutschnationale Begeisterung. Nur unwillig, auf höheres Gebot, trage der preußische Soldat neben der schwarz-weißen die schwarz-roth-goldene Kokarde, „diese Farben der Revolution". Er war in den deutschen Verfassungsfragen ebenso reaktionär, wie in seiner blinden Verehrung für Oesterreich. Inzwischen hatte freilich Bismarck von 1851 bis 58 Preußen am Bundestage vertreten und dort die Ränke und Pfiffe, die bodenlose Anmaßung Oesterreichs kennen gelernt. Frankfurt war sein Damaskus. Sein Stockborussenthum wandelte sich allmählich in nationale Gesinnung um. Er hatte dort u. A. dem Süddeutschen achtungswerthere Seiten abgewonnen, als er ihm vordem zugesprochen hatte. Freilich, das blieb bei Bismarck von Anfang an und für alle Phasen seines Lebens bestehen, die Großmachtsstellung Preußens mußte erst garantirt sein, ehe es seinen deutschen Beruf erfüllen konnte. In diesem Punkte ergänzte und vertiefte er die politischen Ideen der Gagern und der Erbkaiserpartei, oder wie wir sagen dürfen, das burschenschaftliche Ideal: ein einiges Deutschland unter Preußens Führung. Vielmehr durch seine Realpolitik verwirklichte Bismarck das Ideal. „Er wollte", wie Lenz[1]) sagt, „daß Preußen Preußen bleibe, denn dadurch werde es in der Lage sein, Deutschland Gesetze zu geben, statt sie von Andern zu empfangen". Wie ihm Alles gelungen ist, wie er Preußen durch die Schwierigkeiten der schleswig-holsteinischen Händel durchbrachte, ohne England und Frankreich zur Intervention heran zu lassen, wie Oesterreich eliminirt und der Jahrhunderte alte Dualismus entfernt, Frankreich zurückgeworfen

---

[1]) Lenz, „Bismarck" in der Allg. deutschen Biographie Bd. 46 S. 585.

und das Deutsche Reich zu Stande gebracht wurde, das große Werk zu schildern ist hier nicht der Ort. Jedenfalls ist ihm aus ihrer Geschichte heraus die Burschenschaft dankbar, und sie müßte sich selbst vergessen, wenn sie je aufhören sollte, Bismarck zu ehren und zu danken.

Ueber

das Verhältniß Bismarcks zur Burschenschaft

geben die „Gedanken und Erinnerungen" (S. 2) den Aufschluß, daß Bismarck, als er die Göttinger Universität bezog, die Idee der Burschenschaft gut, das Material mangelhaft fand. Die Burschenschafter hätten es an den Formen fehlen lassen und nicht Satisfaktion gegeben. Bismarck verallgemeinert, wie man sieht, seine Erfahrungen, die er mit dem Göttinger Progreß von 1833 gemacht haben mag. In sein erstes Semester fiel ferner das Hambacher Fest, in sein drittes der Frankfurter Wachensturm, bei beiden Vorgängen waren Burschenschafter in starker Zahl vertreten — allerdings auch Corpsstudenten — und beide Vorgänge mußten Bismarck abstoßen, was ihm heute kein Deutscher verdenken wird. Doch sollte auch Bismarck nicht partem pro toto nehmen. In der Satisfaktionsfrage irrt sich Bismarck. Die Burschenschaften haben stets Satisfaktion gegeben. Möglich, daß sie unter dem damaligen Druck zu wenig auf die Form gegeben haben. Sie haben jedenfalls in dieser Hinsicht gelernt und unter allen Umständen müßte sie nach ihrer ganzen Geschichte heute das Urtheil mehr kränken, daß bei ihnen zwar das Material gut, aber die Idee mangelhaft sei.

Bismarcks Verhältniß zum Corps war mehr äußerlicher Natur. Lenz bemerkt hierüber:[1] „Auch das Leben im Corps, dem Bismarck erst im Juli 1832 beitrat, hat, ein wie flotter Bursch er sein mochte, doch nicht tiefer auf seine Anschauungen eingewirkt; Freunde fürs Leben hat er nicht in ihm gewonnen. Den ihm zusagenden Umgang boten ihm mehrere junge Amerikaner, mit denen er sein Englisch übte, den Shakespeare las und den Tag der Unabhängigkeitserklärung ihres Landes feierte."

Bei allen möglichen Gelegenheiten kommt Bismarck auf den Antheil zu sprechen, welchen die Burschenschaft an dem Werke der deutschen Einigung hat. Busch theilt in seinem Buche „Bismarck und sein Werk"[2] mit, wie Bismarck König Wilhelm zur Kaiseridee bekehrt hat. „Man denke sich dabei keinen römischen Kaiser, keine Römerzüge und keinen Anspruch auf Weltherrschaft, die gegen das wahre Interesse der Nation wäre; es sei vielmehr eine rein nationale Idee, die damit repräsentirt werde, und die auch uns vorschwebe: die Idee der Einigung nach Zwietracht und Zerfall, der neuen Macht und Sicherheit durch diese Einigung, die Konzentrirung zu gleichen Zielen aller Glieder. Diese Gedanken hätten schon 1818 in der Burschenschaft gelebt, 1818 wären sie in der Paulskirche zu Worte gekommen." Aehnlich sprach sich Bismarck alten Burschenschaftern gegenüber

---

[1] Lenz a. a. O. S. 578.
[2] Leipzig 1898 S. 42.

aus,[1] welche ihn in Friedrichsruh besucht hatten, er dankte für die Begrüßung, die ihm als Zeugniß gelte, daß die Burschenschaft und Bismard „an demselben Ziele gearbeitet haben, sie dafür verfolgt, er dafür belohnt. Es liegt der ganze Unterschied nur in den Mitteln, nicht in den Zielen. Es wurde irrthümlich angenommen, das sofortige Inswerksetzen könne den Kloß, unter dem wir lebten, das Gebirge will ich lieber sagen, irgendwie rühren und erschüttern. Das ist im Grunde dreißig Jahre später im Frankfurter Parlament wieder zu Tage getreten."

Kürzer noch und prägnanter hat es Bismard schließlich vor dem Burgkeller zu Jena den ihm den Humpen kredenzenden Arminen gesagt: „Meine Herren, ich trinke Ihnen gerne zu, doch nicht aus. Ich wünsche der Burschenschaft ein fröhliches Gedeihen. Sie hat eine Vorahnung gehabt, doch zu früh. Schließlich haben Sie doch recht bekommen. Prosit! Meine Herren!"

X.
Die Einigung der deutschen Burschenschaft.

Die Burschenschaft der sechziger und siebziger Jahre hatte sich zu einer einheitlichen Gesammtorganisation noch nicht durchzuringen vermocht. Die politischen Meinungsverschiedenheiten, verschiedene Auffassungen von der Satisfaktion und Mensur, Meinungsunterschiede in sittlichen Fragen und in Organisationsfragen ließen größere, dauernde Verbände nicht aufkommen. Statt dessen bildeten sich Kartelle von Burschenschaften, so das süddeutsche Kartell (1857) zwischen Tübinger Germanen, Heidelberger Allemannen und Bubenreuthern, das nach dem Ausscheiden der letzteren noch die Erlanger Germanen, Jenenser und Kieler Teutonen umfaßte und zu dem vorübergehend auch die Alemannia a. d. Pflug zu Halle gehörte. 1857 entstand ferner das norddeutsche Kartell zwischen Breslauer Raczeks, Greifswalder Rugiern, Würzburger Arminen, Freiburger Teutonen, Berliner Brandenburgern, Jenenser Germanen, Münchner Algoven (Arminen), Leipziger Germanen. Eine andere Gruppirung war das rothe Kartell (exklusive) zwischen Jenenser Arminen, Bubenreuthern und Bonner Alemannen, das mit kurzer Unterbrechung im Rothen Verband unter Beitritt von Arminia-Marburg und Brunsviga-Göttingen weiterbestand. Weniger geschlossen waren die Beziehungen zwischen Germania-Jena, Germania-Gießen und Arminia-Breslau, desgleichen das schwarz-roth-violette Kartell zwischen Berliner Germanen, Dresdensia-Leipzig und Rugia. Jüngeren Datums schließlich ist das grün-weiß-rothe Kartell: Hannovera-Göttingen, Germania-Jena, Franconia-Heidelberg.

Alle diese Konzentrirungsversuche boten, so unzulänglich sie für die definitive Einigung sein mochten, doch Möglichkeiten zu Verhandlungen von

---

[1] Steinwender. Bismard und die Burschenschaft. B.-Bl. 13. Jahrg. Nr. 7 S. 151.

einer Partei zur anderen und zu Vorbereitungen für den späteren Zusammenschluß. Wir sehen denn auch in dem nächsten Jahre in der Burschenschaft
das Streben vorwalten, über die trennenden Einzelprinzipien hinweg zur
Einheit zu kommen. Am 12. August 1863 fand auf Einladung der Brunsviga-Göttingen in Eisenach ein Burschentag[1]) statt, an dem die Vertreter
von Arminia-Breslau, Arminia-Leipzig, Arminia-Marburg, Dresdensia-
Leipzig, Franconia-Bonn, Franconia-Halle, Franconia-Heidelberg, Germania-
Berlin, Germania-Breslau, Germania-Greifswald, Germania-Jena, Hannovera
und Brunsviga, theilnahmen.

In diesem Einigungsentwurfe wurde der Vorschlag zur Gründung von
okalen „D. C." an jeder Hochschule gemacht.

Es kam ferner in der politischen Frage ein Kompromiß zu Stande,
derart, daß verlangt wurde, „eine freie, von den einzelnen Burschenschaften
geregelte politische Ausbildung, welche die Einigkeit Deutschlands auf
volksthümlicher Basis zum Zwecke hat. Ferner wurde beschlossen, daß
„mehrere, an einer Universität befindliche Bundesburschenschaften sich zu
einer gemeinsamen Vertretung zu einigen haben". Die Bestimmung über
die politische Ausbildung erhielt 1865, wo die eigentliche Konstituirung des
Burschenbundes erfolgte, eine Fassung, wonach als gemeinsame Grundlage
für den Burschenbund u. A. gilt:

1. „eine von den einzelnen Burschenschaften geregelte Ausbildung ihrer
Mitglieder auf politischem Gebiet, durch welche dieselben befähigt
werden, dereinst einzutreten für die auf volksthümlicher
Basis zu erstrebende Einigung Deutschlands.

Der erste Eisenacher Burschenbund löste sich nach dem Kriege von 1866
wieder auf, und zwar hauptsächlich wohl aus dem Grunde, weil noch keine
genügend allgemeine Verfassung gefunden war, welche zwar die wichtigen
burschenschaftlichen Grundsätze hervorhob, aber für die besonderen Prinzipien
der einzelnen Gruppen den nöthigen freien Spielraum ließ.

Im August 1869 erließ das Süddeutsche Kartell durch die Erlanger
Germanen eine Einladung an eine Anzahl von Burschenschaften zum Kon-
ventionsburschentag am 20. Januar 1870 zu Eisenach.

Diese Eisenacher Konvention bestimmte als gemeinsame Grundlagen des Bundes: Vaterlandsliebe (unter Ausschluß praktischer Politik),
Sittlichkeit und Wissenschaftlichkeit. Jede Burschenschaft der Konvention
verpflichtet ihre Mitglieder zu unbedingter Satisfaktion. Dem Paufen
innerhalb der Konvention stand kein Hinderniß entgegen.

Der

Krieg gegen Frankreich

hatte die Deutsche Burschenschaft zu den Waffen gerufen, damit sie dort mit
dem Schwerte das mit erobern helfe, was sie im Geiste durch ein halbes

---

[1]) Dr. Dietz. Die Einigungsbestrebungen in der deutschen Burschenschaft seit
dem Jahre 1860 bis zur Gründung des A. D. C. B.-Bl. 4. Jahrg. Nr. 1 und 2.

Jahrhundert erſtrebt hatte: ein einiges Deutſches Reich. Auf dem Felde der Ehre war man wieder einig. Ein Simrock ſang zu Bonn am Rhein:

> In Sturm und Drang wird erſt der Wein gegoren,
> Der aus der Dichtung Kelch uns mild berauſcht,
> In Sturm und Drang die Deutſchheit eingetauſcht,
> Die unter Zopf und Puder ſcheln verloren.
> In Sturm und Drang wird Deutſchland neu geboren,
> Steh'n wir zum dritten Mal vor Babels Thoren.

13 765 Jünglinge waren damals, im Sommerſemeſter 1870, an den deutſchen Hochſchulen eingeſchrieben. Von dieſen war es 4510 — alſo beinahe dem dritten Theil — vergönnt, den Feldzug mitzumachen. Von der Deutſchen Burſchenſchaft zogen nach unſeren Ermittelungen, die nicht völlig lückenlos ſind, 960 alte Herren, Inaktive und Aktive ins Feld. Die meiſten Burſchenſchaften ſchloſſen während der Kriegszeit die Semeſter oder hielten ſich mit ſehr geringem Beſtande. Die Namen der fürs Vaterland, für Kaiſer und Reich Gefallenen ſind in den Tafeln unſeres Denkmals auf der Göpelskuppe bei Eiſenach eingegraben. Eiſerne Kreuze und Ehrenzeichen ſind gar vielen Burſchenſchaftern zugetheilt und Alles beweiſt, daß in der entſcheidungsſchweren That die Unſeren ihre Pflicht gethan und ihren Mann geſtanden haben, nachdem ſie für die Idee der Einheit reiche Opfer gebracht hatten.

Nach dem Kriege wandte ſich die Burſchenſchaft der Organiſation von Neuem zu. Wieder ein Verſuch war der Eiſenacher Deputirten-Convent (E. D. C.), welcher der Anregung der Rugia-Greifswald und des grün-weiß-rothen Kartells am 10. November 1874 ſeine Entſtehung verdankte. § 2 gab klar und einfach als Zweck des E. D. C. an, „das Anſehen der Burſchenſchaft durch energiſches und geſchloſſenes Auftreten gegen anderweitige Beſtrebungen zu heben und zu fördern". Es gehörten dem E. D. C. 1881 an:[1]) Arminia-, Gebania-, Germania-, Hevellia-Berlin, Frankonia-Bonn, Arminia-, Germania-, Raczeks-Breslau, Alemannia-, Frankonia-, Teutonia-Freiburg, Alemannia-Gießen, Frankonia-Halle, Frankonia-Heidelberg, Germania-Greifswald, Germania-Leipzig, Alemannia-Marburg, Arminia-München, Alemannia-, Germania-Straßburg, Arminia-, Cimbria-Würzburg. Insgeſammt 490 Burſchenſchafter, nämlich 236 Aktive, 79 Inaktive, 11 Ehrenmitglieder, 21 Conkneipanten, 143 Auswärtige. Auch dieſe Vereinigung hatte keinen Beſtand und die mancherlei Streitigkeiten und Verrufsverhältniſſe zwiſchen den Burſchenſchaften waren nach wie vor der burſchenſchaftlichen Sache in hohem Maße ſchädlich.

Eine erfreuliche That war darum das Rundſchreiben, welches im Anfang des Sommerſemeſters 1881 der Jenenſer D. C. an die Deutſchen Burſchenſchaften richtete zur Aufhebung der Verrufsverhältniſſe und zur Einigung in einem Geſammtverbande. Der Jenenſer D. C. fand mit ſeinem

---

[1]) Geſchichte des A. D. C. Eine Denkſchrift, B. Bl. 5. Jahrg., S.-S. 1891, Nr. 4.

Plan Anklang, er arbeitete einen Statutenentwurf aus, der am 20. Juli 1881 in Eisenach berathen und angenommen wurde. Der Entwurf war sehr kurz gehalten und regelte lediglich das gegenseitige Verhältniß durch Bestimmungen, welche ein Zusammengehen der Burschenschaften in allen allgemeinen studentischen und burschenschaftlichen Angelegenheiten ermöglichten.

Alle anderen Prinzipien wurden als Privatsachen jeder einzelnen Burschenschaft angesehen, und der Verband sollte sich einer jeden Einmischung in dieselben, wie überhaupt in die Konstitution der einzelnen Burschenschaften streng enthalten. Das war für den Anfang offenbar die beste Verfassungsform und es traten der neuen Organisation, welche den Namen

Allgemeiner Deputirten-Convent (A. D. C.)

erhielt, sogleich folgende 41 Burschenschaften bei: Arminia, Gedania, Germania, Hevellia-Berlin; Alemannia, Frankonia-Bonn; Arminia, Germania, Raczeks-Breslau; Bubenruthia, Germania-Erlangen; Alemannia, Frankonia, Teutonia-Freiburg; Alemannia, Germania-Gießen; Alemannia, Brunsviga-Göttingen; Germania, Rugia-Greifswald; Alemannia a. d. Pfl. Frankonia-Halle; Alemannia, Frankonia-Heidelberg; Arminia a. d. B., Germania, Teutonia-Jena; Teutonia-Kiel; Alemannia-Königsberg; Arminia, Dresdensia, Germania-Leipzig; Alemannia, Arminia-Marburg; Arminia, Danubia-München; Alemannia, Germania-Straßburg; Germania-Tübingen; Arminia, Cimbria-Würzburg.

Mit der Gründung dieses großen einheitlichen Verbandes war die Zeit der inneren Kämpfe, welche nach der progressistischen Strömung und nach der Erreichung des großen Hauptzieles der Burschenschaft schlechthin unvermeidlich und darum auch wohl nothwendig gewesen waren, vorüber. Die Ausgleichung mancher Gegensätze formeller Art vollzog sich fast ohne Rest und man konnte daran gehen, neue gemeinsame Ziele aufzusuchen. Die Arbeit der letzten zwanzig Jahre galt also der inneren Festigung der gesellschaftlichen Sicherstellung, der Festsetzung wissenschaftlicher Grundsätze und der Umgrenzung der nationalen Aufgaben der Burschenschaft. Alljährlich zu Pfingsten versammeln sich die Deutschen Burschenschaften der Universitäten in Eisenach, und meist noch kommen im Januar außerordentliche Tagungen des A. D. C. hinzu, welche in Berlin stattfinden.

Gleich nach seiner Begründung hatte der A. D. C. eine starke Probe zu bestehen, aber er bestand sie dank der Tüchtigkeit der ihm angehörenden Burschenschaften und dank der treuen Mitarbeit der alten Herren. Die alten Herren, die eine Zeit lang zum großen Theil, abgestoßen von den Zwistigkeiten der Jungen, abseits gestanden hatten, wandten nach der neuen Einigung wieder ihr volles Interesse der Burschenschaft zu. Man fand sich wieder zu fröhlichen Commersen zusammen, man nahm Antheil an dem Geschick und der Arbeit der Aktiven und man half mit Rath und That, als eine überscharfe Kritik aus dem eigenen Lager das mit Mühen Geeinte von Neuen zu sprengen drohte. Die gewiß nicht unberechtigten Klagen über die

Kostspieligkeit des Burschenlebens, über Uebertreibungen bei den Mensuren und p.-p.-Suiten, über Luxus und Mangel an wissenschaftlichem Leben fanden in Dr. Conrad Küster (Frankonia-Bonn) eine überaus lebhafte Interpretation. Küster setzte die Presse in Bewegung, berief Alte Herren-Versammlungen ein und versandte eine Reformansprache mit angefügten 15 Thesen, welche, das hat die Geschichte der Bewegung bewiesen, ein Uebermaß von Kritik und Anforderungen enthielten. Aus der aktiven Burschenschaft wurde die

Reformbewegung

durch eine Erklärung beantwortet, worin u. A. Folgendes gesagt wurde:

Zunächst ergaben die offiziellen Erklärungen der Delegirten von 32 Burschenschaften, daß in den wesentlichen und für die burschenschaftlichen Verbindungen charakteristischen Grundsätzen des Patriotismus, der Sittlichkeit und der Wissenschaft noch heute eine volle Uebereinstimmung herrscht. Namentlich ist noch heute die Herausbildung einer bewußt deutsch-nationalen Gesinnung das Ziel sämmtlicher Burschenschaften; von der Verpflichtung der Mitglieder auf einen politischen Parteistandpunkt haben dagegen sämmtliche Burschenschaften schon seit lange, wie sie glauben, mit vollem Recht, Abstand genommen.

Daß dem schönen Grundsatze der Wissenschaftlichkeit das wirkliche Thun und Treiben der aktiven Burschenschafter nicht immer und überall genügend entspricht, mußte allerdings von verschiedenen Delegirten zugestanden werden; doch wurden zugleich energische Maßregeln zur Abhülfe dieses Uebelstandes, der übrigens keineswegs den Burschenschaften in höherem Maß eigen ist als anderen Verbindungen, seitens der betreffenden Delegirten schon für die nächste Zukunft in Aussicht gestellt. Das Institut eines allwöchentlich stattfindenden wissenschaftlichen Abends, zur Anregung und Förderung allgemein wissenschaftlichen und politischen Interesses, ist bei einer Anzahl von Burschenschaften noch in Anwendung oder wird demnächst wieder eingeführt werden.... Mehr als bisher geschehen ist, wird es aber ernste Aufgabe aller Burschenschaften sein, die Anforderungen an die Zeit ihrer Mitglieder so zu stellen resp. herabzusetzen, daß der Studienfleiß der einzelnen dadurch in keiner Weise beeinträchtigt wird. Natürlich kann die Durchführung dieser Reform nur Aufgabe der einzelnen Burschenschaften sein, da die Verhältnisse und Lebensgewohnheiten auf den einzelnen Hochschulen viel zu verschieden sind, um hier Detailvorschriften des Allgemeinen Deputirtenkonvents möglich erscheinen zu lassen.

Wir können aber schon jetzt thatsächlich hinzufügen, daß auf die bloße Anregung hin in einzelnen Burschenschaften Maßregeln getroffen sind, die für die Zukunft die Möglichkeit der Vereinigung eifrigen Studienfleißes mit forschem und flottem Burschenleben garantiren. ...

Die grundlegende Ueberzeugung, in der fast alle Theilnehmer an den Berathungen, von den ältesten bis zu den jüngsten Burschenschaftern, einig waren, ist die, daß die Schlägermensur an und für sich keineswegs eine verwerfliche oder schädliche, sondern im Gegentheil eine für die Fortexistenz eines gesunden, freien deutschen Studentenlebens höchst vortheilhafte, ja unerläßliche, bis jetzt wenigstens durch nichts Besseres ersetzte Institution ist. Es kommt nur darauf an, die Anwendung der Schlägermensur so zu regeln, daß sie einmal ihren

Zweck (die angemessene, anständige Austragung der unvermeidlichen Streitigleiten zwischen Studenten) vollkommen erfüllt, und daß sie zweitens nicht in mißbräuchlicher Weise übertrieben und der leeren Renommage wegen geübt wird, zumal damit solche Uebertreibung der Mensuren die Erfüllung der ernsten Aufgaben des Studirenden erfahrungsgemäß unvereinbar ist . . .

Als ein Nebenvortheil der Mensur wird anerkannt, daß die für jedes in eine Verbindung eintretende Mitglied bestehende Gewißheit, auf die Mensur zu kommen, ein werthvolles Mittel ist, um der betreffenden Verbindung ungeeignete Mitglieder a limine fern zu halten. Da nun diese Gewißheit bei bloßen Kontrahagementsuren, namentlich so lange zwischen den Burschenschaften und den Korps kein Paukverhältniß besteht, für die Burschenschaften der meisten Universitäten nicht vorhanden sein würde, mußte, wenn auch von vielen Seiten mit Widerstreben, die Nothwendigkeit einer beschränkten Zulassung der sogen. Bestimmungsmensur zugestanden werden. Doch wird dem A. D. C. vorgeschlagen, an diese Zulassung die Forderung zu knüpfen, daß die einzelnen Burschenschaften die Bestimmungsmensur eben nur so weit anwenden dürfen, als sie für den angedeuteten Zweck erforderlich ist, und daß sie namentlich verpflichtet sind, dem renommistischen Streben einzelner Mitglieder nach möglichst vielen Umständen entgegenzutreten.

Andere Vorschläge bezwecken die höchst wünschenswerthe Einschränkung der sogenannten p.-Suiten.

Die im Anschluß an die geschilderte Bewegung von Berlin aus gemachten Vorschläge kamen zu Eisenach auf dem A. D. C.-Tage 1883 zur Berathung und förderten wesentliche Verbesserungen zu Tage.

Das Arbeitsprogramm der deutschen Burschenschaft

ist für eine Körperschaft, welche lauter werdende und wachsende Kräfte in sich schließt, so umfangreich wie nur denkbar. Kein Gebiet einer auf gediegenen Traditionen aufgebauten studentischen Ethik ist darin vergessen: Vaterlandsliebe, Sittlichkeit, wissenschaftliches Leben, gesunde Körperpflege, gesellschaftliche Festigung ihrer Mitglieder. Wir beginnen mit den letzteren und geben die wichtigsten Beschlüsse, welche der A. D. C. im Laufe der letzten 20 Jahre gefaßt hat, chronologisch wieder. Der inneren Festigung und gesellschaftlichen Sicherstellung dienten folgende Beschlüsse:

I. Jede Burschenschaft, die in den A. D. C. aufgenommen worden ist, hat zwei Semester zu renonciren. Es bleibt dem A. D. C. jedoch vorbehalten, die Renoncezeit einer Burschenschaft zu verlängern, abzukürzen oder ganz zu erlassen. Renoncirende Burschenschaften haben Sitz, aber kein Stimmrecht in der Versammlung. (Pfingsten 1882.)

II. „Keine Burschenschaft darf gegen die Waffen einer Verbindung pauken, welche nicht selbst unbedingte Satisfaktion giebt, oder sonst mit einer solchen in offiziellen Verkehr treten." (Pfingsten 1882.)

III. Der Berliner D. C. wird beauftragt, die einleitenden Schritte für die Schaffung eines Verbandsorgans zu thun. (Pfingsten 1887.) Auf seine Einladung versammelten sich im November 17 Angehörige von Burschenschaften verschiedener Hochschulen, welche die Angelegenheit beriethen und

einen Ausschuß mit der Wahl der Schriftleiter beauftragten. Dieser betraute
mit der Herausgabe des Blattes als ersten Schriftleiter G. H. Schneider
(Germania-Jena). Unverzüglich ging man an die Arbeit, nachdem der
A. D. C. die nöthigen Mittel gewährt hatte, und so konnte schon am
1. Januar 1887 die erste Nummer der „Burschenschaftlichen Blätter"
erscheinen; nach Ueberwindung mancher Schwierigkeiten ist das Blatt in
ruhiger und erfreulicher Entwickelung begriffen.

IV. Bei der Feier des fünfundsiebzigjährigen Bestehens der Deutschen
Burschenschaft in Jena (1890) wurde auf Anregung des Herrn Professor
Dr. Theobald Fischer (Allemannia-Heidelberg, Alemannia a. d. Pflug,
Arminia-Marburg) der Alte Herren-Verband der Deutschen Burschen-
schaft gegründet.

V. Der Feigheits- und Gemeinheits-Verruf ist für den ganzen A. D. C.
maßgebend; in gleicher Weise sind Burschenschafter auf fremden Hochschulen
an die Verrufsverhältnisse des örtlichen D. C. ihrer augenblicklichen Hochschule
gebunden. (Pfingsten 1896.)

VI. Zur Regelung schwerer Forderungen zwischen Burschenschaftern
und Nichtburschenschaftern bildet jede Vereinigung alter Burschenschafter
(B. A. B.) einen Ehrenrath aus drei Mitgliedern, welche Burschenschaftern
auf ihr Ersuchen in allen Ehrenangelegenheiten, insbesondere bei Austragung
von Ehrenhändeln mit Nichtburschenschaftern mit Rath und That zur Seite
stehen. Der Burschenschafter-Ehrenrath hat einen gütlichen Ausgleich an-
zustreben und im anderen Falle dafür zu sorgen, daß die Forderung im
richtigen Verhältniß zur Beleidigung steht. Der Ehrenrath soll durch seine
Vertreter darauf dringen, daß zur Austragung eines Ehrenhandels die blanke
Waffe gewählt wird, wenn nicht körperliche Gebrechen oder Alter die Pistole
rechtfertigen. (a. o. A. D. C.-Tag 1900.)

VII. An Stelle der bisherigen Bezeichnung A. D. C. nimmt die
Gesammtvereinigung der Deutschen Burschenschaften den Namen „Deutsche
Burschenschaft" an. (Pfingsten 1902.)

Ihre Stellung zur Wissenschaft, Ehrenhaftigkeit und Sittlichkeit, zur übrigen Studentenschaft betonte die Deutsche Burschenschaft
in folgenden Beschlüssen:

I. Die Burschenschaft ist eine Verbindung gleichgesinnter, unabhängig
und ehrenhaft denkender deutscher Studenten, welche das aufrichtige Bestreben haben, die Studienzeit in treuer Gemeinschaft und gewissenhafter
Befolgung ihres Wahlspruches: „Ehre, Freiheit, Vaterland!" zu verleben.
Sie stellt es sich zur Aufgabe, ihre Mitglieder zu tüchtigen, im Denken und
Handeln freien und selbständigen Bürgern eines einigen, nach
innen kräftigen, nach außen mächtigen deutschen Vaterlandes
heranzubilden.

II. Die Burschenschaft fordert einen ehrenhaften und sittlichen Lebenswandel. Ihre Mitglieder sollen die Gebote der Sittlichkeit befolgen, die uns die Erhaltung und Pflege unserer körperlichen und geistigen Kräfte, die Erhaltung der Reinheit und Aufrichtigkeit unseres Charakters zur Pflicht machen. Sie sollen ihre persönliche Ehre stets hochhalten und Kränkungen derselben mit Einsetzung ihrer ganzen Persönlichkeit entgegentreten. Jeder Burschenschafter giebt daher unbedingte Satisfaktion.

III. Die Burschenschaft verlangt von ihren Mitgliedern, daß sie das Prinzip der geistigen und studentischen Freiheit stets vertreten. Die geistige Freiheit sieht die Burschenschaft in der Lossagung von Vorurtheilen, der Unabhängigkeit und Selbständigkeit des Denkens, der Energie und der Freiheit des Handelns. Die studentische Freiheit sieht die Burschenschaft in dem Rechte der Studentenschaft, ihre inneren Angelegenheiten selbständig zu ordnen, und in dem Rechte jedes einzelnen Studenten, von allen akademischen Vorrechten Gebrauch zu machen und sich an allen studentischen Angelegenheiten zu betheiligen. Sie erkennt die Gleichberechtigung aller ehrenhaften Studenten an. Die Burschenschaft machte es sich selbst zur Pflicht, stets schützend für die Eigenheiten des deutschen Studentenlebens einzutreten, sie zu pflegen und in diesem Sinne an allen allgemeinen studentischen Angelegenheiten mitzuwirken.

IV. Die Burschenschaft fordert Bethätigung der Wissenschaftlichkeit. Wissenschaftliche Ausbildung ist einmal an sich der Zweck und das Ziel der akademischen Studienjahre. Andererseits ist die wissenschaftliche Bildung die unerläßliche Vorbedingung eines erfolgreichen Wirkens im Dienste des deutschen Vaterlandes und das einzige Mittel zur Erlangung einer vollen geistigen Freiheit. Die Grundlage der Wissenschaftlichkeit ist die allgemeine Vorbildung. Als ihren äußeren Ausdruck verlangt die Burschenschaft von ihren Mitgliedern das Maturitätszeugniß.

V. Inbezug auf die äußere Erziehung fordert die Burschenschaft Ausbildung der körperlichen Kräfte, Wahrung des äußeren Anstandes und sicheres Auftreten.

a) Zur körperlichen Ausbildung hält die Burschenschaft ihre Mitglieder zum Fechten und zu sonstigen passenden Leibesübungen an.

b) Die Mitglieder sollen den Gesetzen der gesellschaftlichen Sitte und des auf wahrer Bildung beruhenden Anstandes gemäß auftreten, zugleich aber alle Uebertreibungen in Aeußerlichkeiten vermeiden.

Hinsichtlich der nationalen Aufgaben der Burschenschaft faßte der A. D. C. ebenfalls werthvolle Beschlüsse, nachdem bereits 1893 die Schriftleitung der „Burschenschaftlichen Blätter" eine Vertiefung des Programmes der heutigen Burschenschaft verlangt hatte und auf dem o. A. D. C.-Tage 1894 die fünf Burschenschaften Alemannia-Bonn, Arminia a. d. B.-Jena, Arminia-

Marburg, Brunsviga, Bubenruthia eine Erklärung abgegeben hatten, worin ausgeführt war:

Es ist selbstverständlich, daß bei dem Kampf für Vaterland und deutsches Volksthum, wie es im öffentlichen politischen Leben geführt wird, als Kämpfer aus dem burschenschaftlichen Kreise nur die alten Burschenschafter in Betracht kommen, daß nur sie eine Berechtigung zum politischen Handeln haben.

Die Jungen dagegen, wie sie sich auf den Hochschulen in den aktiven Burschenschaften zusammenfinden, sind, wie in jeder Hinsicht, auch in Bezug auf vaterländische Ausbildung Lernende; die einzelne Burschenschaft übernimmt also zugleich mit der Aufnahme junger Mitglieder die Verpflichtung, sie nicht allein in wissenschaftlicher und ihrer Charakterbildung, sondern auch in der vaterländischen Ausbildung zu fördern und alles in ihren Kräften Stehende zu thun, um der praktischen Durchführung dieses letzten Gedankens näher zu treten.

Als Beschlüsse, die den angeführten nationalen Zwecken dienen, geben wir folgende wieder:

I. Der A. D. C. gehört corporativ dem Alldeutschen Verband, der Kolonialgesellschaft, dem Ostmarkenverein, dem Verein für das nördliche Schleswig, dem Deutschen Schulverein an und wendet diesen Vereinen jährlich 3000 ℳ zu. (Pfingsten 1901.)

II. Dem Salzburger Hochschulverein wurde ein einmaliger Beitrag von 1000 ℳ zugewendet. (Pfingsten 1901.)

III. Zur Vertiefung des geistigen Lebens in den Kränzchen und burschenschaftlichen Abenden wird laut a. o. A. D. C.-Beschluß 1900 eine „Burschenschaftliche Bücherei" begründet, welche burschenschaftliche, studentische, nationale, kulturgeschichtliche und wirthschaftliche Themata behandeln soll. Es sollen im Jahre 6—10 Hefte erscheinen. Jede Burschenschaft hat mindestens 4 Exemplare zu beziehen. Viele Burschenschaften haben den Bezug für sämmtliche Mitglieder obligatorisch gemacht. Es sind bis jetzt u. A. erschienen: Das deutsche Studentenlied von Dr. Prahl; Die Bilanz der akademischen Bildung von Dr. Langguth, Laußhardt von Dr. Holzhausen, Paul de Lagarde, von Prof. Dr. Albrecht; Militarismus und Milizsystem von Wilhelm von Massow; Die Wohnungsfrage von Dix; Vom alten und neuen Mittelstand von Dr. Hugo Böttger; 1903, ein handelspolitisches Bademekum von Dr. Walter Borgius; Die Sozialdemokratie eine vorübergehende Erscheinung von Prof. Dr. Pohle; Die Reichsbank von Dr. Eichmann.

Seit den Tagen der ersten Burschenschaft ist die Ehrenordnung ein außerordentlich heiß umstrittenes Gebiet der studentischen Polemik. Die Burschenschaft hat sich von Anfang an auf den Standpunkt der unbedingten Satisfaktion gestellt, nach dem Grundsatz, welchen u. A. die Ehrenordnung der Leipziger Burschenschaft von 1818 in §. 5 folgendermaßen ausspricht: „Ein jeder freie Mann hat das Recht und die Pflicht zur Erhaltung seines guten Namens und der Achtung seiner Mitbrüder denjenigen, der einen

Zweifel in seinen Werth gesetzt (oder, mit anderen Worten ihn beleidigt) hat, zum Widerruf dieser Beleidigung, und war sie arg, zur Abbitte zu vermögen. Will aber der Beleidiger keines von Beiden, so bleibt ihm nichts übrig als Genugthuung durch die Waffen zu fordern." Diesen Standpunkt der unbedingten Satisfaktion hat die Burschenschaft nicht verlassen, sie hat wohl verschiedene Mittel der Genugthuung im Laufe der Jahrzehnte gebraucht, es haben auch wohl Verschiebungen in der Abschätzung der Schwere von Beleidigungen, in den Arten der Waffen, in den Formen der mündlichen Satisfaktion stattgefunden, immer aber sind wir für wehrhafte Selbstvertheidigung des Mannes eingetreten. Mancherlei Bestrebungen im heutigen öffentlichen Leben zielen nun auf eine Milderung der Sitten bis zur völligen Verwerfung des Zweikampfes hin. Für eine vernünftige Auffassung in der Zweikampffrage tritt die Burschenschaft ein, sie will daraus das Rohe, Gewaltthätige und Renommistische verbannen, aber in der völligen Verwerfung des Zweikampfes kann sie keinen Idealzustand erblicken. Seit dem 1. Oktober 1902 sind für die deutsche Burschenschaft bestimmte

Ehrengesetze und Zweikampfregeln

in Kraft getreten, welche die Gründe für und gegen das Duell sorgfältig abwägen, den Zweikampf auf ein Mindestmaß der Anwendung beschränken und andere Formen der Genugthuung in ausreichendem Maße zulassen. Es heißt in dem allgemeinen Theil dieser Ehrengesetze und Zweikampfregeln:

„Die Sühne kann erlangt werden durch Ehrenerklärungen oder durch den Zweikampf. Sieht der Beleidiger sein Unrecht ein, so ist es seine Pflicht, die Beleidigung zurückzunehmen, erforderlichenfalls mit dem Ausdruck des Bedauerns über den Vorfall. Es giebt jedoch Beleidigungen, die sich nicht zurücknehmen lassen und für die eine hinreichende Genugthuung zu gewähren keine staatliche Einrichtung im Stande ist, ja wo der staatliche Rechtsschutz völlig versagt. Andere Beleidigungen sind wiederum der Art, daß eine öffentliche gerichtliche Verhandlung das Gefühl des Verletzten nur noch schwerer kränken und ihn preisgeben würde. Hier ist die Genugthuung durch die Waffen unabwendbar.

Damit nicht schrankenlose Willkür herrscht, hat die deutsche Studentenschaft die Einrichtung des Ehrengerichts getroffen.

Aus der Unterordnung des einzelnen unter das Ehrengericht und der damit verbundenen Anerkennung der Autorität und Unanfechtbarkeit des Ehrengerichts ergiebt sich für die Ehrenrichter die ernste Pflicht, sich des ihnen geschenkten Vertrauens würdig zu erweisen, nur nach bestem Wissen und Gewissen zu urtheilen und die volle Verantwortung vor den Parteien wie vor der Oeffentlichkeit zu übernehmen. Ihre Aufgabe besteht darin, den dem Ehrenhandel zu Grunde liegenden Thatbestand aufzuklären und dafür zu sorgen, daß Beleidigungen, die nur auf Mißverständnissen, Erregungen und Uebereilungen beruhen, ausgeglichen werden, und wenn eine friedliche Lösung ausgeschlossen ist, daß Beleidigung und Forderung in keinem Mißverhältniß zu einander stehen. Es ist deshalb grundsätzlich Gewicht auf gemeinsame Sitzung zu legen und nur in Ausnahmefällen ein getrenntes Ehrengericht zuzugestehen.

Aber noch eine weitere wichtige Aufgabe fällt dem Ehrengericht zu: Es hat dafür zu sorgen, daß der Zweikampf nicht in einen frivolen Raufhandel ausartet. Wer grundlos den Ruf seines Mitmenschen zu schädigen sucht und durch leichtfertige und böswillige Provokationen Streitigkeiten heraufbeschwört, hat kein Recht auf die Mittel des Zweikampfes.

Das Ehrengericht hat unter Umständen dem Beleidiger das Verwerfliche und Leichtfertige seiner Handlungsweise vor Augen zu führen. Weigert sich der Beleidiger, dem Anheimgeben des Ehrengerichts zu folgen, die Beleidigung zurückzunehmen, eventuell mit dem Ausdruck des Bedauerns, so ist das Ehrengericht befugt, auf Widerruf oder auf Widerruf mit dem Ausdruck des Bedauerns zu erkennen.

Die wichtigste Aufgabe bei der Regelung von Ehrenhändeln fällt den Kartellträgern zu, die von beiden Seiten sofort zu wählen sind. Sie haben ihren Auftraggebern mit Rath und That zur Seite zu stehen und zu versuchen, durch gemeinsame Verhandlung eine Verständigung herbeizuführen. Leichter als es dem Ehrengericht möglich ist, können sie auf eine friedliche Lösung hinarbeiten, deren Gelingen sie als eine Ehre für sich betrachten müssen. Da sie bereits gewisse Aufgaben des Ehrengerichts auszuführen haben, leisten sie diesem eine wesentliche Vorarbeit. Es empfiehlt sich daher, nur gewissenhafte und erfahrene Leute zu Kartellträgern zu wählen, die sich der ihnen übertragenen Verantwortung voll bewußt sind.

Es ist eine Ehrenpflicht aller Betheiligten, dafür zu sorgen, daß die Austragung des Zweikampfes nicht unnöthig verzögert und daß bei ihm in ritterlicher Weise verfahren wird."

In einem besonderen Theil geben nun die „Ehrengesetze" die für die Burschenschaft gültigen Bestimmungen zur Austragung von ernsten Ehrenhändeln, wobei die im allgemeinen Theil dargelegten Grundsätze in klare und präzise Vorschriften verdichtet sind. Wir verzeichnen nur die wichtigsten Bestimmungen des umfangreichen Ehrenkodex.

§ 4. Genugthuung wird gegeben; 1. durch Ehrenerklärung, das ist die ausdrückliche Erklärung, daß man nicht die Absicht gehabt hat zu beleidigen; 2. durch Widerruf (Revokation); 3. durch Widerruf mit dem Ausdruck des Bedauerns (Revokation und Deprekation); 4. durch den Zweikampf. Ist die Beleidigung schriftlich gefallen, kann auch eine schriftliche Entschuldigung gefordert werden.

Sämmtliche vom Ehrengericht verlangten Erklärungen sind ausdrücklich zu geben, allenfalls schriftlich oder vor Zeugen.

§ 8. Ein Zweikampf bis zum Tode eines der Gegner darf von dem Ehrengericht nicht gestattet werden; eine Forderung bis zur Kampfunfähigkeit eines der Gegner ist nur in sehr ernsten Fällen zuzulassen. Doch kann hier der Unparteiische mit Zustimmung der beiden Gegner bei Pistolen nach mehr als dreimaligem Kugelwechsel, bei Säbel im Falle völliger Erschöpfung der beiden Gegner den Kampf für beendigt erklären.

§ 9. Eine Forderung auf Pistolen zwischen Studenten soll nur dann vom Ehrengericht zugelassen werden, wenn einer der Gegner durch körperliche Gebrechen verhindert ist, auf blanke Waffen anzutreten.

Wer mit einer durch das Blut übertragbaren Krankheit behaftet ist, ist verpflichtet, dieses vor Austragung der Forderung auf blanke Waffen zu erklären.

Zur Feststellung des körperlichen Gebrechens ist auf Verlangen des Ehrengerichts das Zeugniß eines approbirten Arztes beizubringen.

§ 15. Der Austragung einer Säbel- oder Pistolenforderung hat ein Ehrengericht vorauszugehen.

§ 15. Das Ehrengericht, welches innerhalb dreimal vierundzwanzig Stunden nach Annahme der Forderung stattfinden muß, setzt sich zusammen aus einem Vorsitzenden, der von Seiten des Forderers zu stellen ist, und aus mindestens vier Beisitzern, von denen jede Partei die Hälfte ernennt.

Zu Ehrenrichtern sind möglichst ältere und erfahrene Herren zu wählen; bei der schwersten Säbelforderung und bei Pistolenforderungen sind thunlichst solche Herren hinzuzuziehen, die bereits im bürgerlichen Leben stehen.

§ 20. Das Ehrengericht ist befugt: 1. die Forderung abzulehnen, falls nach seiner Ansicht eine Beleidigung nicht vorhanden oder von dem Beleidiger eine Ehrenerklärung freiwillig abgegeben worden ist; 2. die Forderung auf eine minder schwere, bei Studenten auch auf Schläger, herabzusetzen; 3. auf Widerruf oder Widerruf mit dem Ausdruck des Bedauerns zu erkennen.

Ist keiner dieser Beschlüsse gefaßt, so gilt die Forderung als genehmigt.

§ 21. Bestehen Zweifel an der Satisfaktionsfähigkeit eines der Gegner, so hat das Ehrengericht hierüber Erhebungen anzustellen, und wenn nöthig, die Verhandlungen zu vertagen. Ergeben sich die Zweifel als berechtigt, so hat das Ehrengericht die weiteren Maßnahmen zu veranlassen.

§ 24. Die Austragung einer schweren Forderung ist nach Möglichkeit zu beschleunigen. Ein Zweikampf auf Pistolen muß innerhalb 48 Stunden, ein solcher auf Säbel innerhalb 8 Tagen nach dem Ehrengericht ausgetragen sein. Das Ehrengericht kann unter gewissen Umständen eine längere Frist bewilligen.

§ 30. Die zulässigen schweren Forderungen sind: 1. die einfache Säbelforderung auf 15 Minuten; 2. die verschärfte Säbelforderung auf 15 Minuten; 3. die verschärfte Säbelforderung bis zur Kampfunfähigkeit.

§ 50. Folgende zwei Arten des Zweikampfes auf Pistolen sind zu unterscheiden: a) Pistolenduelle mit festem Standpunkt (Forderungen auf Distanz, Ziel ꝛc.). b) Pistolenduelle mit Vorrücken (Forderungen auf Barrière).

§ 51. Bei a soll die Entfernung nicht über 20 m (ungefähr 15 Sprungschritte) und nicht unter 13 m (10 Sprungschritte) betragen. Die Paukanten schießen von ihrem festen Standpunkt aus.

5*

Forderungen auf Barrière find nur auf 4 und 7 m (3 bis 5 Sprungschritte) zuläſſig.

Mit der Feſtſetzung dieſer Grundſätze und Beſtimmungen für ſchwere
Ehrenhändel glaubt die Burſchenſchaft das Ihre zu dem beigetragen zu
haben, was man die Löſung der Duellfrage nennt und was wohl in alle
Zeiten unter deutſchen Männern nicht viel anders gehandhabt werden kann,
als es unter der Anwendung unſerer Grundſätze heute geſchieht. Leider iſt
die Piſtole noch viel zu ſehr bei der Austragung von ſchweren Beleidigungen
zwiſchen Burſchenſchaftern und Nichtburſchenſchaftern in Gebrauch, auch hier
einen Wandel der Anſichten zu ſchaffen, iſt die Burſchenſchaft lebhaft bemüht.
Es muß gelingen, der blanken Waffe, als der des deutſchen Mannes beſte
und würdigſte, wieder die uneingeſchränkte Anerkennung in unſerem ganzen
Volksleben zu verſchaffen.

Ein anderes Problem des deutſchen Studententhums ſtellt die Menſur-
frage dar. Auch an der Reform der Schlägermenſuren hat die Burſchenſchaft mitgewirkt.

Die heutige Burſchenſchaft hat die Schlägermenſur als ein Erziehungs-
mittel für die ſtudentiſche Jugend anerkannt; ſie hat auch die Beſtimmungsmenſur angenommen, weil es praktiſch nicht durchführbar war, die jüngeren
Semeſter zu veranlaſſen, ſich auf dem Wege der Kontrahage Gelegenheit zur
Waffenübung zu verſchaffen. Man will darin manchmal einen Bruch mit
alten burſchenſchaftlichen Traditionen und die Annahme eines korpsſtudenti-
ſchen Prinzips erkennen. Bis zu einem gewiſſen Grade wollen wir das zu-
geben. Aber einmal darf man doch nicht überſehen, daß die alte Burſchenſchaft zu allen Zeiten fleißig gepaukt hat, theils um Streitigkeiten beizulegen,
theils um ſich im ritterlichen Waffenſpiel zu üben und zu ſtählen. Sie war
dabei nicht auf Beſtimmungsmenſuren angewieſen, weil ſie genügend Gelegenheit hatte, mit den Landsmannſchaftern Stoßdegen und Rappier zu
kreuzen. Zweitens iſt es doch nur etwas Natürliches, daß im Laufe eines
Jahrhunderts einzelne Grundſätze an Wirkſamkeit und Berechtigung verlieren,
daß aus ſolchen Grundſätzen entſtandene Gegenſätze ſich abſchleifen, ja daß
man etwas Brauchbares auch vom Gegner annimmt. Darüber könnte die
eigene Selbſtſtändigkeit und der eigene Werth nur leiden, wenn das vom
Gegner Uebernommene alles ſelbſtſtändige Leben erſtickt, wenn es alle Weſens-
unterſchiede ausgelöſcht hätte und das Eine dem Andern gleichgemacht hätte,
etwa mit dem Reſt eines Nüancen- oder des Rangunterſchiedes: erſter oder
zweiter Klaſſe. Davon kann im Ernſte keine Rede ſein, und die im Ueber-
eifer ſolches behaupten, ſtärken lediglich die Argumente unſerer Gegner, ohne
der eigenen Sache auch nur das Geringſte zu nützen. Nur dort mag eine
gewiſſe Gefahr der Verwiſchung ſcharf eingegrabener Grenzen vorliegen,
wo man Aeußerlichkeiten für das Weſen nimmt, wo man ſolchen Dingen,
wie Beſtimmungsmenſur, eine über das berechtigte Maß hinausgehende Bedeutung beilegt. Die Gefahr ſolcher Veräußerlichung ſoll man an ſich nicht
leugnen, aber man thut am beſten, ihr muthig entgegen zu treten. Das iſt

in der deutschen Burschenschaft 1898 auf Anregung der Vereinigung alter Burschenschafter in Halle geschehen. Es wurde im Frühjahr 1898 von Seiten des Vororts Berlin eine Abstimmung sämmtlicher B. A. B. herbeigeführt, die mit verschwindenden Ausnahmen im Sinne der Hallenser Anregung ausfiel. Der Vorort Berlin hielt damit seine Aufgabe nicht für erledigt, glaubte vielmehr auf Grund des eingelaufenen, vielseitigen Materials eine Sichtung des Stoffes und eine Aufstellung von festen Gesichtspunkten vornehmen zu sollen, die dem A. D. C. zur Erwägung unterbreitet worden sind und dessen Anerkennung gefunden haben.

Die Gründe, aus welchen eine Reform des Mensurwesens für angezeigt erachtet wurde, waren folgende: der Verfall der Fechtkunst, das Ueberhandnehmen der Mensurstänkerei, der Mensurbestrafungen und der Mensurdebatten, sowie die Häufung von P. P.-Suiten zwischen Burschenschaften verschiedener Hochschulen. Der Vorort Berlin ernannte eine Kommission, welche auf Grund des Paukcomments sämmtlicher D. C., die auf Ersuchen bereitwilligst eingesandt wurden, sowie der ihr sonst bekannt gewordenen Vorgänge zu nachfolgenden Beschlüssen kam.

Zunächst wurde vorgeschlagen, die Bestimmungsmensur auf zehn Minuten, die Kontrahagenmensur auf 15 Minuten allgemein abzukürzen. Ferner wird anempfohlen: größere Beweglichkeit des Oberkörpers, längere Gänge, die Wahl des Anhiebs bleibt den Paukanten überlassen, à tempo-Anschlagen ist nicht erforderlich, Einfallen der Sekundanten nur aus zwingenden Gründen gestattet. — In Bezug auf die Beurtheilung der Mensur wurde festgestellt, daß Anfragen, welche die Forschheit der Paukanten (auch der Beleger) in Frage stellen, zu verbieten sind, und daß die Beurtheilung der Mensur der eigenen Burschenschaft überlassen bleibt.

Auf Grund dieser Vorschläge sind nun die Comments für Schlägermensuren umgearbeitet worden und es steht zu hoffen, daß dementsprechend jene oben gerügten Mensurstreitigkeiten zurücktreten und verschwinden, welche diesen Dingen erst eine Wichtigkeit zuweisen, die ihnen nicht gebührt und welche besseres und ernsthafteres Arbeiten und Streben in der Burschenschaft erschwert.

Tages Arbeit, Abends Gäste, Saure Wochen, frohe Feste!

Die Burschenschaft hat in den Jahren der Arbeit auch manches frohe und schöne Fest feiern dürfen. Die Enthüllungsfeierlichkeit des Burschenschaftsdenkmals auf dem Eichplatz zu Jena, welche vom 1. bis 3. August 1883 unter außerordentlicher Betheiligung stattfand, zeigte den A. D. C. in jungfrischer Kraft. Dann wurde vom 4. bis 6. August 1890 die große Feier des fünf und siebzigjährigen Bestehens der deutschen Burschenschaft in Jena festlich begangen. Es wurde ein Festspiel, welches die Geschichte der Burschenschaft und die Einigung des deutschen Vaterlandes

darstellte und von Dr. G. H. Schneider (Germania-Jena) verfaßt war, auf-
geführt. Ferner wurde an der Tanne, dem Stiftungshause der Jenaischen
Burschenschaft, eine Gedenktafel enthüllt. Ein Kommers vereinigte am ersten
Abend die Theilnehmer — etwa 1000 an der Zahl — in der Festhalle.

Ein Fest von ganz besonderer Kraft und Art war die Einweihung des
Burschenschaftsdenkmals auf der Göpelskuppe bei Eisenach am
21. Mai 1902, woran weit über 1000 alte und junge Burschenschafter theilnahmen.
Seit Herbst 1889 wurde ein Denkmal für die im deutsch-französischen Kriege
gefallenen Burschenschafter und für die Fürsten und Staatsmänner, die Kaiser
und Reich geschaffen haben, geplant. Es wurde fleißig gesammelt: eine Audienz
im Jahre 1895 beim damaligen Großherzog Karl Alexander von Sachsen-
Weimar ergab die volle Zustimmung zum Plane der Burschenschaft. Der Großherzog richtete damals einige Worte an den Ausschuß, die ich hier festhalten
möchte: „Das schönste Denkmal, das sich die deutsche Burschenschaft nur wünschen
kann, besitzt sie schon: das ist das Deutsche Reich, an dessen Bau sie redlich mit-
gearbeitet hat". Der Schluß der schönen, von großer Vertrautheit mit der Geschichte der Burschenschaft zeugenden Ansprache aber lautete: Sagen Sie allen
Burschenschaftern in Nah und Fern, daß ich sie grüßen lasse, und daß ich zu
dem geplanten Denkmal Glück und Segen wünsche." Einen neuen Impuls
bekamen die Vorarbeiten, als die Erben des zu Eisenach verstorbenen
Dr. Bornemann ein bedeutendes Stück Land auf der Göpelskuppe zu den
Zwecken des Denkmalsbaues und der damit in Zusammenhang stehenden
Anlagen zur kostenlosen Verfügung stellten. Es gelang, den Schöpfer der
preisgekrönten Bismarcksäulen, Herrn Architekten Kreis, für den Entwurf
und die Ausführung unsers Denkmals zu gewinnen. In kühnen Umrissen
entwickelte Kreis die Idee, die aufstrebenden Säulenbündel — die deutschen
Stämme, das Nord und Süd einigende Band — die Burschenschaft,
und aus dem Ganzen herauswachsend die Deutsche Kaiserkrone als Abschluß der Einigungsarbeit der deutschen Nation. Das imposante Bauwerk,
das so entstand, mahnt an große Männer und Thaten. Da stehen im
Innern des Denkmals rings die großen deutschen Helden, die das neue
Reich schufen, da steht Kaiser Wilhelm I., da steht der erste Verfechter
einer preußischen Hegemonie in Norddeutschland, der Beschützer der Burschenschaft, Karl August von Weimar, da stehen die Heroen aus Deutschlands
Ruhmestagen: Bismarck, Moltke und Roon. Die ganze Halle durchzieht
ein tiefer heiliger Ernst, ein Geist der Ermahnung und der Andacht. Denn
zwischen den eben erwähnten Statuen befinden sich vier Gedenktafeln, bedeckt
mit den Namen der ruhmvoll fürs Vaterland gefallenen Krieger. Deutsche
Burschenschafter sind es, 87 an der Zahl. Opferflammen umschlagen den
Fuß der Tafeln, und Köpfe sterbender Krieger, theils in schmerzvoller Bewegung, theils friedvoll entschlummert, schmücken die Altäre der Opfer deutscher Treue. Ueber den Standbildern und Tafeln sehen wir die klangvollen
Namen von Vorläufern, Mitbegründern und Vertheidigern der Burschenschaft,
die Namen Fichte, Arndt, Jahn, Riemann, Horn, Scheidler, Oken, Fries.

Luden. So steht nun das Eisenacher Burschenschaftsdenkmal da, ein Werk, das nach dem Urtheil Sachverständiger auf hohen künstlerischen Werth vollen Anspruch machen kann, ein Monument, das für uns von nun an eine nationale Stätte der Sammlung und Erhebung der Burschenschaft sein soll, wie es die schöne, markige Inschrift über dem Eingange des Denkmals verdeutlicht:

DEN DEUTSCHEN JÜNGLINGEN UND MÄNNERN,
DIE NACH DEN GLORREICHEN BEFREIUNGSKRIEGEN DEN
GEDANKEN DER NATIONALEN EINIGUNG FASSTEN UND INS
VOLK TRUGEN,
DIE IN TRÜBEN ZEITEN DER VERDÄCHTIGUNG UND DER
VERFOLGUNG AN IHM FESTHIELTEN, IHN HEGTEN UND FÜR
IHN STRITTEN,
DIE IN HEISSEN VÖLKERKÄMPFEN IHR TEUERES BLUT FÜR
SEINE VERWIRKLICHUNG VERGOSSEN UND
DIE IHN IN GROSSER ZEIT DURCH WILLENSKRAFT,
FELDHERRNKUNST UND STAATSWEISHEIT ZU SCHÖNER
THAT WERDEN LIESSEN,
WEIHT DIESES DENKMAL
IN UNAUSLÖSCHLICHER DANKBARKEIT
DIE DEUTSCHE BURSCHENSCHAFT.

XI.

Technische Burschenschaften und Burschenschaften der Ostmark.

Jüngere Zweige am Stamme der deutschen Burschenschaft sind die reichsdeutschen technischen Burschenschaften und die Burschenschaften der Ostmark. Auch ihrer freundschaftlich in unserer Uebersicht zu gedenken, ist mir Pflicht und Ehre.

Die meisten technischen Hochschulen sind aus niederen Gewerbe- oder technischen Schulen der zwanziger Jahre des vorigen Jahrhunderts entstanden und haben sich erst allmählich auf dem Wege von der Akademie oder Polytechnikum zu Hochschulen, zu technisch-wissenschaftlichen Anstalten mit Abtheilungen ausgebildet, welche den Fakultäten der Universität entsprechen sollen. Die Immatrikulationsbedingungen sind gleich den Fakultätsprüfungen der Universitäten, und wenn auch im Alter und in der Tradition die technischen Anstalten nicht mit den Universitäten konkurriren können und wollen, so muß doch ihre Bedeutung für unsere Kultur und unser Wirthschaftsleben in vollem Umfange anerkannt werden.

Wir finden nun alle studentischen Gruppen auf den technischen Hochschulen wieder, darunter die Burschenschaften, die durch gute Zucht und nationale Gesinnung dem Namen Burschenschaft auch in den anderen Lehrstätten Ehre machen. Sie hatten sich zunächst 1889 zum Niederwaldbeputirten-

Konvent[1]) zusammengeschlossen. Dieser Verband wurde 1896 aufgelöst, an seine Stelle trat der Binger D. C., der bis 1900 bestand. Am 10. März 1900 bildete sich der Rüdesheimer D. C. mit strengem Reisegrundsatz, er umfaßt gegenwärtig 21 Burschenschaften, und zwar Alania-Aachen, Alemannia-, Germania-, Thuringia-Braunschweig, Gothia-, Thuringia-Charlottenburg, Germania-, Frisia-Darmstadt, Cheruskia-Dresden, Glückauf-Freiberg, Arminia-, Germania-Hannover, Arminia-, Germania-, Teutonia-Karlsruhe, Gothia-, Stauffia-München, Alemannia-, Ghibellinia-, Hilaritas-, Ulmia-Stuttgart. Außerhalb des Verbandes, jedoch von ihm anerkannt, bestehen zu Darmstadt: Markomannia, Rheno-Guestfalia, Dresden: Cimbria, Karlsruhe: Tuiskonia, Klausthal (Bergakademie): Schlägel und Eisen. Der R. D. C. hat seine eigene Zeitschrift, den „Deutschen Burschenschafter". Die deutsche Burschenschaft trat mit dem R. D. C., laut Beschluß vom Januar 1901, in ein Verhältnis der Anerkennung der Farben und Waffen, und viele Altherren-Vereinigungen der deutschen Burschenschaft nehmen seitdem Alte Herren der technischen Burschenschaften in ihre Mitte auf.

Die ersten Tage der ostmärkischen Burschenschaft sind nicht hinreichend aufgeklärt.[2]) Zu Pfingsten 1848 fand auf dem sogenannten Burschen-Kommers zu Hainbach bei Wien die Gründung der Wiener Burschenschaft statt; es soll jedoch in Wien bereits vor 1848 burschenschaftliche Bestrebungen gegeben haben, und es sollen gerade Mitglieder einer Wiener Burschenschaft namens „Arminia" den eigentlichen Anstoß zur ganzen Revolution gegeben haben. Die ersten Jahre nach der Revolution erscheinen uns in vollständige Dunkelheit gehüllt, erloschen war der burschenschaftliche Geist jedoch keineswegs, jedenfalls brach er sich anläßlich der Feier des hundertsten Geburtstages Schillers im Jahre 1859 neuerdings Bahn. 1870 gewinnt die deutsch-völkische und konservative Strömung in der Burschenschaft der Ostmark die Oberhand. 1889 vereinigten sich die österreichischen Burschenschaften im Linzer Deputierten-Konvent, welcher hauptsächlich der Anregung von Dr. Sylvester seine Entstehung verdankt.

Mitten in den Kampf für das Deutschtum in Oesterreich gestellt, sind sie zugleich die beste Wehr und Waffe der Deutschgesinnten. Aus der österreichischen Burschenschaft sind fast alle bedeutenden Parlamentarier des Landes hervorgegangen. Aber über die Politik vergessen sie als Aktive das ritterliche Waffenspiel und Sang und Becherklang nicht, und daß sie auch als Alte Herren den ernsten Waffengang pro patria nicht scheuen, davon weiß die neuere Geschichte in Oesterreich manches Beispiel. Zur Burschenschaft der Ostmark gehören: in Brünn Arminia, Libertas, Moravia, in Czernowitz Arminia, in Graz Allemannia, Arminia, Cheruscia, Franconia, Germania, Marcho-Teutonia, Raetogermania, Stiria, in Innsbruck Ger-

---

[1]) Handbuch für den deutschen R. D. C.-Burschenschafter. Leipzig. 1901.
[2]) Handbuch für den deutschen Burschenschafter. Herausgegeben von der Wartburg. Wien 1898.

mania, Pappenheimer, Suevia, in Leoben Leder, in Prag Albia, Arminia, Carolina, Ghibellinia, Teutonia, Thessalia, in Wien Albia, Alemannia, Arminia, Bruna Subetia, Germania, Libertas, Markomannia, Molbavia, Olympia, Silesia, Teutonia. Ein engeres offizielles Verhältniß besteht nicht zwischen der deutschen Burschenschaft und den Burschenschaften der Ostmark, doch ziehen sich die besten freundschaftlichen Beziehungen hinüber und herüber.

XII.

Rückblick und Ausblick.

Die Nationen zählen ihre Angehörigen, die Städte ihre Bürger, um aller Welt zu zeigen, daß sie zugenommen an wirthschaftlicher Kraft, denn jeder neue Mensch ist ihnen neugewonnenes Kapital für ihren wirthschaftlichen und politischen Fortschritt. Die Korporationen machen es nicht anders. Es muß ihnen daran liegen, ihrer Ideenwelt neue Anhänger zu gewinnen, so stark zu sein, daß sie nicht von Zufälligkeiten abhängig sind, eine so große Anzahl von Mitgliedern zu umfassen, daß sie in ihrer Geschlossenheit Macht und Ansehen darstellen. Verfolgen wir hierauf hin die Entwicklung der deutschen Burschenschaft seit der Begründung des A. D. C., also seit etwa zwei Jahrzehnten, so dürfen wir damit zufrieden sein. Sie bezeichnet ein mächtiges Wiedererstarken der Burschenschaft sowohl an Körperschaften wie an Mitgliedern.

Im Wintersemester 1881/82 gab es 41 Burschenschaften mit insgesammt 904 studirenden Burschenschaftern, im Sommersemester 1902 umfaßte die deutsche Burschenschaft 60 Burschenschaften mit 2146 studirenden Burschenschaftern. Also ein Erstarken nach innen und außen. Wir dürfen bei dieser Entwicklung noch einen Augenblick verweilen und nehmen die nachstehende statistische Uebersicht zu Hülfe.

Semester	Zahl der Burschenschaften	[1] Zahl der studirenden Burschenschafter	Zahl der Aktiven	Zahl der Inaktiven	Zahl der auswärtigen	Zahl der Kontrahenten
W.-S. 1881/82	41	906	443	102	332	29
S.-S. 1882	41	940	508	106	299	27
W.-S. 1884/85	39	916	428	121	344	28
S.-S. 1885	42	1072	564	145	327	36
W.-S. 1887/88	44	1254	643	168	409	34
S.-S. 1888	42	1194	620	161	385	28

[1] Es sind in dieser Tabelle durchweg 40 Personen als Zwei- oder Mehrbänderleute in Abzug zu bringen.

Semester	Zahl der Burschen- schaften	Zahl der studirenden Burschen- schafter	Zahl der Aktiven	Zahl der Inaktiven	Zahl der Aus- wärtigen	Zahl der Hos- pitanten
W.-S. 1890/91	44	1196	598	183	380	35
S.-S. 1891	44	1249	652	184	380	33
W.-S. 1893/94	48	1385	675	233	385	42
S.-S. 1894	47	1416	727	231	416	42
W.-S. 1896/97	50	1565	790	266	484	25
S.-S. 1897	52	1635	814	297	500	24
W.-S. 1899/1900 . . .	59	1971	932	360	665	14
S.-S. 1900	59	2093	1018	368	668	19
S.-S. 1902	60	2188	992	406	777	13
S.-S. 1903	59	2295	1077	434	535	11

Von 1881 bis 1903 hat sich die Zahl der Burschenschaften durch Rekonstitution und Neuaufnahme um 19 vermehrt. Die Zahl der studirenden Burschenschafter ist um 1282 gestiegen, und zwar erfolgte diese Steigerung allmählich und stetig. Man kann solche Entwicklung wohl als gesund bezeichnen. 1881 kamen auf jede Burschenschaft durchschnittlich 22,1 studirende Burschenschafter, 1903 deren 56,6.[1]) Ueber 10 000 alte Burschenschafter befinden sich in den verschiedensten Lebensstellungen in der bürgerlichen Gesellschaft verstreut. Wiegen auch der Jurist und der Mediziner vor, so sind doch ebenfalls die anderen Berufe zahlreich vertreten. Ihr Interesse an der Burschenschaft beweisen die alten Herren durch das Zusammenschließen zu Vereinigungen alter Burschenschafter, deren es jetzt 130 giebt. Eine große Anzahl von Burschenschaften hat sich in den Besitz von eigenen Häusern gesetzt. So ist die heutige Burschenschaft durch mancherlei Wurzeln mit der studentischen und bürgerlichen Welt verbunden, und es zirkulirt ein Wechselstrom von An- regungen und Ermunterungen zwischen Aktivitas und Philisterium, wie er lebhafter und fruchtbringender nicht gut gedacht werden kann.

Wir sehen die äußeren Verhältnisse in bester Verfassung: die Burschen- schaft, geeinigt und in sich gefestigt, genießt das Maß von Vertrauen und Achtung, das sie verdient. Wie steht's im Innern? Wie steht's mit ihrer inneren Berechtigung? Ist sie noch ein selbständiges Gebilde, kein Epigonengeschlecht, kein Wesen, das seinen Namen mit Unrecht trägt und sich von anderen Organisationen die Daseinsformen geborgt hat. Schicken wir voraus, wie überhaupt das deutsche Farbenstudententhum beschaffen ist, soweit es sich mit der Burschenschaft vergleichen läßt.

In der deutschen Farbenverbindung findet der Jüngling nach dem Abschluß der schwerbepackten Schuljahre festen geselligen Halt, einen Anschluß

[1]) Nach den Ausweisen der „Akademischen Monatshefte" zählt der K. S. C. im W.-S. 1888/89 bei 81 Korps 2020 Mitglieder, S.-S. 1891 bei 81 Korps 1982, W.-S. 1895/96 bei 80 Korps 2065, S.-S. 1900 bei 88 Korps 2589, am 15. Februar 1903 bei 90 Korps 2543 Mitglieder.

an Gleichgestimmte, einen Freundeskreis, der ihn stützt und leitet, ihn schützt gegen Vereinsamung und auch gegen den Ueberschwang jugendlicher Ungebundenheit und Freiheit. Wenn es sich auch manchmal im leichten Spiele darbietet, so ist doch die Studienzeit die Vorbereitung für die Lebensanschauung des Mannes, hier wird der Grund gelegt zum Wissen, zum moralischen und politischen Charakter der künftigen Bürger. Vortrefflich hat dies ein aller Burschenschafter, Professor Voigt (Germania-Berlin) [1] ausgesprochen: In der Verbindung schleifen wir die Ecken und Kanten der mitgebrachten Eigenart ab, behaupten wir das Berechtigte im Ansturm gegen fremde Individualität und vertiefen es zum bewußten Zuge unseres Wesens, in ihr lernen wir die Kunst, durch sachgemäße Erwägung, Geistesgegenwart und Schlagfertigkeit des mündlichen Worts und diplomatisches Geschick entgegengesetzte Naturen für unsere Ansicht zu gewinnen, oder aber, wenn wir unsere Meinung nicht durchzusetzen vermögen, uns der siegenden Mehrheit ohne Murren unterzuordnen. In ihr lernen wir somit, das Erbe der vorangegangenen Geschlechter empfangend, die mustergültigen Formen des gemeinsamen Lebens kennen und gewöhnen uns daran, für alles, was wir thun oder unterlassen, sei es vor dem Forum der eignen Gemeinschaft Rechnung abzulegen und die volle Verantwortung zu tragen, sei es nach außen hin in standesgemäßer Weise einzutreten und so die persönliche Würde gegen Freund und Feind zu behaupten. In ihr gewinnen wir endlich einen fürs Leben dauernden Freundeskreis, eine bleibende Heimstätte, in welcher wir als alle Herren jederzeit, frei von den zwängenden Formen des Philisterthums und den Rücksichten der amtlichen Stellung, das Haupt mit der leichten Mütze bedeckt, die Brust mit dem Burschenbande geschmückt, inmitten der Fahnen und Wappen des Bundes und der Bilder vieler Generationen, umgeben von unseren jugendlichen Brüdern, singen und trinken und schwärmen können, wie einst in den unvergeßlichen Tagen der goldenen Jugend.

So erkennen wir gerade unter dem Gesichtspunkte der Charakterentwickelung und Herzensbildung die Nützlichkeit und Nothwendigkeit studentischer Organismen überhaupt. Aber da nun diese Charakterbildung nicht von oben herab auf vorwiegend empfangende und leidende Wesen übertragen, sondern in geschlossenem Einzelkreis, in unkontrolierbarer Stille, in fast unmerklicher Wechselwirkung vollzogen wird, indem immer der eine den andern mit der ganzen hinreißenden Kraft des jugendlichen Vorbilds und mit dem Zauber einer bestimmten Persönlichkeit beeinflußt, so müssen, wenn anders wir nicht dem zufälligen Wechsel kräftiger Individualitäten freien Spielraum gewähren und jedes einheitliche Band verlieren wollen, feste unverrückbare Ideale als Grundpfeiler des Baues aufgestellt, gemeinsame Hochziele gesteckt werden, welche in Lehre und Brauch, in Statut und Comment von Geschlecht zu Geschlecht sich vererben. Und solche Ideale lassen sich nicht in einem Subkomitee in zahlreichen Sitzungen durch oft zufällige Majoritätsbeschlüsse

---

[1] Burschensch. Blätter II. Jahrg. 1886 S. 62 ff.

feſtſetzen, — ſie müſſen ſich mit unwiderſtehlicher Nothwendigkeit aus den ganzen ſtudentiſchen und nationalen Verhältniſſen organiſch herausbilden.

In dem reichen Kranze ſtudentiſcher Organiſationen iſt die Burſchen-ſchaft trotz vieler Nivellirungsverſuche eine markante Erſcheinung, ein Weſen, das Stürme und Sonnenſchein nicht beugt und das ſich durch keine Ungunſt der Zeiten und Perſonen zur Seite ſchieben läßt. Unſere Zeit wird für die der erfüllten Ideale erklärt, das Deutſche Reich, ſagt man, iſt gegründet, die Nation geeint, da iſt für großzügige nationale Politik nicht Zeit und Raum mehr. Die materiellen Intereſſenkämpfe müſſen ausgetragen werden und beherrſchen die öffentliche Szene. Dieſem Ideengange verwandt ſind die Worte, die man der Burſchenſchaft gegönnt hat nach der Reichseinigung: ihr wurde vorher die Anerkennung ihrer Nothwendigkeit verſagt und nachher ſagt man ihr, ſie ſolle ſich entfernen, ihr Ziel ſei erreicht und ihre Zeit um. Wir müßten hundertmal Geſagtes wiederholen, wollten wir auf dieſe Polemik tiefer eingehen. Ohne allen Zweifel iſt, daß Waffenſpiel, Lied und Becher-klang untrennbar zum deutſchen Studenten gehören. Aber damit, und mit dem Schwärmen für ſeine Farben, mit Freundſchaften und Liebeleien kann und darf nicht der beträchtliche Theil des Lebens ausgefüllt ſein, welcher dem Muſenſohn neben jenen dem Fachſtudium geweihten Stunden bleibt. Der Student kommt in empfindlichen Nachtheil im Verhältniß zum Kauf-mannsgehülfen und Arbeiter, wenn er in der aufnahmefähigſten Entwickelungs-periode ſeines Lebens den vaterländiſchen Dingen den Rücken kehrt und es Anderen überläßt, ſich vorbereitend mit allen Vorgängen des öffentlichen Lebens zu beſchäftigen. Und auch das Vaterland hat Schaden davon. Unſeres Erachtens iſt bereits Gefahr im Verzuge, daß unſer politiſches Leben verſandet und in nichtigſte Intereſſenſtreitigkeiten verſinkt, weil die Routine, die Intrigue und die Verpöbelung die Fäden in der Hand halten. Hier muß ein tiefgreifender Geſundungsprozeß einſetzen, hier muß eine richtige nationale und politiſche Erziehung und Schulung unſerer bürgerlichen Jugend ein-greifen. Sonſt fehlt der geiſtig unabhängige und kampffähige Nachwuchs und der Ausgang des Kampfes kann nicht zweifelhaft ſein, wenn ein großer Theil der akademiſchen Jugend lediglich einer Unſumme von frohem Lebens-genuß und einem beſcheidenen Maße von Facharbeit durch Generationen hin-durch ſeine Kräfte ſchenken wollte. Die Burſchenſchaft hat aus ihrer Geſchichte den einmüthigen Entſchluß gewonnen, daß ihre Angehörigen mehr ſind als Farbenſtudenten, daß ſie verpflichtet ſind, ſich mit allen Fragen des öffent-lichen Lebens zu beſchäftigen, um ſie ſpäter als Bürger beherrſchen und zum Guten leiten zu können. Die Burſchenſchaft ſetzt ſich als ihr höchſtes Ziel die vaterländiſche Erziehung ihrer Mitglieder, mag ſie dafür nun Lohn oder Undank ernten.

Wir laſſen aber auch den Peſſimismus nicht an uns herankommen. Die heutige Burſchenſchaft zeigt mit ihrem Blühen, ihrem kräftigem nationalen Streben, daß ſie unentbehrlich iſt. Das rechte Maßhalten in Freude und jugendlichem Uebermuth, die einfach bürgerliche Geſinnung, die durch das

Erforderniß des Reisezeugnisses garantierte wissenschaftliche Grundlage ihrer Zusammensetzung, die politische Unabhängigkeit, welche die Streberei ausschließt, diese guten Eigenschaften sind in unserer Korporation vereinigt und zeitigen eine Lebensanschauung, die immer wieder durch unser Volksthum in seinen politischen und wissenschaftlichen Führern durchleuchtet. Diese Eigenschaften beweisen, daß der Geist der alten Burschenschaft in neuer Form in der deutschen Burschenschaft von heute lebt und daß unserem festen und redlichen Wollen schließlich der Sieg zu Theil werden wird.

Ich schließe meine Ausführungen mit einem guten Worte, das Professor Reuter von der Bubenruthia gelegentlich bei einer Feier in Hamburg (1893) aussprach: Die von der alten Burschenschaft verkündigten Ideen sind nicht überflüssig, sondern höchst nöthig auch im neuen Reich. Oder haben wir reichlich Ueberfluß an Männern, denen das Vaterland höher steht als die Partei? Den guten Willen setze ich überall voraus, aber in entscheidenden Krisen liebgewordene Neigungen und persönliche Interessen zum Opfer bringen, das erfordert Zucht des Verstandes und der Gefühle, es ist nur der Preis eines ernsten Kampfes gegen die egoistischen Triebe. Wer lebt in einer Umgebung, in welcher der Obere und Nachbar nicht nur auf seine Ehre bedacht ist, — Mißbrauch eines edlen Wortes! — sondern auf wahre Ehre, die auch die Ehre des Nächsten und des unter ihm Stehenden heilig hält? Auch das Wort Freiheit steht im Wahlspruch. Halten Sie Umschau. Wenn ein Vorgesetzter mit leidenschaftlichem Urtheil ungerecht tadelt, wie Viele haben den Ernst und den Muth, die Wahrheit zu vertheidigen? Und wenn es einmal Einer unternimmt, auf wie Viele kann er rechnen, die ihn nicht im Stich lassen, wenn die Gewalt unbequem wird. Aus mancherlei Erfahrungen des weiteren und engeren Lebens ziehe ich den Schluß, daß die Ideale der Burschenschaft zur wahren Ehre und Freiheit auch des neuen Reiches als kostbares Kleinod unvergeßlicher Tage für die Zukunft gehütet werden müssen.

Gestorben am 1. November 1903

Akademische und burschenschaftliche Chronik des Jahres 1903

7. Januar. Preußischer Justizminister von Schönstedt (Alemannia Bonn) feierte seinen 70. Geburtstag.

9. Januar. Friedrich von Esmarch (Alb.-Teutonia-Kiel) vollendete das achtzigste Lebensjahr. Viele Ehrungen sind an diesem Ehrentage dem Gelehrten zu Teil geworden. Auch die Kieler Burschenschaft hat es sich nicht nehmen lassen, den alten Burschenschafter zu ehren. Im Namen der Burschenschaft Teutonia überreichte unter Beglückwünschung stud. jur. Delfs mit zwei Kommilitonen dem Jubilar das Ehrenband der Burschenschaft. Esmarch sprach seinen Dank dafür aus und bemerkte, er habe früher ein anderes Band getragen, das schwarzrot-gold und verboten gewesen sei.

15. Januar. Den Burschenschaften in Preußen, welche dem preußischen Kriegsminister von Goßler die Resolution gegen die Pistolenduelle zugeschickt haben, ist folgende Antwort zuteil geworden:

„Aus den an mich gelangten Eingaben eines Teiles der Studierenden

Justizminister von Schönstedt.
(Alemannia-Bonn.)

deutscher Hochschulen habe ich mit besonderer Befriedigung entnommen, daß es der Wunsch und Wille der Beteiligten ist, Ehrenhändel mit Offizieren zu vermeiden. Die gleichen Gesinnungen werden von dem Offizierkorps der Armee durchweg geteilt. Die Belegung der Universitätsstädte mit Garnisonen geschieht im Interesse der Studentenschaft, um ihren Mitgliedern die Ableistung des einjährig-freiwilligen Militärdienstes zu erleichtern; dieser Zweck wäre aber verfehlt, wenn irgendwelche Spannung zwischen dem Offizierkorps und der Studentenschaft sich entwickeln sollte.

Ich darf die erfreuliche Tatsache feststellen, daß es durch beiderseitiges korrektes Verhalten im allgemeinen bisher gelungen ist, freundliche Beziehungen zu einander herzustellen und zu erhalten. Umso weniger dürfte aber jetzt Veranlassung vorliegen, bezüglich etwaiger Zweikämpfe zwischen Offizieren und Studenten besondere Vereinbarungen zu treffen. Das Duell an sich ist gesetzlich verboten und strafbar. Im Hinblick hierauf kann ich zu einer formellen Regelung der Art und Weise eines Zweikampfes nicht die Hand bieten. Aus dem angeführten Grunde sind auch in der Allerhöchsten Verordnung über die Ehrengerichte alle Festsetzungen über die Ausführung von Zweikämpfen ausgeschieden und es sind nur

Friedrich von Esmarch.
(Teutonia-Kiel.)

die Mittel und Wege angegeben, um Streitigkeiten zu vermeiden oder bei einem etwaigen Eintritt derselben einen Ausgleich zu vermitteln. Im übrigen muß es jedem überlassen bleiben, seine Ehre zu wahren, denn jeder einzelne ist der Träger und Hüter seiner Ehre. Sollte es gelingen, für die gesamte Studentenschaft einer Hochschule einen gemeinsamen Ehrenrat einzusetzen, so würde ich hierin einen erheblichen Fortschritt erblicken, da erwartet werden darf, daß dieser studentische Ehrenrat für die Bestrebungen des militärischen Ehrenrats, im Sinne der Ziffer IX der Allerhöchsten Verordnung vom 1. Januar 1897 bei Ehrenhändeln einen Ausgleich herbeizuführen, eine wesentliche Hilfe bieten und hierbei dementsprechende Beachtung finden wird. Die gefällige Eingabe vom 21. November 1902 findet hierdurch ihre Erledigung.

v. Goßler."

Die B. Bl. bemerkten hierzu:

Geh. Rat Schwanitz. (Allem.-Heidelb., Teut.-Jena.)
Gest. Mai 1903. Dorfschulze von Gabelbach.

Aus der Antwort des Kriegsministers geht nach unserer Ansicht hervor daß er der Anregung der Studentenschaft ein sympatisches Interesse entgegenbringt, daß er aber — mit Rücksicht darauf, daß das Duell gesetzlich verboten ist — nicht in der Lage zu sein glaubt, reformierend einzugreifen und zu einer formellen Regelung der Art und Weise eines Zweikampfes die Hand zu bieten. Man muß die weitere Entwickelung der Zukunft überlassen, nachdem einmal ein starker Anstoß gegeben worden ist. Die Rücksicht auf das Strafgesetzbuch besteht für alle Behörden, sie konnte aber die Studentenschaft nicht hindern, ihre Anschauung bei einer nach ihrer Ansicht besonders maßgebenden Stelle zur Kenntnis zu bringen und hierbei bestimmte Wünsche in die Form der bekannten Resolution zu kleiden. Wir sind nach wie vor der Ueberzeugung, daß es gelingen wird, in Zukunft eine Einmütigkeit der Anschau-ungen im Sinne der den Ministern überreichten Resolutionen zu erzielen. Dieses Ziel wird am ehesten erreicht werden, wenn die satisfaktions-gebende Studentenschaft die bisher geeigte Einig-keit bewahrt und befestigt, namentlich wenn sie aus ihrem eigenen Leben die Pistole so vollständig

Robert von Keudell.
(Hochheimer.)
Gest. am 25. April 1903.

wie möglich verbannt und im übrigen nach außen fest bleibt. Ob durch ein gemeinsames Vorgehen Gesamt-Ehrenräte für die einzelnen Hochschulen erreicht werden können, wie dies der preußische Kriegsminister in seiner Antwort mit dem Hinweise anregt, daß ein solcher Ehrenrat für die Bestrebungen des militärischen Ehrenrats eine wesentliche Hülfe bieten und entsprechende Beachtung finden werde — diese Frage muß den einzelnen Verbänden zur weiteren Prüfung anheim-gestellt werden. Wir möchten bei aller Anerkennung der Anregung des preußischen Kriegsministers der Ansicht Ausdruck geben, daß auch ohne solchen gemeinsamen

Gemeinde Gabelbach bei Ilmenau

Ehrenrat wenigstens die größeren studentischen Verbände durch ihre Ehreneinrichtungen bereits jetzt die Gewähr bieten, daß ein auf dem Grundsatze der Gleichberechtigung beruhendes Zusammenwirken in Ehrenangelegenheiten möglich und ersprießlich ist.

17. u. 18. Januar. Kommerse alter Burschenschafter zur Feier der Gründung des Deutschen Reichs fanden in Berlin, Bonn, Breslau, Hof, Kiel, Königsberg, Mainz und Saarbrücken statt.

Staatsminister Nokk.
(Teutonia-Freiburg.)
Gest. am 13. Februar 1903.

27. Januar. Geh. Justizrat Schwanitz (Teutonia-Jena, Allemannia-Heidelberg), Dorfschulze von „Gabelbach" bei Ilmenau feierte seinen 80. Geburtstag. (Gestorben im Mai 1903.)

13. Februar. Badischer Staatsminister Nokk (Teutonia-Freiberg) gestorben. Nokk war von 1893 bis 1901 Präsident des badischen Staatsministeriums.

15. Februar. Der geschäftsführende Ausschuß der Vereinigung alter Burschenschafter versendet den Jahresbericht. Hiernach

sind im letzten Jahre fünfzehn neue Ortsgruppen entstanden. Es bestehen zurzeit 126 Vereinigungen alter Burschenschafter.

26. Februar. Exmatrikulation des Kronprinzen von Preußen in Bonn.

25. April. Wirkl. Geh. Rat Robert von Keudell (Hochhemia-Königsberg) gestorben.

25. April. Korpsstudenten-Debatte im preußischen Abgeordnetenhause.

9. Mai. Festkommers der Alten Herren der Universität Dorpat in Berlin.

12. Mai. 40 jähriger Stiftungstag der B. Dresdensia in Leipzig.

12. Mai. Die Universität Gießen feiert den 100 jährigen Todestag Justus von Liebigs.

27. Mai. Geh. Justizrat Wachsmuth (alte Hallische Burschenschaft) in Krossen im 93. Lebensjahre gestorben. Wachsmuth war ein alter Freund und Festungsgenosse Fritz Reuters, er war in den schweren Tagen der Demagogenverfolgung auf der Festung Silberberg (November 1834 bis Februar 1837) des Dichters Leidensgefährte. Am 28. Januar 1837 wurde Reuter und Wachsmuth das Todesurteil verkündet und im Anschluß daran die Kabinetsordre mitgeteilt, die das Urteil in dreißigjährige Festungshaft umwandelte.

27.—31. Mai. 25 jähriges Stiftungsfest der Burschenschaft Franconia zu Berlin.

31. Mai bis 3. Juni. 22. ordentlicher Burschentag zu Eisenach. Die Deutsche Burschenschaft trat dem Germanischen Museum zu Nürnberg bei. Der Salzburger Hochschulverein ernannte die Deutsche Burschenschaft zum Ehrenmitgliede. Die Burschenschaft Franconia zu Münster wurde endgültig aufgenommen. Am Fuße des Burschenschaftsdenkmals in Eisenach wurde ein Eichenhain gepflanzt.

5.—7. Juni. Vierter freier Studententag zu Weimar. Das Hauptthema: Duell- und Ehrengerichtsfrage.

16. Juni. Bei der Reichstagswahl 1903 sind in den Reichstag gewählt: Ablaß, Rechtsanwalt, (Arminia-Breslau) freisinnige Volkspartei. Wahlkreis: Hirschberg. — Beck, Anton, Oberamtmann (Alemannia-Freiburg) Nationalliberal. Wahlkreis: Heidelberg. — Böttger, Hugo, Dr. phil., Herausgeber der Burschenschaftlichen Blätter (Arminia a. d. B.) Nationalliberal. Wahlkreis: Neuhaus-Geestemünde. — Eickhoff, Richard, Gymnasialprofessor (Franconia-Bonn) Freisinnige Volkspartei. Wahlkreis: Mühlhausen i. Thür. — Lenzmann, Jul., Rechtsanwalt, Justizrat (Arminia-Würzburg) Freisinnige Volkspartei. Wahlkreis: Iserlohn. — Pohl, Hans, Rechtsanwalt und Notar in Gleiwitz (a. Br. B. d. Raczets) Freisinnige Volkspartei. Wahlkreis: Liegnitz. — Potthoff, Heinr., Dr.

6*

phil., Sekretär des Handelsvertragsverein (Alemania) Freisinnige Vereinigung. Wahlkreis: Waldeck.

20. Juni. 60jähriger Stiftungstag der V. Alemannia a. d. Pfl.
in Halle.

Einweihung der Bismarcksäule in Friedrichsruh.
21. Juni 1903.

21. Juni. Einweihung der von deutschen Studentenschaft errichteten
Bismarcksäule in Friedrichsruh. Die Festansprachen hielten Rauten-
berg und Stahl (beide Alemannia-Bonn).

28. Juni. Ein Denkmal des jungen Goethe ist am 28. Juni auf dem Naschmarkte in Leipzig enthüllt.

27.—29. Juni. 21jähriges Stiftungsfest der Burschenschaft Franconia-Münster.

Festzug der Burschenschaft Franconia-Münster.

30. Juni. Die Universität Jena begeht die Feier der 400jährigen Wiederkehr des Geburtstages ihres Stifters Johann Friedrich mit einer Feier in der Kollegienkirche. Abends fand ein Marktfest statt.

13. Juli. Geh. Reg.-Rat Prof. Dr. Volkmann (Alemannia-Bonn), der frühere Leiter der Landesschule Pforta gestorben.
15. Juli. Enthüllung des Simrock-Denkmals in Bonn.
23. Juli. Professor Kuno Fischer (alte Leipziger Burschenschaft, Germania-Leipzig) in Heidelberg feiert seinen 80. Geburtstag.

Jahnmuseum in Freyburg a. U.

5.—8. August. Jubelfeier der Universität Heidelberg zum Gedächtnis an Kurfürst Karl Friedrich, den Reorganisator der Universität. Es wurden u. a. zu Ehrendoktoren ernannt: der Dichter Gustav Frenßen, Pfarrer Friedrich Naumann, Peter Rosegger.
13. September. Deutscher Tag in Gleiwitz. Hauptversammlung des deutschen Ostmarken-Vereins. Die Burschenschaft war durch Justizrat Wagner (Dresdensia, Germania-Berlin) vertreten.
27. September. Einweihung des Jahnmuseums in Freyburg a. U.
30. September. R. von Gottschall (a. Br. B. b. Raczeks), bekannter Dichter und Publizist feiert seinen 80. Geburtstag.
18. Oktober. Einweihung des Einheitsdenkmals in Frankfurt a. M. Vor der Paulskirche.

Stärke der deutschen Burschenschaft im W. H. 1902/03 und im S. H. 1903. Die Gesamtzahl der studierenden Burschenschafter im W. H. 1902/03 betrug nach Abzug von 33 Mehrbänderleuten 2089, davon 918

Aktive, 15 Konkneipanten, 409 Inaktive und 780 Auswärtige. Im S. H. 1903 zählte die deutsche Burschenschaft nach Abzug von 35 Zweibänderleuten 2260 studierende Burschenschafter. Das Verzeichnis führte in 59 Burschenschaften 1077 Aktive, 11 Konkneipanten, 434 Inaktive, 793 Auswärtige auf. Die Zahl der Füchse der Burschenschaft betrug im W. H. 1902/03: 221, im S. H. 1903: 373.

Rudolf von Gottschall
(Raczek-Breslau.)

R. D. C. Die Anzahl der studierenden Mitglieder der im R. D. C. vereinigten maturen Burschenschaften der technischen Hochschulen betrug im W. H. 1902/03 bei 21 Burschenschaften 602, wovon 331 aktiv waren. Der stärkste D. C. war der Stuttgarter mit 97 Aktiven bei vier Burschenschaften.

Arnstädter L. C. Die neun Landsmannschaften des Arnstädter L. C. hatten im S. H. 1903 185 Aktive und Inaktive. Es gehörten dem Verbande 660 alte Herren an.

Dem V. C., Verbande farbentragender Turnerschaften, gehörten im S. H. 1903 40 Turnerschaften an. Die Zahl der Angehörigen (mit Einschluß der Alten Herren) betrug 3782.

Der Sonderhäuser Verband der deutschen Studenten-Gesangsvereine besteht im S. H. 1903 aus 16 nicht farbentragenden Körperschaften. Sie zählen 590 Aktive, 290 Inaktive und 4300 alte Herren.

Mitgliederbestand des Akademischen Turnbundes. Der akademische Turnbund zählte am 1. Juni 1903 in 28 Vereinen 633 Aktive, 191 Inaktive, 43 außerordentliche Mitglieder, 390 Auswärtige (davon 181 in Bundesvereinen aktiv), 3063 alte Herren.

Rösener S. C. Der Rösener S. C. zählte am 15. Februar 1903 in 90 Korps 1218 Aktive, 1325 Inaktive, insgesamt 2513 studierende Korpsstudenten. Davon kommen auf süddeutsche Universitäten:

München	205 Aktive,	282 Inaktive,
Tübingen	98 "	114 "
Heidelberg	83 "	111 "
Erlangen	89 "	103 "
Würzburg	73 "	103 "
Freiburg	58 "	82 "
	595 Aktive,	852 Inaktive.

Vereine deutscher Studenten befanden sich an 23 Hochschulen (18 Universitäten und 5 technischen Hochschulen). Die Vereine zählten am 1. Juni 1903: 425 Aktive, 518 Inaktive und Auswärtige. Alter Herrenbestand 2535.

Die 21 Verbindungen des Wingolf-Bundes haben mit Einschluß von 36 auswärtigen Inaktiven im Winterhalbjahr 1902/03 669 Mitglieder, darunter 487 Aktive und 182 Inaktive; der Fakultät nach: 232 Theologen, 79 Philologen, 67 Juristen, 55 Mediziner, 44 Mathematiker und Naturwissenschaftler u. s. w. 147 Mitglieder sind Philistersöhne. — Den im Schwarzburg-Bund vereinigten christlichen Studentenverbindungen Uttenruthia-Erlangen, Germania-Göttingen, Tusconia-Halle, Nordalbingia-Leipzig, Sedinia-Greifswald, Ricaria-Tübingen, Francouia-Marburg, nebst den befreundeten Verbindungen Herminia-München, Wilingia-Kiel, Salingia-Berlin und den Vereinigungen in Breslau und Rostock haben sich im Winterhalbjahr 1902/03 nach dem „Reichsboten" insgesamt 457 Mitglieder angeschlossen, 292 Aktive und 165 Inaktive, und zwar 239 Theologen, 61 Philologen, 44 Juristen, 49 Mediziner, 25 Mathematiker usw.

Der Verband der wissenschaftlichen katholischen Studentenvereine Unitas zählt 10 akademisch anerkannte Vereine und 3 akademische Kränzchen, im ganzen also dreizehn korporative Vereinigungen mit insgesamt 376 Mitgliedern (davon 280 i. l.) und zwar an den Hochschulen zu Bonn (Unitas-Salia mit 49 Mitgliedern), Münster i. W. (drei Vereine: Unitas 67, Unitas-Sugambria 56, Unitas-Winfridia 21), Würzburg (Unitas 35), Freiburg (Unitas 51), Straßburg (Unitas 25), Marburg (Unitas 15), München (Unitas 16), Heidelberg (Unitas 9), Berlin (Unitaskränzchen 11), Göttingen (Unitaskränzchen 9), Tübingen (Unitaskränzchen 12). Unitas-Winfridia zu Münster i. W. und das Unitaskränzchen zu Tübingen sind Neugründungen des gegenwärtigen Wintersemesters. Die Zahl der Philister (ohne Ehrenmitglieder) beträgt annähernd 1000. Der älteste Verein des Verbandes, aus dem in letzter Linie der ganze Verband hervorgegangen ist, Unitas-Salia zu Bonn, feiert im Sommer dieses Jahres das Fest seines fünfzigjährigen Bestehens.

❧

Im Oktober wurde in Posen eine Akademie eröffnet. Zum Rektor hat der Minister den Professor Dr. Kühnemann und zum Prorektor den Professor Dr. Wernicke für die erste Amtsperiode bestellt. Die Königliche Akademie zu Posen hat die Aufgabe, das deutsche Geistesleben in den Ostmarken durch ihre Lehrtätigkeit und ihre wissenschaftlichen Bestrebungen zu fördern. Die Lehrtätigkeit besteht vornehmlich in der Abhaltung von Vorlesungen, Vortrags- sowohl wie Übungsvorlesungen, daneben aber auch in der Einrichtung und Leitung wissenschaftlicher Fortbildungskurse für verschiedene Berufs- zweige. Außerdem hat die Akademie die Verpflichtung, der Gesellschaft für Kunst und Wissenschaft in Posen bei der Veranstaltung von Vorträgen für weitere Kreise mit Rat und Tat hilfreich zur Hand zu gehen. An der Spitze der Akademie steht der Rektor. Er hat die Vertretung der Akademie wahrzunehmen und im Senat den Vorsitz zu führen. Die Verwaltung der gemeinsamen Angelegenheiten der Akademie liegt dem Senate ob, der aus sämtlichen Professoren und dem Syndikus zusammengesetzt ist. Bei der Wahl des Rektors, bei der Feststellung des Lehrplanes und bei Fragen, die sich auf die Abänderung der Satzungen beziehen, werden zu den Sitzungen des Senates auch die Honorarprofessoren und die Dozenten als stimm- berechtigte Mitglieder zugezogen. (Erweiterter Senat.) Über die Aufnahme als Hörer entscheidet die Verwaltungskommission. Die Zulassung setzt den Nachweis der wissenschaftlichen Befähigung für den einjährig-freiwilligen Dienst oder einer andern gleichwertigen Bildung voraus. Die Vortrags- vorlesungen finden unentgeltlich statt. Für die Übungsvorlesungen und Fort- bildungskurse darf mit Zustimmung des Ministers Honorar erhoben werden. Jeder Hörer erhält bei seinem Abgange von der Akademie auf seinen An- trag gegen Zahlung einer Gebühr von 5 ℳ ein Abgangszeugnis, in welches die von ihm angenommenen Vorlesungen einzutragen sind. Wer die Akademie vier Semester hindurch besucht hat, ist berechtigt, sich der Diplomprüfung nach näherer Bestimmung der Ordnung über diese Prüfung zu unterziehen.

❧

Universitätsbesuch im W.-S. 1902/03 und im S.-S. 1903. Auf den 21 Universitäten des Deutschen Reiches waren im W.-S. 1902/03 ins- gesamt 36 665 Studierende immatrikuliert. Davon kamen auf Berlin 7091, München 4279, Leipzig 3764, Bonn 2214, Breslau 1755, Halle 1740, Heidelberg 1352, Göttingen 1335, Würzburg 1302, Tübingen 1301, Frei- burg i. Br. 1288, Straßburg 1193, Münster 1153, Marburg 1111, Gießen 1018, Königsberg 976, Erlangen 969, Kiel 879, Greifswald 706, Jena 697, Rostock 597. Dazu kommen noch die zum Hören der Vorlesungen berechtigten, nicht immatrikulierten Personen — nämlich 7862 männlich (davon in Berlin: 5757) und 1271 weibliche (in Berlin 250). — Der Besuch der deutschen Universitäten im S.-S. 1903 hatte nach amtlichen Angaben folgende Zahlen aufzuweisen:

	Immatrikuliert	Hörer	Hörerinnen
Berlin	5 781	5 218	293
München	4 696	241	33
Leipzig	3 605	530	58
Bonn	2 491	85	90
Breslau	1 794	96	61
Halle	1 741	127	26
Heidelberg	1 671	151	62
Göttingen	1 441	49	41
Würzburg	1 800	21	45
Tübingen	1 506	35	5
Freiburg	1 962	54	63
Straßburg	1 121	40	30
Münster	1 219	72 *)	—
Marburg	1 305	69	9
Gießen	1 092	40	17
Königsberg	952	66	33
Erlangen	937	20	9
Kiel	1 070	32	17
Greifswald	798	31	7
Jena	841	37	22
Rostock	520	22 *)	—

Besuch der technischen Hochschule im W.-S. 1902/03 und im S.-S. 1903. Auf den technischen Hochschulen des Deutschen Reiches waren im W.-S. 1902/03 immatrikuliert 13 269 Studierende, 2171 Hörer (Berlin 601), 1509 Hörerinnen (Berlin 381). Von den immatrikulierten Studenten kamen auf Berlin 3396, München 2419, Karlsruhe 1691, Darmstadt 1606, Hannover 1292, Dresden 934, Stuttgart 908, Aachen 821, Braunschweig 352.

Das Personalverzeichnis der Königlichen Universität zu Münster i. W. für das Winterhalbjahr 1902/1903 zeigt die westfälische Hochschule zum erstenmal in ihrer neuen erweiterten Gestalt. Der Lehrkörper hat folgende Zusammensetzung: Theologische Fakultät: 7 ordentliche Professoren, 4 außerordentliche Professoren, 2 Privatdozenten. Rechts- und Staatswissenschaftliche Fakultät: 8 ordentliche Professoren, 3 außerordentliche Professoren, 2 beauftragte Dozenten (1 Oberlandesgerichtsrat und 1 Regierungsrat), 1 Privatdozent. Philosophische und Naturwissenschaftliche Fakultät: 20 ordentliche Professoren, 1 ordentlicher Honorarprofessor, 10 außerordentl-

*) Hörer und Hörerinnen nicht geschieden.

liche Profefforen, 1 außerordentlicher Honorarprofeffor, 6 Privatdozenten. Dazu kommen noch 6 Lektoren und 2 technische Lehrer. Die Gefamtzahl der immatrikulierten Studierenden ist auf 1153 gewachfen. Dazu kommen noch 53 nicht immatrikulierte Hörer, jo daß die Gefamtzahl der zum Hören von Vorlefungen Berechtigten 1206 beträgt.

Die Zahl der an deutfchen Univerfitäten ftudierenden Frauen weift im S.-H. 1903 einen erheblichen Rückgang gegen das Vorjahr auf, der fich vor allem wohl aus den in Preußen erlaffenen ftrengen Beftimmungen gegen die Ausländerinnen erklärt. Während im Winterhalbjahr 1902/1903 an den deutfchen Univerfitäten im ganzen 1271 Frauen zum Befuch von Vorlefungen berechtigt waren, ift diefe Zahl in diefem Halbjahr auf ungefähr 850 heruntergegangen; das genaue Ergebnis läßt fich noch nicht feftftellen, da die in den amtlichen Verzeichniffen des laufenden Halbjahres gegebenen Zahlen nur vorläufige fud. Befonders auffallend ift der Unterfchied in Preußen, wo den 900 weiblichen Hörern des vorigen Winters in diefem Semefter nur 529 gegenüberftehen. In Berlin zumal ift die Zahl der Hörerinnen faft um die Hälfte verringert (293 : 560), auch Breslau (61 : 114), Königsberg (33 : 59) und Marburg (9 : 20) zeigen einen erheblichen Rückgang. Kiel hat eine kleine Zunahme (17 : 14). In Greifswald find überhaupt keine Hörerinnen verzeichnet. Die einzigen Univerfitäten, an benen Frauen immatrikuliert werden können, die badifchen, haben einen Zuwachs: in Freiburg find 22 gegen 17 immatrikuliert, in Heidelberg beträgt die Zahl der immatrikulierten und der Hörerinnen zufammen 92 gegen 42 im vorigen Semefter. Von den übrigen deutfchen Univerfitäten führen nur Roftock und Münfter keine weiblichen Hörer auf.

Welcher Bundesftaat liefert die meiften Studenten auf deutfchen Univerfitäten? Im Verhältnis zur Einwohnerzahl feit Jahren das Großherzogtum Heffen. Im Durchfchnitt kommen auf 100 000 Bewohner des Deutfchen Reiches 62,2 Studenten; denn unter den in diefem Sommerhalbjahr an unferen Univerfitäten eingefchriebenen 37 813 Studenten waren 35 082 Angehörige deutfcher Staaten. Bedeutend über diefen Durchfchnittsfatz von 62,2 erhoben fich Anhalt mit 72,4, Baden mit 74,1, Braunfchweig mit 79,7. Heffen aber überragt auch diesmal wieder alle anderen Staaten weit mit 103 Studenten auf 100 000 Bewohner. Bayern ift das-jenige unter den größeren deutfchen Ländern, von deffen Studenten die wenigften außerhalb des eigenen Landes ftudieren, nämlich nur 16,2 v. H., während für Preußen der entfprechende Satz 27,7, für Sachfen 25,2, für Baden 30,7, für Württemberg 32,7, für Mecklenburg fogar 54,9 betrug.

Studentenstreiche.

Dr. M. Wittich (Teutonia-Jena).

Die akademischen Bürger haben von jeher im Bürgerlichen Leben eine Ausnahmestellung eingenommen und haben gewissermaßen einen Staat im Staate gebildet, indem sie insbesondere einer eigenen Gerichtsbarkeit unterstellt waren, die ihren Sonderinteressen und Standesanschauungen Rechnung trug und namentlich verhütete, daß der jugendtolle, sich über den Ernst des Lebens leichtsinnig hinwegsetzende Student wegen geringfügiger Verstöße gegen bürgerliche und polizeiliche Ordnungsvorschriften mit entehrenden Strafen belegt und dadurch vielleicht zeitlebens unglücklich gemacht oder wenigstens in seinem Fortkommen erheblich gehindert wurde.

Diese Ausnahmestellung ist dem alles nivellierenden Zuge unserer Zeit folgend durch das Gerichtsverfassungsgesetz für das Deutsche Reich seit dem 1. Oktober 1879 beseitigt, wonach „niemand seinem gesetzlichen Richter entzogen werden darf", alle privilegierten Standes-, Austrägal- oder sonstigen Ausnahmegerichte unstatthaft sind und daher auch der akademische Bürger vor dem Forum der Schöffengerichte und Strafkammern zur Aburteilung gelangt. Ob diese ausnahmslose Beseitigung aller Sondergerichte einen Fortschritt im Rechtsleben bedeutet, dürfte nur insoweit zu bejahen sein, als damit zunächst einmal mit gröblichen Mißbräuchen aufgeräumt worden ist, im übrigen scheint aber auch dies Prinzip ebenso wie manches andere unserer neuzeitlichen Gesetzgebung einiger Korrekturen zu bedürfen, bevor ein wirklich befriedigender Rechtszustand geschaffen wird, der dem allgemeinen Rechtsbewußtsein entspricht.

Es liegt mir fern als laudator temporis acti der früheren akademischen Biergerichtsbarkeit mit der Farce des Strafvollzuges in einem wüsten Karzerleben das Wort zu reden und für die Studenten eine derartige Privilegierung ihres Gerichtsstandes zu befürworten, wie sie ihnen früher auf Grund mittelalterlich-feudaler, sich über das Bürgertum anmaßlich überhebender Standesvorrechte eingeräumt war, wohl aber glaube ich feststellen zu können, daß praktisch und theoretisch im Rechtsleben der allgemeine Grundsatz sich zur Anerkennung durchringt, daß über in besonderen Verhältnissen von Personen eines gewissen Standes begangene Verfehlungen nur Standesgenossen oder wenigstens nur mit jenen besonderen Verhältnissen vertraute Richter billig und gerecht zu urteilen vermögen.

Es kann nicht der Zweck dieser Zeilen sein, in dieser Richtung mehr als eine Anregung zu eigenem Nachdenken zu geben.

Jedenfalls ist der moderne Student in der Betätigung seines Jugendübermutes im Vergleich zu früheren Zeiten in engere Schranken verwiesen, da er auf Schritt und Tritt Gefahr läuft von den Pfaden abzuweichen, welche gesetzliche und polizeiliche Verordnungen für jeden Staatsbürger durch wahre Stacheldrahtzäune empfindlicher Strafbestimmungen abgrenzen.

Tatsächlich kann der Student der Großstädte kaum noch als ein individuelles Wesen sui generis in Betracht kommen. Er verschwindet im Strudel der nach Erwerb und Genuß ohne Rücksicht auf Persönlichkeiten und deren besondere Prätensionen hastenden Gesamtbevölkerung. Nur in den mittleren und kleinen Universitätsstädten kann der Student noch seine Eigenart zur Geltung bringen und sich in studentischem Sinne ausleben. Denn diese Freiheit hat, seitdem deutsche Hochschulen bestehen, der deutsche Student als sein unbestrittenes Recht in Anspruch genommen und er unterscheidet sich dadurch von den Hochschülern anderer Länder, die entweder wie in England ein fast pennälerhaftes Dasein mit jeder studentischen Absonderlichkeit entbehrenden Sportsübungen führen, oder die wie in Paris nach dem Aussterben der liebenswürdigen, weil nicht gewinnsüchtigen Grisette, wüsten, fast zuhälterhaftem Geschlechtsgenuß frönen, oder die wie in Rußland und reich die frohe Jugendzeit durch politische und philosophische Kämpfe trüben. Dieses Ausleben in studentischem Sinne hat nun in verschiedenen Zeiten verschiedene Formen angenommen, die kulturhistorisch interessant und erklärlich sind.

Von den fahrenden Schülern, welche die Bauern listig bestahlen und in häufig humorvoller Weise betrogen, bis zu den bramarbasierenden Studenten des 18. Jahrhunderts, die im rohen Vandalismus bei Tag und bei Nacht freche Gewalttaten verübten, Nachtwächter erschlugen und Bürgertöchter entehrten, und von diesem wieder bis zu dem modernen Studenten: welch eine Wandlung der Anschauungen und Lebensführungen.

Auch dem modernen Studenten ist aber mit den Studiosen der früheren Jahrhunderte gemeinsam eine gewisse souveräne Verachtung der philiströsen Ordnung und gemessenen Lebensführung verbunden mit einer förmlichen Idiosynkrasie gegen diejenigen Beamten, denen die Überwachung der Ordnung und Ruhe obliegt.

Gemeinsam ist ihm ferner auch mit der Jugend anderer Stände ein gewisser Vandalismus, die Lust am Zerstören und Beschädigen fremder Rechtsgüter, die Freude an rücksichtsloser Betätigung nicht zu bändigenden Jugendkraft in gewalttätigem und lärmendem Auftreten. Charakteristisch aber für den sich einer höheren Bildung und besseren Erziehung erfreuenden Studenten sollte jedenfalls sein, daß er sich bei Verübung seiner Streiche, mögen sie sonst so frei und ordnungswidrig sein, wie sie wollen, fernhält von brutaler Rohheit, und daß sie wenigstens von einer Spur von Witz und Humor zeugen.

Der Prüfstein eines echten guten Studentenstreiches sollte sein, daß ein unbefangener, wenn auch verständnisvoller Beurteiler einer solchen Tat mit mehr oder weniger wehmütigem Lächeln erklären muß: das kann nur ein Student getan haben.

Die Grenze freilich scharf zu ziehen, wo der verübte Ulk anfängt trivial, ordinär oder roh zu werden, ist unmöglich, da es dabei immer auf die besonderen Verhältnisse und Persönlichkeiten ankommt, jedenfalls wird man aber in Ermangelung einer positiven Begriffsbestimmung dem festzustellenden Begriff des Studentenulkes wenigstens negativ näher kommen, wenn man von ihm verlangt, daß er nicht trivial, nicht ordinär und nicht roh sein darf.

An der Hand einzelner, dem frohen Studentenleben zu entnehmender Beispiele wird sich am besten diese Grundidee verdeutlichen lassen.

Von der Auffassung, daß Ruhe die erste Pflicht eines brauchbaren Staatsbürgers und daß die Nacht keines Menschen Freund sei, hat sich der Student von jeher gründlich emanzipiert. Die Nacht ist seine Freundin und der freundlich lächelnde Mond sein Vertrauter, Randalieren, Skandalieren aber seine Freude, wenn er mehr oder weniger schwankenden Schrittes den Penaten seiner Budenhäuslichkeit zustrebt.

Klar ist nun, daß das bloße professionelle Randalieren und Skandalieren, wie es vielfach geübt wird, nutzlos und roh ist. Ein frohes Lied auf dem Heimwege, ein einer Studentenliebe gebrachtes Ständchen, selbst eine Katzenmusik, die einem verhaßten Manichäer, einem ledernen Professor oder einem treulosen Mägdlein gebracht wird, können die Nachtruhe schlafbedürftiger Philister aufs empfindlichste stören, der damit verbundene Sinn und Zweck wird indessen alle mit Ausnahme der direkt Beteiligten versöhnlich stimmen.

So gibt es auch gewisse Nächte, in denen die Studenten der verschiedenen Hochschulen ein förmliches, durch uralten Mißbrauch geheiligtes Recht für sich in Anspruch nehmen, den Schlaf ihrer Mitbürger durch lärmende Umzüge zu verscheuchen.

So der Maibummel in Jena, bei welchem in der Walpurgisnacht die Burschenschaften unter den Klängen des Liedes „Der Mai ist gekommen" in feierlichem Zuge nach Mitternacht die Stadt durchziehen. Als dieser Umzug vor langen Jahren einmal von einem besonders schneidigen und ordnungsliebenden Magistrat verboten worden war, wurde er natürlich doch gemacht und selbst in Bürgerkreisen wurde dies allgemein mit der Begründung gebilligt, daß man sich ja seit Generationen daran gewöhnt habe, in dieser Nacht nicht zu schlafen. Der Umzug ist dann auch wieder gestattet worden.

Daraus folgt, daß jeder vernünftige Mensch und selbst der hochwohlweise Rat einer Universitätsstadt gegenüber nächtlichen Ruhestörungen solcher Art, die in besonderer Veranlassung zu bestimmten Gelegenheiten, Gedenktagen oder Stiftungsfesten erfolgen, regelmäßig ein Auge oder ein Ohr zudrücken und nicht nach Staatsanwaltschaft und Polizei rufen wird.

Sollte sich aber ein einzelner oder eine Korporation allnächtlich solcher lärmender Gesangsübungen befleißigen wollen, so würde mit Recht der einzelne als ein Rauhbein, die Korporation als eine zuchtlose Bande bezeichnet werden können. Denn was im einzelnen Fall, weil von einem höheren Gedanken getragen, entschuldbar ist, wird durch professionale Ausübung trivial und roh.

Die Wiederholung tötet den Witz. Dies führt zur Besprechung der vielen seit altersher geübten Studentenstreiche, die zwar fast jeder einmal ausgeübt hat, die aber des Reizes der Neuheit entbehren, die daher eines Studenten eigentlich unwürdig sind und höchstens im Stadium des freiheitstrunkenen Fuchsen einige Entschuldigung für sich haben.

Ich rechne dahin das Ausdrehen von Gas- oder anderen Laternen, Um-
werfen oder Verschleppen von Ascheimern, das Einschlagen von Fensterscheiben,
Aushängen von Gartentüren, die Beschädigung von Stacketen, Häusern, Denk-
mälern und dergleichen.

Darunter ist das Ausdrehen von Laternen verhältnismäßig harmlos, weil
dadurch niemand geschädigt wird und schon ein erhebliches Maß lasuistischen
Scharfsinns dazu gehört, darin eine strafbare Gefährdung der Gesamtheit zu erblicken.

Denn zu Zeiten, zu welchen vergnügte Studenten an Laternenpfählen hin-
aufzukrabbeln pflegen, ist die Gesamtheit der auf eine gute Straßenbeleuchtung
einigen Wert legenden Staatsbürger wohl zumeist nicht mehr unterwegs.

Man würde daher im einzelnen Falle geneigt sein, das dem Stadtsäckel
erhebliche Ersparnisse zuführende Verfahren des Laternenausdrehens von seiten
sich unnütz machender Studenten als eine statthafte Äußerung solchen Bestrebens
anzusehen. Dagegen ist jedoch einzuwenden, daß es dieser Betätigung regelmäßig
an jedem Witz gebricht, und geniale Studenten haben sich von jeher bemüht,
diesen dadurch zu ersetzen, daß sie ihrer diesbezüglichen Schaffenskraft einen
wenigstens grandiosen Anstrich gaben, indem sie ganze Straßenzüge oder Stadt-
viertel in nächtliches Dunkel tauchten oder das tollkühne Wagnis unternahmen,
die Laternen der Polizeiwache auszulöschen.

Denn auch das kann wohl als ein Kriterium eines erträglichen Studentenstreiches gelten, daß derselbe eine alle Gefahren listig überwindende bewunderns-
werte Frechheit dokumentiert.

Das Auslöschen einer einsamen Vorstadtlaterne wird von niemand bewundert und dürfte höchstens als Vorübung für nach höherem strebende Jünglinge angesehen werden können. Originell war jedenfalls aber die Tat desjenigen,
der sich gänzlich von der Schablone des Auslöschens emanzipierte und statt dessen
beflissen war, unter kluger Vermeidung des spähenden Auges des Gesetzes, am
hellen Tage Laternen anzuzünden.

Interessant ist insbesondere die Frage, ob dies unter ein Strafgesetz sub-
sumiert werden kann. Der berüchtigte Rautschulparagraph des groben Unfugs
ist unanwendbar, weil die Verbreitung von „mehr Licht" die Gesamtheit nicht
belästigt oder stört; auch der Diebstahlsparagraph scheidet aus, weil sich der Täter
das zur Entzündung gebrachte Gas nicht aneignen will, und es kann daher nur
in Frage kommen, ob etwa eine Sachbeschädigung anzunehmen ist. Straflüsterne
Staatsanwälte haben dies bejaht, m. E. jedoch mit Unrecht. Denn durch das
unbefugte Anzünden einer Laterne wird nicht die Integrität der Gasleitung be-
schädigt, sondern von ihr nur ein bestimmungswidriger Gebrauch gemacht, der
als furtum usus wohl zu Schadenersatz verpflichtet, nach bestehendem Gesetz aber
nicht strafbar macht.

Es ist derselbe Fall, als wenn übermütige Gesellen sich eines fremden Ge-
schirrs bemächtigen und damit eine fröhliche Spritztour machen, um schließlich
das schweißtriefende, halbverhungerte Rößlein und den schmutzbespritzten Wagen
wieder dem heimatlichen Stalle zuzuführen.

Denn wenn auch jeder bestimmungsgemäße Gebrauch einer Sache eine Ab-
nutzung und insofern eine gewisse Beschädigung derselben herbeiführt, so ist das
doch keine Sachbeschädigung im strafrechtlichen Sinne.

Hervorzuheben sei übrigens, daß selbst ein solcher anscheinend harmloser
Scherz von für die Beteiligten schwerwiegenden und unangenehmen Folgen be-

gleitet sein kann, wenn etwa durch die Entziehung des Fuhrwerks jemand verhindert wird, rechtzeitig in einem Gerichtstermin zu erscheinen, ein wichtiges Geschäft abzuschließen oder wenn gar ein Arzt infolgedessen verspätet an ein
Krankenbett gelangen kann.

Wenn durch eine solche unvorhergesehene Folge der an sich harmlos gedachte Scherz auch nicht zu einer Schlechtigkeit wird, so belastet er doch die
Attentäter mit einer erheblichen pekuniären und moralischen Verantwortlichkeit.

Auf diese Frage der eventuellen Verantwortlichkeit werde ich später zurück-
kommen und will zunächst die Erörterung über die professionelle Unfugverübung
zum Abschluß bringen. Auf diesem Gebiete bilden sich mehr oder weniger närrische
Käuze oft zu wahren Spezialisten aus, welche die Nacht verloren zu haben glauben,
wenn sie nicht wenigstens ein Dutzend Ascheimer polternd umgeworfen, mehrere
Fenster- oder sogar Ladenscheiben eingeschlagen, einige kilometerlange Garten-
zäune umgeknickt oder sonstige derartige Demolierungen vorgenommen haben.

Ich kannte Leute, die eine wohlgeordnete Sammlung von mit heißer Mühe
abgebrochenen eisernen und hölzernen Staketenspitzen ihr eigen nannten, andere, die
das väterliche Budget durch Einschlagen von kostbaren Ladenscheiben um tausende
von Mark belasteten.

Es ist förmlich eine Manie, von der solche Leute besessen sind, aller Vernunft und Wohlerzogenheit widersprechend, gegen fremdes Eigentum zu wüten, und
wenn sie sich solcher Heldentaten gar zu rühmen unterfangen, so beweist das ein
geringes Takt- und Rechtsgefühl.

Das sind nicht Studentenstreiche, sondern entweder ganz alberne witzlose
Dummejungenstreiche oder, wenn der Eingriff in fremde Rechtssphären ein erheb-
licher ist und nicht wenigstens die Verantwortung dafür nachträglich ehrlich über-
nommen wird, heimtückische Bubenstreiche.

Ganz klar auf der Hand liegt dies, wenn sich der Vandalismus gegen
öffentliche Anlagen, Brücken oder Denkmäler richtet, wie es ja leider immer einmal von da oder dort gemeldet wird. Wenn und soweit es sich dabei um
positive heimtückische Entstellungen und Beschädigungen handelt ist, der Täter ein
Prolet und seine etwaige Eigenschaft als Student kann nur dazu führen, seine
Tat der schärfsten Beurteilung zu unterziehen. Aber selbst weniger gewalttätige
Angriffe auf derartige Denkmäler müssen in den meisten Fällen mindestens als
höchst geschmacklos bezeichnet werden.

Sehr instruktiv ist der eigenartige Kultus, der mit dem ehrernen Standbild
Johann Friedrichs des Großmütigen auf dem Marktplatz zu Jena getrieben wird.

Um dieses Standbild, wenig respektvoll „der Hanfried", ganz geschmacklos
„der Bierfriedrich" genannt, pflegen die Jenaer Studenten vor jedem Ausflug und
wenn es ihnen noch möglich ist auch nach der Rückkehr von einem solchen einen
dreimaligen Umzug zu veranstalten und damit einer gewissen, wenn auch vielleicht
nicht tief empfundenen Pietät gegen den Gründer ihrer Hochschule symbolischen
Ausdruck zu verleihen.

Wenn diese Verehrung sich fernerhin dahin äußert, daß in Anlehnung an
uralte Trankopfer einige Tropfen Bier aus den geleerten Kannen an das Denkmal gespritzt werden, so kann auch hiergegen ein nennenswerter Einwand nicht
erhoben werden.

Höchst geschmacklos ist es schon, wenn der Inhalt ganzer Biergläser und
Kannen an das Standbild gegossen wird, mit tiefer Betrübnis aber wird jeder

Lager des Blüchersche Freicorps bei Neumann den 18.ten July 1804
Nach der Natur gezeichnet von F. R.)

129

wahre amicus juventutis academicae gelesen haben, daß unlängst nach einer sogenannten akademischen Festlichkeit in sich offenbarender Roheit eine große Anzahl von Bierseideln gegen das Denkmal geschleudert worden sind, so daß sich schließlich ein wahrer Scherbenberg darum aufhäufte. Mögen die Schilderungen über den fraglichen Vorgang hier und da übertrieben gewesen sein, rühmlich ist er für den Geist der Beteiligten nicht.

Als ein guter, wenn auch nicht jeder Frivolität entbehrender Witz, solange er neu war, dürfte es zu erachten sein, wenn ein Student in die aufgeschlagene Bibel, welche der Kurfürst in der Hand hält, den ominösen § 11 gemalt hat, oder wenn ein anderer in einer regnerischen Nacht dem Kurfürsten einen großen roten Regenschirm im Arme befestigt hat.

Das Gebiet der Harmlosigkeit aber wird sofort verlassen, wenn wie es schon mehrfach vorgekommen ist, das Schwert des Standbildes abgeschraubt und mit nach Hause genommen worden ist, jedoch dürfte eine solche Beschädigung nicht böse gemeint und weil leicht reparierbar verhältnismäßig milde zu beurteilen sein.

Wenn ich aus Vorstehendem den Grundsatz ableite, daß sich der studentische Unfug nicht in groben Eingriffen und Verletzungen fremder Rechtsgüter betätigen darf, so will ich dies noch an einem Beispiel erhärten.

Da hatten eines Tags Talmistudenten einen Staatsanwalt, mit dem sie auf gespanntem Fuße standen, den zum Sonntagsbraten bestimmten, am Küchenfenster hängenden Hasen entwendet, hatten ihn auf ihre Kneipe geschleppt und ihn sich dort zubereiten lassen.

Das war ein ganz gemeiner witzloser Diebstahl. Wenn sie wenigstens an die Stelle des Hasen eine Katze hingehängt hätten. Da wäre doch noch eine Spur von Humor dabei gewesen analog dem Spitzbubenstücklein, welches dem braven Gastwirt Knabe in H. widerfuhr. Dieser hatte sich eine herrliche fette Martinsgans aufgenudelt und weidete an jedem Morgen seinen Blick an dem demnächst zu genießenden Braten.

Da findet er eines Morgens in dem Gänsestall einen krächzenden Raben vor, der einen Zettel um den Hals trug mit der Aufschrift:

„Guten Morjen Herr Knabe,
gestern war ich eine Gans, heut' bin ich ein Rabe."

Wenn jene Hasendiebe denn auch im Verlaufe ihres lukullischen Males dem Bestohlenen eine Karte mit einem höhnischen Gruß zugesendet haben, so haben sie damit ihre frevle Tat nicht vergeistigt. Mindestens hätten m. R. die geschehene Zwangsenteignung durch eine in witziger Form dargebrachte Gegengabe wett machen müssen, um nicht vor dem Forum des Rechts, doch aber vor dem Forum des Humors einigermaßen gerechtfertigt zu erscheinen.

Überhaupt wird man im Anschluß hieran in der Erkenntnis, daß durch alle guten Lehren und Vernunftgründe niemals vermieden werden wird, daß durch studentischen Unfug in andere Rechtssphären eingegriffen wird und dadurch vielleicht ungewollte, bei vernünftiger Überlegung aber voraussehbare Schädigungen eintreten, als unbedingtes Erfordernis aufstellen müssen, daß ein honoriger Student, wenn solche Schadensstiftung zu seiner Kenntnis gelangt, die volle Verantwortlichkeit für seine Taten übernimmt und deren üble Folgen nach seinen Kräften ausgleicht.

Wenn z. B. einige lustige Studenten einem hübschen Dienstmädchen begegnen, welches einige Glas schäumenden Bieres nach Hause trägt, so ist es in der „Natur der Sache" begründet, daß sie dasselbe anhalten, ihr trotz ihres Sträubens das Bier abnehmen und austrinken und sich dafür durch einige Küsse dankbar erweisen.

Ein verknöcherter Jurist wird hierin einen Straßenraub, und wenn er für einen weiteren Ausbau der lex Heinze schwärmt, die gewaltsame Vornahme unzüchtiger Handlungen in Idealkonkurrenz mit Erregung eines öffentlichen Ärgernisses, tätlicher Beleidigung und Sachbeschädigung (des Bieres?) erblicken und die Übeltäter hinter Zuchthausmauern einzutürmen streben.

Der gesunde Menschenverstand wird sich dagegen ablehnend verhalten und wenn er sich durchaus auf den Boden des unerbittlichen Gesetzes stellen muß, zu gunsten der immer durstigen Studenten einen Notstand annehmen, im übrigen dürfte aber auch bei verständnisvoller Beurteilung des Falles der Vorwurf einer gewissen Ruppigkeit nicht von der Hand zu weisen sein, falls jene durstigen Musensöhne dem armen Mädchen nicht wenigstens so viele Silberlinge in die Hand drücken, daß es den entstandenen Verlust wieder ausgleichen kann.

Ernster ist der Fall, der sich bei einem Festzuge ereignete, daß Studenten Feuerwerkskörper unter die Menge warfen und dadurch ein Kind tödlich verletzen. Wenn bei derartigen "Scherzen" auch jegliche Gemütlichkeit aufhört und man sie höchstens als Ausfluß sinnlos trunkener Festesstimmung erklären, nicht entschuldigen kann, so ist es doch jedenfalls für den Täter Ehrenpflicht, daß er die Folgen seines frivolen Leichtsinns wenigstens in materieller Beziehung reuig auf sich nimmt.

Wie sich also der zu lustigen Streichen aufgelegte Student davor hüten muß, daß diese durch einen rechtswidrigen Eingriff in fremde Vermögenssphären nicht eine verdammt ernste Seite gewinnen, so darf er auch dem Recht der Persönlichkeit anderer durch seine souveräne Welt- und Menschenverachtung nicht grundlos, witzlos, roh und trivial zu nahe treten.

Wer "vom breiten Stein nicht wankt und weicht", um von "Ebenbürtigen" Bestimmungs- oder sonstige Mensuren einzuheimsen, mag als etwas rauher Held gepriesen werden, wer aber in trunkenem Übermut "alles" niederrempelt, harmlose Philister, friedliche Finken, prinzipienfeste Reformer, der handelt als braver Bursche. Denn wenn er auch bereit ist, seinerseits begangene Unbill mit Schläger oder Säbel zu sühnen, so darf er sich doch der Erkenntnis nicht verschließen, daß sein Standpunkt nicht indiskutabel ist und daß auch durchaus honorige Menschen ihn nicht teilen.

Es ist jedermanns Sache, in wüstem Richtsinn Jahre zu verprassen und in vom Zaun gebrochenen Standälern die Betätigung von Männer- und Studentenehre zu erblicken.

Noch heute steigt mir die Schamröte ins Gesicht, wenn ich daran denke daß es als Witz hat gelten können, wenn Farbenstudenten einem Wingolf den Stock vorhielten, damit er darüberspringe wie ein Hund.

Noch nach einer anderen Richtung betätigt sich oft eine mißachtende Überhebung des forschen Studenten, nämlich gegenüber den Beamten des polizeilichen Sicherheitsdienstes.

Mag eine gewisse Antipathie gegen diese auf seiten solcher, die sich den Satz zur Devise erkoren haben:

"Scheue Recht und tue nie was!"

erklärlich sein, so darf dies doch nicht zu nutzlosem Anöden dieser ihre Pflicht

7*

erfüllenden Beamten, zu deren Beschimpfung in trivialen Ausdrücken oder gar zu Widerstandshandlungen führen.

Jeder Student muß sich bewußt sein, daß er selbst in Zukunft berufen ist, eine Stütze der notwendigen obrigkeitlichen Ordnung zu sein.

Ihr gelegentlich ein Schnippchen zu schlagen, von polizeilichem Übereifer beseelte Polypen auf den Leim zu locken, in ihre gierig ausgestreckten Fangarme Phantome zu schieben und ihre Späheraugen zu überlisten, ist für Studentenherzen gewiß reizvoll, aber es muß immer ein gewisser Witz dabei sein, sowie schließlich die Erkenntnis, daß es rühmlich ist, sich nicht erwischen zu lassen, daß man aber, wenn man erwischt ist, sich der obrigkeitlichen Gewalt zu beugen hat.

So war es ein echter Scherz, wenn ein hünenhafter Student eine aufgenommene Trottoirplatte als gefundenen Gegenstand auf der Polizeiwache einlieferte, oder wenn ein anderer sich ein Faß kaufte und dasselbe in heißem Bemühen durch die Straße rollte, um selbstverständlich alsbald zur Wache gebracht zu werden, wo er sich durch die schriftliche Bescheinigung des Verkäufers als legitimierter Eigentümer auswies und als unschuldiges Opferlamm entlassen werden mußte, worauf er seine segensreiche Tätigkeit in einem anderen Polizeibezirk mit dem gewünschten Erfolge fortsetzte.

Es liegt mir fern, einen Katechismus für zu lustigen Streichen aufgelegte Studenten zu schreiben. Dies verbietet sich von selbst. Die besten Streiche sind die, welche sich aus den Verhältnissen ergeben und neu sind. Durch die Wiederholung wird jeder Witz zum Kalauer. Das aber hoffe ich klargelegt zu haben, daß der gute Studentenulk, abgesehen von dem Erfordernis originell studentischen Witzes harmlos sein und nicht roh oder gemein in fremde Rechtsgüter eingreifen darf.

Ein Musterbeispiel zum Schluß:

Studenten wollen einem Kommilitonen, der gern frühzeitig durch mäßigen Trunk die erforderliche Bettschwere erreichte und sich regelmäßig vor Mitternacht nach Hause begab, zugleich aber auch seiner Budeuse, die sich den wüsten Freunden ihres soliden Einmietlings mehrfach abhold gezeigt hatte, einen Streich spielen. Anstatt des etwas abgedroschenen Budenzaubers machen sie folgendes:

Sie beschaffen ein Dutzend Weckeruhren, stellen deren Läutewerk auf die Zeit von 12 bis 6 Uhr in halbstündigen Zwischenräumen ein und praktizieren sie in Abwesenheit ihres Freundes in verschiedene Kommodenschiebladen und Schränke seines Zimmers, schließen diese sorgfältig zu und nehmen die Schlüssel mit.

Unauffällig lassen sie ihren Freund, der dem Grundsatz huldigt, daß der Schlaf vor Mitternacht der beste sei, gegen ½12 Uhr seinem geliebten Bette zueilen. Kaum aber hat er das erste Auge zugedrückt, so beginnt der erste Wecker seine geräuschvolle Tätigkeit. Der Versuch, ihn abzustellen, scheitert an der Unmöglichkeit, an seinen verschlossenen Standort zu gelangen, es wird Licht gemacht, der Schlüssel gesucht, in die Flüche des Budeninhabers mischen sich die zarten Vorwürfe seiner Philleuse. Endlich beruhigen sich der Wecker und die erregten Gemüter. Man sinkt wieder mit einem Seufzer ins Bett. Da beginnt ½1 der nächste Wecker kraftvoll und deutlich zu läuten. Erneutes Lichtanstecken, Suchen, Fluchen, Schimpfen, Kündigen usw. In effektvoll dramatischer Steigerung bis endlich früh um sechs der letzte Wecker abgerasselt ist.

Unterdessen haben sich die guten Freunde in einem benachbarten Café, von dem aus sie die immer wieder aufleuchtenden Lichter, die hin- und hereilenden

Gestalten und das wechselvolle Stimmengewirr haben beobachten können, ob des gelungenen Scherzes halb krank gelacht und freuen sich auf den Frühschoppen auf dem die Ereignisse dieser Nacht einer kritischen Würdigung werden unterzogen werden. —

Es gibt wohl kaum eine griesgrämliche Seele, die über einen solchen witzig-harmlosen Scherz nicht vergnüglich lächeln wird.

So schließe ich mit dem Wunsche, daß der studentischen Jugend an deutschen Hochschulen ihr froher, zu lustigen Streichen aufgelegter Sinn erhalten bleibe, daß sie ihn aber ihrer Bildung und sozialen Stellung eingedenk in humor-witziger Weise, nie in trivialen Rohheiten betätigen möge.

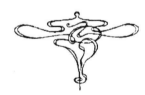

Etwas von Freudigkeit.

Von Prof. Dr. Eb. Heyd (Franconia-Heidelberg).

Wir haben über der vielgeschäftigen Entfaltung der wirtschaftlichen Kräfte im neuen Deutschland die Idylle des 18. Jahrhunderts verloren, die die Genügsamkeit pries und in Empfindsamkeit lebte. Wir sagen uns, daß nur Zeitalter, wie das neuere deutsche, ein Volk in größere geschichtliche Bahnen hinüberzuleiten und ihm neue Ansprüche in der Welt zu erobern vermögen. Wir getrösten uns auch, daß zur großen Zeit der Römer, der Hanse, zur Zeit der niederländischen Beherrschung von Seefahrt und Handel, beim Aufringen Englands zur Weltmacht — um vom jüngeren Nordamerika gar nicht zu sprechen — dieselbe scharfe Luft wie heute geweht habe und dennoch jedesmal der heftigen materiellen Kräfteanspannung ein Hinzugewinnen an innerer Kultur nachgefolgt sei. Aber einem Jeden von uns kommen Anwandlungen im Tagesgeräusch, als ob die Menschen in Deutschland zu Gleims und Hagedorns Zeiten glücklicher gewesen sein müßten.

Sie waren es, falls überhaupt, durch gar viel Verzichten. Ein Häuschen am Bache, ein zärtliches Gedicht, ein beschauliches in sich selber Ruhen war Lebensinhalt genug. Von Dingen, die über die Individualität hinausgingen, von einer öffentlichen Meinung mit all ihrer Beunruhigung und Verstimmung, von einem öffentlichen Wollen und Streiten für ein Ganzes ahnte man nichts.

Aber eben hieraus erhebt sich nun schon die Frage, ob wir, nachdem wir die Idyllenzeit einmal verlassen und uns, allem abwehrenden Zurückbrängen zum Trotz, aus ihr herausgekämpft haben, sie mit irgend welchem Recht noch zurückwünschen dürften? Ob wir überhaupt noch glücklich in ihr zu sein vermöchten, in ihrem Kultus der sich einzusinnen Zufriedenheit? Und dann: ob die Menschheit auch wirklich ein Unersetzliches und Edleres mit jener Empfindsamkeit der schönen Seelen verloren hat?

O nein, gewiß nicht, sobald man den Maßstab eines bewußten Menschentums erhebt. Schon jene Rührseligkeit, so „menschlich" man sich in ihr empfand, hatte keinerlei wirkliches Verdienst; mit Philosophien und Zähren ward keinem Leidenden, keinem Opfer der Willkür geholfen. Und der Kultus der Zufriedenheit führte dahin, mit Luft unterwürfig zu sein, Verhältnissen noch mehr als Personen, so daß die schaffende Kraft verdarb, das Rückgrat erweichte und alle Menschenwürde, alle echte Sittlichkeit tief herabgetreten wurden. Der Sittenleichtsinn der absolutistischen Zeit ist vollends widerwärtig durch seine Verquickung mit Bedientenhaftigkeit, die nicht bloß den Höfen gegenüber, sondern auch im gegenseitigen Verhältnis der Stände zum ergebenen Ausdruck kam. Die Geschichte der Menschheit als solcher, ihrer sozialen und ethischen Kultur, hat von der Zeit der Genügsamkeit unter dem Absolutismus so wenig positiven Gewinn gehabt, wie von der Beschaulichkeit und Behaglichkeit der meisten Klöster. Was jene Zeit an Gütern des Schönen und geistig Wertvollen besaß, das zog der Einzelne in seine Zelle hinein und wandte auch seine Philosophien nur auf die eigene Gemütsruhe an. Noch fehlt die hohe Hindeutung auf den kategorischen Imperativ, der den Einzelnen zur selbstlosen Pflicht regiert, es fehlt die nach außen, zu den Übrigen ausstrahlende Kraft. Die Beglücktheit dieser Zeit war eine negative, künstlich erzwungene, unechte; den höchsten Menschenlohn, der in der Leistung des Freien liegt, die reiche Quelle selbstgesicherter Lebenszufriedenheit und wahrhaften Glücks: Freudigkeit, mußte sie entbehren. Denn Freudigkeit gehört mit Arbeit und Tüchtigkeit zusammen, sie ist das, was beide adelt, was über den Egoismus — den geistigen eingeschlossen — und über die Vergänglichkeit seiner Erfolge erhebt.

Es ist wohl unnötig zu sagen, daß hier mit Freudigkeit nicht Fröhlichkeit gemeint ist oder gar Luftigkeit. Der Bruder Luftig, der immer Vergnügungen braucht, der geht sich selber aus dem Wege, dem ist mit sich zu sein nicht lohnend. Der hat die innere Ruhe am wenigsten, die wir auch heute uns wiederschaffen können. Der Freudige ist viel bei sich daheim, er schöpft seine Kraft von innen her und ist meist von ernsterem Wesen. Seine Heiterkeit wohnt nicht auf den Lippen; sie ruht gefaßt und still über klarer Seelentiefe. Eine schöne Gelassenheit ist in ihm und um ihn her, eine wahrhafte Vornehmheit, die keines Repräsentationstalentes oder erzwungenen „Auftretens" bedarf.

Wer sind nun die freudigen Menschen? Die Glücklichen? Daß diese Fragestellung nicht richtig wäre, geht schon aus dem Gesagten hervor. Umgekehrt! Denn, wie auch noch weiter zu begründen sein wird, erst die Freudigkeit selber ist es, die ein wahrhaftes und haltbares Glücksgefühl schafft, eine Befriedigung, die wertvoller ist, als ein äußerliches Gutergehen. Auch ein bloß negatives Beglücktsein durch Abkapselung von der Welt und ihren Anforderungen entwickelt keine Fähigkeit und damit keinen beständigen Regenerator der seelischen Befriedigung. Mit anderen Worten, die Freudigkeit quillt weder aus dem bloßen oberflächlichen Gutergehen, noch aus dem schwächlichen Verzichten, sie quillt aus der Kraft und Arbeit, und am höchsten entsteht sie sogar aus Lebensnot und Seelenkampf.

Luther, Schiller, dann die Männer der Befreiungskriege, die von Fremdherrschaft und vom 18. Jahrhundert erlösten, das sind solche wahr haft freudigen Menschen gewesen. Und Jesus von Nazareth bleibt immer das erhabenste Beispiel. Ein drängender oder beengender seelischer Druck, der auf starke und edle Menschen wirkt, aber sie, weil sie die Stärkeren bleiben, doch nicht zu unterjochen vermag, der ist es, der ihren tapferen, widerständigen Gemütern die Spannkraft erhöht und ihnen die sieghafte Freudigkeit verleiht. Man denke nur an Schiller in seiner Lebensbürftigkeit, in seiner vielkränkelnden physischen Unkraft, welche, als es ihm endlich besser gehen wollte, gerade aufgezehrt war! Wohl ist auch er an jenen unausgeglichenen Menschheitsschmerzen nicht wortlos vorübergegangen, die

Schänzchen in Bonn, früheres Alemannenhaus.

kein ernsthafter Mensch wegschweigen kann, aber wann hat dieser Edle jemals ein privates Entbehren oder Leiden geklagt? Wie schnell er sich aus seinem persönlichen Ringen unablässig in die Höhen der gütigsten Menschenliebe, der edelsten Begeisterung, des reinen Schönen, der unsterblichen Ideen empor! Während Fortunas Lieblingskinder nur allzu leicht über eine atomhafte Störung, die ihren blankgefegten Weg kreuzt, jammern und von der Sonne, die ihnen wolkenlos scheint, nichts zu sagen wissen, als daß sie einstmals untergehen wird. Denn all seine Undankbarkeit bekennt der Glückverwöhnte am deutlichsten im Zittern vor dem Tode, den der Freudige in seinem letzten Siege überwindet. Selten sind die sogenannten Pessimisten, weder die plumpen, noch die feinen, es aus Lebensmühsal geworden. Des Lebens Mühe, sagt Antonio im Tasso, lehrt uns allein, des Lebens Güter schätzen. Im allgemeinen Durchschnitt braucht der

Mensch ein bestimmtes Maß von Sorgen, um seine Gemütskraft, seine Dankbarkeit und sein Wollen wach zu erhalten. Und Leid — das überhaupt die Quelle stichhaltiger Gedanken ist, viel mehr als freundliche Erfahrungen — bildet auch den Ursprung der am meisten klärenden und aufbauenden Entschlüsse.

Nun möchte ich aber auch nicht die Worte Freudigkeit und Optimismus in allzu nahe Nachbarschaft rücken. Im Gegensatz zur Freudigkeit hat kaum etwas so wenig haltbaren Wert, als der landläufige Optimismus. Wer immer geneigt ist, in jedem neuen Menschen einen Engel zu erblicken und von jeder neuen Unternehmung das große Los zu hoffen, der irrt von Enttäuschung zu Enttäuschung, von Verstimmung zu Verstimmung und bringt in der Regel auch Andere in schiefe Lage oder zu Schaden. Freilich es gibt Leute, die dies zeitlebens durchführen, ohne in Verbitterung und Pessimismus umzuschlagen.

Zur wahren Freudigkeit gehört außer Kritik gegen sich und Andere vor allen Dingen Beharren und Standhaftigkeit. Gerechtigkeit ist in der Welt, auf die Dauer hat noch immer das Gute gewonnen. Aber der einzelne ist nicht so wichtig, daß er jedesmal einen reservierten Platz bekommt, es zu erleben und mit anzusehen. Oft hat der Sieg Jahrhunderte gebraucht. Auch das Christentum will erst im Jenseits die Guten belohnen.

In der Täglichkeit um uns her triumphiert zunächst tausendfältig die Rücksichtslosigkeit, die Eigensucht, vor allen Dingen der künstliche Schein. Jedem ehrlichen Menschen kommt einmal im Leben der schreckliche Augenblick, da er dessen inne wird. Aber dürfen wir darüber nur klagen, anstatt uns vielmehr nüchtern klar zu machen, wie dies geschieht? Mit Scheidemünze und etwas geliehenem Silber kommt man im Tagesverkehr eben weiter, als mit dem wertvollsten ungewechselten Goldklumpen. Es ist praktisch falsch, zu meinen, mit der guten Leistung sei's schon getan, die Mitwelt werde sie alsbald wahrnehmen und objektiv würdigen. Ach, es hat jeder Mitmensch genug mit sich zu tun: die einen wollen selber voran, die anderen, die Gesättigten, Wohlwollenden, zum „maßgeblichen" Urteil Berufenen, sind meist bequem und wollen gefällig präsentiert haben, was jemand wichtiges und tüchtiges vermag. Wertvollste Geisteswerke, umformende Erfindungen sind Menschenalter hindurch unerkannt geblieben, manche besten Männer nie in die Stellung gelangt, wo sie richtig hätten nützen und sich erst ganz entfalten können. Auch der Brutale kommt leichter voran, als der in Rücksichten und Takt Erzogene; diesen halten vielfältige zarte Hemmungen als Selbstverständlichkeiten auf. Daher gibt es so viele Parvenus, daher haben am ehesten sie einen äußerlich großartigen Erfolg. — Bessere Mittelmäßigkeit ist zum banalen Vorankommen das Geeignetste, sie liegt den Machthabern am bequemsten, namentlich wenn dieser Machthaber die Mehrheit, die Menge ist. Schon Oxenstierna gab seinem Sohne die Mahnung ins politische Leben mit, zu bedenken, daß praktisch mit einem Minimum von Weisheit die Welt regiert werde. Originalität wird von wenigen und auch von diesen oft nur zweifelnd verstanden; der hübsch gesagten Trivialität fällt alles bei:

„Ganz meine Meinung! bravo!" Daher ist es schon immer eine seltene Ausnahme, wenn ein ganz Originaler sich durch widerstandzwingende Kraft und
hilfreiche Umstände bei Lebzeiten durchzusetzen vermag und selber die
tätige Vollziehung seiner Gedanken unternehmen kann, wie bei Luther

Goethedenkmal in Leipzig
Enthüllt am 28. Juni 1903

und Bismarck der Fall war. Wie oft stirbt der Schöpferische, derjenige, in
dem Zukunft enthalten ist, in Verfolgung oder verlassener Dürftigkeit! So-
krates, Christus, Huß, Phidias, Rembrandt sind Beispiele nur aus den
Gebieten der Religion und der Kunst. Auch den einsamen Nietzsche tadelten
oder belachten die wenigen, die von ihm wußten, für seine Bücher fand er
kaum Verleger; aber als der Irre von der Welt nichts mehr erfahren konnte,

wollten alle Langohren Übermenschen sein. Die Beispiele sind unerschöpflich, daß Neuweisungen auf allen Geistesgebieten, in Literatur und Kunst erst wirksam wurden, wenn Nachlebende sie zerschnitzelt in dünner Sauce aufwärmten; dann werden Dutzende aus dem Nachlaß dessen mächtig, der in Armut gestorben. Dafür kommt dieser dann in die ehernen Tafeln der Weltgeschichte und der Hausierer bloß in den täglichen Kurszettel. Nur dann ist dem geistig Großen auch schon die eigene, baldige Wirkung vergönnt, wenn er selber versteht, seine Höhe gewissermaßen in die Breite zu projizieren, und wenn er, wie abermals Luther, volkstümlich die Menschen zu packen vermag.

Wir sehen aber schon aus jenen Beispielen bewiesen, was ein bis zur Abgegriffenheit bekanntes Wort sagt: das Echte ist der Nachwelt unverloren. Schon darin liegt ein Sporn, unbekümmert um die Gegenwart und den eigenen kleinen Erfolg das richtig und gut oder groß Erkannte mit allen Kräften auch zu wollen und vertreten. Indessen um mehr und Größeres, als bloß um die Nachwelt oder um Anerkennung, handelt es sich. Für alle Dauer der Menschheit und für die Ewigkeit geschieht die tüchtige Tat. In dem ungeheuren Weltganzen geht niemals die kleinste gute Leistung verloren, ein physisches Gesetz von der Erhaltung der Kraft gilt auch hier. Es gibt nicht nur einen Fluch der bösen, sondern gibt noch viel mehr einen Zwang der guten Tat, daß fortzeugend Gutes aus ihr geboren werden muß.

Und damit nun kommen wir wieder zu der höchsten Form der Befriedigung und des wahrhaften Glücks. Gewiß, es gibt das Glück im Täglichen und vieles, worin es sich echt bewährt. Verlässige Freundschaft, Herzenskameradschaft mit den nächsten Verwandten, Sorgenkönnen für die, die man lieb hat, und deren erwidernde Liebe, das alles ist goldenes Glück. Aber, wie schon vorhin gesagt, das bloße Beglücktsein, das Glück im kleinen umfriedeten Kreise enthält die höchste Entfaltung von Menschentum und Lebenswerten nicht. Bei dieser wächst der Rahmen über das Zurückempfangen von Verdienst und Liebe weit hinaus; da kann die gute Tat und die Freudigkeit zu ihr nicht von Vergeltung, sondern nur noch von einem Bewußtsein ihren Lohn empfangen. Aber dieses Bewußtsein ist es, was als höchste Befriedigung den Alltag mit der Ewigkeit verbindet. Das gesichertste und haltbarste Glücksgefühl liegt geborgen in dem Wissen, für das Menschheitsganze mitzuarbeiten, sei es an einem scheinbar noch so geringfügigen Teil. Was Freundes- und Familienliebe ethisch bedeuten können, das muß ihre Erweiterung zur Menschenliebe vervielfacht bedeuten. Der „Altruismus", das, was wir den alteri, der größeren Gemeinschaft, dem Staate, der Nation, der Menschheit darbringen, ist das Unvergängliche und ist das Höchste, um was es dem kleinen Einzelnen seine Erdenspanne zu leben verlohnt.

Der Einzelerfolg, den wir für uns allein erjagen mögen, enthält überhaupt nicht das Glück. Das Glück besteht gar nicht in einzelnen Gütern oder Erreichungen, ist gar nichts Gegenständliches, sondern Glück ist vielmehr auch nur eine Seelenfähigkeit, eine Kraft. Nicht in dem Haben und Besitzen, sondern in dem Erstreben, dem Arbeiten dafür liegt, sogar schon bei kleinen

äußerlichen und materiellen Zielen, das Hebende und Erfreuende; halten wir
das Erstrebte in der Hand, so ist in der Regel sein größter Reiz schon
dahin, wir, sind von ihm ernüchtert. Die Kraft, die hier etwas erstrebt und
errungen hat, erlischt eben mit dem Erreichen nicht, es enthüllen sich ihr
sofort neue Ziele, tun sich sofort neue Rennbahnstrecken nach der Selbst-
befriedigung auf. Unsere Seele stürmt immer voraus, ist mit ihrem Hoffen

Heynal in Jena, Germanenhaus.

und Wollen beständig bei der Zukunft zu Gast. Schon deshalb wird jene
freudige Kraft in uns, aus der das Glück werden will, durch ihre Hinaus-
streckung ins Allgemeinste und Weiteste, ins Ewigmenschliche, zu ihrer besten
und wohltätigsten Potenz erhoben.

    So lange wir wirken, nicht empfangen wollen, so lange wir am
Ganzen arbeiten und freudig sind, glauben wir fortwährend auch unser
Leben noch vor uns zu haben. Sobald wir aber bloß einheimsen, bloß
unsertwegen leben wollen, beginnen wir früh zu zagen, ob nicht die Höhe
unseres Lebens schon überschritten sei. Dann empfinden wir jeden einzelnen
Tag als einen Abstrich am Konto des Gewinnes, als einen Schritt näher

zum Grabe. Vor unseren Füßen das Grab, über uns das Firmament der Ewigkeit, wie kann man da fragen, wohin unser Zielen, unser Sinnen und Schaffen gehen soll?

Ein Wort von E. M. Arndt möchte ich anschließen, dem treuen Manne, in welchem jener freudige Sinn der Befreiungskriege, der erwähnt wurde, zeitlebens jung geblieben ist. „Jedem Sterblichen, der etwas Ernstes mit Ernst will, ist gegeben, groß zu sein; jeder, der treu in einem beharret erreicht seinen Zweck bis in den Tod. Lasset uns nun das Eine fassen, in Einfalt und Wahrheit strack ausschreitend: uns selbst gleich und ehrlich deutsch zu sein; dann wird alles Kräftige und Jugendliche wie ein Blütenregen der Freude und Stärke auf uns herabregnen!"

Von Freudigkeit und Deutschtum, wovon Arndt hier in engerer Nutzanwendung spricht, darf vielleicht ein andermal wieder die Rede sein. Weiter noch als Deutschtum ist Menschheit, die Treue zur Nation kein Gegensatz, sondern die redlichste Vermittlungsform werktätiger Menschheitsliebe. Nun könnte man aber den Inhalt unserer Ausführungen gerade durch den Historiker beirren wollen. Jemand könnte fragen, ob nicht von der tatsächlichen Menschheitsgeschichte alle Philosophie des vorhin Gesagten widerlegt werde? Wird nicht, so würde man einwenden, die Welt jeden Tag niedriger und schlechter, entbehrt man nicht mit Recht die gute alte Zeit, bestanden nicht in der Menschheit Anfängen das Paradies und das goldene Zeitalter, wovon wir uns immer rapider entfernen? Wie kann es da Befriedigung und Glück sein, auf eine solche Menschheit und auf Arbeit für sie den höchsten Lebensinhalt zu stellen?

Darauf antworte ich, als einer, den diese letzten Fragen des Historikers von je beschäftigt haben: nein, und hundertmal nein! Die Paradiese und die goldenen Zeitalter sind Träume, weil die Menschheit, so bald sie irgend sich aus dem bloßen Vegetieren erhob, sofort nach dem noch Schöneren und Edleren verlangt hat. Darum erfand sie das Paradies und das selige Weltalter, wo die Götter auf Erden unter Deukalions Geschlecht wandeln konnten, darum hat sie zu allen Tagen von der guten alten Zeit gesprochen. Sie hat nur ihre Utopien mit leichtverständlicher Willkür statt an das Ende an den Anfang gesetzt. Die Geschichte der wahrhaften Tatsächlichkeiten zeigt das genau umgekehrte Bild. In den wirklichen Anfängen der Menschheit, welche jenen naiven Utopisten noch nicht historisch bekannt waren, war alles Gegenteil von Friede und Reinheit, war die Hordenbarbarei mit wahllosem Totschlag, Raub und entsetzlichem Geschlechtskommunismus. Aus dem Halbtierwesen hat sich die Menschheit durch die fortgesetzte Arbeit Vieler zum Guten allmählich zu dem Zustande von heute erhoben. Es ist auch sonst nie ein vorhergehendes Zeitalter alles in allem besser als das unsrige gewesen, obschon es in dem flüchtigen Rückblick unserer knappgefaßten Geschichtsbücher so erscheinen mag. Wir sehen dann eben nur seine glänzendsten Zinnen, und sie bestimmen uns des Ganzen Bild. Wir sprechen von der Herrlichkeit des Hellenentums zu Phidias' Zeit: das beachten die wenigsten, daß des großen attischen Meisters berühmteste und — unfreieste Schöpfung, die Athene auf der Akropolis, schon im Entstehen wesentlich deshalb so bewundert und gepriesen wurde, weil sie aus kostbarem Gold und Elfenbein zusammengestückelt werden sollte. Und dasselbe athenische Volk, das diesen Kunstmaßstab anlegte, konnte sich weiterhin, nach seiner intimsten Gemütsrichtung, gar nicht denken, daß, wer mit soviel Gold zu hantieren gehabt, nicht tüchtig davon gestohlen haben sollte: in Verleumdung, wegen Mangel an Beweisen aus dem Gefängnis freigelassen, ist der größte Bildhauer von Hellas aus der gebildesten Stadt des Hellenentums gewichen. Oder blicken wir mikroskopischer in Goethes und Schillers Zeit, von der wir so leicht annehmen, damals sei die ganze deutsche Welt wertvoll und bedeutend gewesen: wie haben diese Beiden gegen Kleinlichkeit, Gewöhnlichkeit und Geschmacklosigkeit mit Xenien und gehäuften Epigrammen um sich gewettert oder ihren stilleren Ärger in Briefen ausgeströmt! Wie haben die Kotzebue und andere agiert und diese mit dem Zuströmen des Publikums auch die litterarischen Gewinne davongetragen! Nein, es liegt immer nur so, daß die Geschichte fortwährend das Elende und Klägliche vergißt, daß sie das Hohe und Edle aufbewahrt und das übrige wegsiebt. Und darin allein schon liegen Beweis und Deutung, wohin der Weg des Menschheitsganzen, trotz aller Ungerechtigkeit und Verwirrung des Tages, strebt. Die Menschheit will das Bessere und das Höchste; das übrige, so breit es sich werktäglich macht, läßt sie unablässig wieder unter den Tisch fallen, und aus dem Besten allein formt sie ihr nachbleibendes Erscheinungsbild der vergangenen Zeit. Nicht immer kann sie alles retouchieren, aber je ferner sie von den geschichtlichen Zeiten abrückt, weiß sie von deren Häßlichkeiten und Makeln nichts mehr. Daher spricht sie kritiklos von der guten alten Zeit, was schon die alten Römer getan haben, und auf die unbeschriebene erste Tafel am Anfang aller Menschheitsentwickelung erdichtete sie das Gemälde des goldenen Weltalters. Wenn irgend etwas, so ergibt die Betrachtung des Historikers, noch deutlicher und zwingender als alle idealistische Philosophie: daß der Weg der Menschheit aufwärts geht, und daß ans letzte Ende ein Zustand vollkommener als der heutige und jeder vorige gesetzt ist, auf welchen andauernd hinzuwirken und mit allen redlichen Kräften zuzustreben, den logischen Inhalt alles geschichtlichen Lebens und, da jedes Ziel der Gesamtmenschheit nur durch die Gemeinsamkeit aller einzelnen Menschen erreicht werden kann, eines jeden von uns höchste Aufgabe und innerlich beglückendste Tätigkeit bildet.

Teutonenhaus in Jena.

Studentenpoesie.

Studie von Dr. Erich Bienbeck (Alemannia-Berlin).

Unser deutsches Kommersbuch macht uns so leicht keiner nach, darf man frei nach einem Wort Bismarcks über die Sekondeleutnants behaupten. Wer das Buch kennt — und das alte Burschenherz kennt es nur zu genau — wird in reiferen Jahren noch immer und vielleicht erst recht sich von dem Zauber dieser im Schönen und Häßlichen ursprünglichen Lieder umspinnen lassen. So ein jubelnder, tröstender oder spottender Vers steigt in den wechselnden Lebenslagen wohl oft aus der Tiefe des Bewußtseins empor. Der geprüfte Erdenpilger erkennt dann manche gediegene Wahrheit in wunderlicher Kleidung. Denn nicht vorsätzliche Kunstübung hat das Kommersbuch geschaffen, sondern die Gelegenheit machte Dichter, die Gelegenheit, die nach Goethes Urteil den echten Dichter macht. Überraschendes, kräftiges Empfinden drängt aus dem Herzen in Worte. Das Herz ist aber ein Studentenherz mit all den trüben, gleichgiltigen, übersprudelnd vergnügten, stürmisch begeisterten, empört auflodernden, trotzigen, entsagenden, beißend höhnischen oder träumerischen Stimmungen. Es kennt nicht nüchterne Vernunft noch Spießbürgerlichkeit, nicht Formenzwang noch die herrschenden Schönheitsgesetze. Es ist sich selbst das höchste Maß in Lebens-, Glaubens- und Gewissensfragen. Auch den ödesten Stumpfsinn hält es gelegentlich für einen bedeutenden dichterischen Vorwurf.

Doch überall wird unser Studentenlied durch das deutsche Gemüt gemildert, vertieft oder ironisiert. Die germanischen Tugenden, Treue dem Vaterland, Liebe zu den Frauen, Freunden und Göttern, Offenheit der Stirn, der Hand und des Urteils paren sich in den Liedern mit den Untugenden, Trunk, Raufen, Spiel und jähzorniger Waffentat. Bücherstaub und grelle heiße Strahlen der Jugendsonne umweben das Ganze, eine merkwürdig wechselvolle Beleuchtung. Im Jüngling spiegelt sich der Mann. Nur daß der Mann die Zunge hütet und der Brust gewaltiges Drängen nicht mehr laut und unbekümmert in die Welt hinaussingt. Denn er hat keine Gefährten mehr, die mit ihm eins sind, seine Freiheit ist nicht unbegrenzt und weder der Kult des Bacchus noch der Aphrodite dürfen ihn zum schrankenlosen Ausbruch seiner Gefühle veranlassen.

Freilich ist der Student von heute von dem der Ahnenzeit recht verschieden. Bis zur Mitte des vorigen Jahrhunderts war der Student freier, weil unbestimmter in seinen Zielen. Dem modernen Studenten ist eine gewisse Lebenshaltung, ein Blick auf ein bestimmtes Wissensziel durch die wirtschaftlichen und gesellschaftlichen Verhältnisse aufgenötigt worden. Das nützt dem Staatsleben schadet aber der Poesie. So mag es kommen, daß die Blüten der studentischen Poesie mit wenigen Ausnahmen aus der vormärzlichen Zeit stammen. Denn man darf nicht denken, daß Lieder, wie das „Bienenhaus" oder „Wie glüht er im Glase", weil sie von Studenten viel gesungen werden, echte Studentenlieder seien. Wenn Geibel, Scheffel und andere Dichter ihre Studentenlieder noch in den sechziger und siebziger Jahren des vorigen Jahrhunderts sangen, so schöpfte ihre Muse dennoch aus dem Born weit früherer Jugendzeit.

Der gewaltige Umschwung des wirtschaftlichen und geistigen deutschen Lebens in den letzten Jahrzehnten ließ den Studenten in den Hintergrund des Interesses treten. Erst seitdem das Deutschtum sich ruhiger entwickelt, und auch in der Kunst eine Rückkehr zur Natur, Einfachheit und zu nationalem Gehalt erfolgt ist, erfreut man sich daran wieder, daß auf den deutschen Hochschulen unbeirrt die alten Lieder und Schläger weiter erklingen, die alten Farben glänzen und die alten Ideale hochgehalten werden, umsomehr, als die Studentenzeit heute vielfach das ganze Philistertum beeinflußt. Denn im Gegensatz zu früher haben sich die Hochschulkorporationen zu starken Verbänden zusammengetan, deren Wirken und Wollen in gemeinsamen Festen und Kundgebungen der alten und jungen Studenten nicht nur in Universitätsstädten nachdrücklich ausgesprochen wird. Immer bedeutsamer wird die Studentenzeit als Keimfeld des Mannessinnes und der Mannestat. Das weckt frisches Leben in den alten Stätten der Gelahrtheit und grüne Triebe im studentischen Dichterwald.

Geschlummert hat die studentische Poesie nie völlig, aber sie mußte ebenso gesunden, wie die deutsche Dichtung überhaupt. Sie mußte denselben Gang tun, wie etwa Gerhart Hauptmann von den „Einsamen Menschen" zu der „Versunkenen Glocke" — von sonderbarer Grübelei der durch die neue Zeit überraschten Phantasie zu einer lebendigen gesunden Auffassung. An den Alten und an Goethe erkannte man, daß echte Kunst „Heimatkunst" sein müsse.

Wie weit die studentische Dichtung aus dieser allgemeinen Kunstreformation ein Weiterblühen hoffen darf, ist schwer zu ergründen. Ein Versuch liegt in den seit einigen Jahren herausgegebenen Musenalmanachen verschiedener Hochschulen vor. Die Bücher werden deshalb hier einmal eingehend besprochen zu werden.

Musenalmanache gab es schon früher, z. B. die bekannten Kottaschen. Neu ist der Gedanke, das poetische Leben einer bestimmten Volksklasse innerhalb eines bestimmten Raumes zusammenzufassen. So ist ein Musenalmanach der Hochschüler Münchens und einer der Marburger Studenten erschienen. Weitere Kreise soll wenigstens der Musenalmanach der katholischen Studentenschaft Deutschlands umfassen. Es ist die bekannte Folgerichtigkeit des Ultramontanismus, selbst solche harmlose Veranstaltung konfessionell zu färben, obwohl der Inhalt der Bücher selbst diese Absicht kaum verwirklicht.

Wer sich je von dem Zauber des Burschentums hat umwehen lassen, wird gern zu studentischen Liederbüchern greifen, zwischen den Zeilen die Zeit fröhlicher Gesellen von Weisheit schwer und Wein mit der Seele suchend. Wieviel davon er hier finden wird, steht dahin. Ich will zunächst schildern, was die Bücher mit

8

Waldkneipe in Ziegenhain.
Teutonia-Jena.

ihren etwa 650 (!) Gedichten hauptsächlich bringen, es ist dann vielleicht noch ein
Wort darüber nötig, was sie bringen sollten.

Bereits aus dem Jahre 1901 stammt der Musenalmanach der Hochschüler
Münchens, herausgegeben von Hanns Holzschuher. Schön und eigenartig ist
meist der Buchschmuck, wie überhaupt bei allen hier erwähnten Almanachen.
Es ist ein ander Ding, ob ich die schönen Verse Philipp Witkops „Ich bin
ein Flößer, der in tiefer Nacht durch dunkle Wasser seine Ruder leitet!" nur so
glatt hinlese, oder ob Randleisten und Schlußvignetten mir dazu den stillen,
nächtlichen Strom, die schwarzen Uferbäume und den träumenden Flößer auf
seinem Fahrzeug vor Augen führen. Witkops Dichtung braucht im allgemeinen
das kritische Messer nicht sehr zu fürchten, sie hat freilich mit der studentischen
Persönlichkeit des Verfassers nicht viel zu tun. Charakteristisch schildert er seine
Heimat in den Versen „Aus dem Ruhrkohlengebiet": „Aus tausend Schloten steigt
ein dicker Rauch" und „Rings an den Tischen saß die Hautevolée, Kommerzien-
räte, Zechendirektoren, dazwischen breit und protzend ein Bankier usw.". Wir
finden es begreiflich, wenn der Dichter aus solchen Betrachtungen heraus für seine
Heimat nicht viel übrig hat, sondern in die Klage ausbricht: „Wie ich dich hasse,
meine Heimat du, wie ich seit Kindestagen schon dich hasse!" Dafür taucht seine
Seele fern von der kohlendunstigen Heimat um so begeisterter in die Reize an-
mutigerer Gegenden. Wälder, Seen, Berge, das Erwachen und Zurruhegehen des
Tages wecken in ihm eine Fülle schöner, wahrer Empfindungen. Zwei Beispiele
für viele:

„Abendrot."

Nie hatte solch ein Leuchten rings geweilt,
Das Abendrot glomm von den Wäldern nieder,
Als hätte sich der Himmel weit geteilt
Und rote Rosen regneten hernieder.
Wir standen von der letzten Glut umloht
Gleichwie im Flimmer blitzender Juwelen.

oder ein anderes Lied:

Goldumflossen stehen die Platanen
Und in milder Klarheit fließt die Luft.
Auf verschlaf'nen, träumerischen Bahnen
Zieht im Wind ein weicher Rosenduft.
Noch ein fernes kurzes Drosselklingen,
Dann geht auch der letzte Laut zur Ruh,
Meine Sehnsucht breitet ihre Schwingen
Heimwehmüde deinem Herzen zu.

Witkop, der zuerst in dem Almanach münchener Hochschüler für 1901 auftritt, ist dann für den Katholizismus reklamiert worden, im Almanach der
katholischen Studentenschaft Deutschlands prangen sein Bild und seine Beiträge
vornean.

Religiöse Töne schlägt ein anderer katholischer Student, Arno von Walden,
an. Wie er's tut, geht aus folgendem Beispiel hervor. „Der Tod im Olymp".

An dem Tor des Olympos dröhnte des Schlägers Knauf;
Die Götter schralen aus dumpfen Träumen auf,

8*

Wandschmuck im Baderreiterhause in Erlangen.

Da fahen fie Hermes, geschüttelt von tödlichem Frost,
Der hob seinen Stab und wies nach dem fernen Ost.
Und schauernd schauten fie über Meer und See'n
In nächtlichen Lüften rotzuckende Blitze weh'n,
Und hoch auf Golgatha fah'n fie im Wetterstrahl
Ein Kreuz und am Kreuz einen Mann in Todesqual.
Und die schlafmüden Götter, fie fanken vom goldenen Sitz,
Und dem greifen, dem wankenden Zeus entfiel der Blitz,
Und Thanatos schwang seine Fackel in düsterm Gebot,
Und Schweigen ward über'm Olymp. Und dunkel. Und Tod.

Die Verse find schön, wie manche andere, die wir im Almanach der katholischen Studentenschaft Deutschlands für 1903 finden. Zweifellos schlummert in
Walden ein Dichter, der sich nur noch frei zu machen braucht von falschen Bildern,
übertriebenen Wendungen und unreiner Form. Für einen Studenten aber ist die
Leistung achtungswert.

Ich will bei der Gelegenheit die katholischen Almanache gleich weiter betrachten. Der Titel ist m. E. geschmacklos, weil die Konfession nur wenig mit
Dichtkunst zu tun hat und ein Kirchenliederbuch nicht geboten werden soll. Die
„katholischen" Dichter vermeiden auch den geistlichen Ton nach Möglichkeit, fie
zerfließen aber etwas in unkräftige, weiche Gefühle: „Heimweh", „Allerseelen",
„Waldandacht" und ähnliche Stoffe find am beliebtesten. Gerade solche Stoffe
verlangen aber gereifte Kunst, wie fie felbst Witkop und Walden nicht zu Gebote
steht; es ist eben ein bekannter Charakterzug der Jugend, sich an Aufgaben außerhalb ihres Könnens und ihrer Erfahrung zu begeistern. So ist denn vieles im
Inhalt mißlungen, was in der Form durchschnittlich gut ist.

Aus der großen Schar der übrigen Dichter nenne ich noch Reifenbichler,
der in feinen Deutschen Grüßen der Muttersprache und dem deutschen Wald frische,
schlichte Verse weiht. Lesenswert find ferner die Beiträge Erich Sieburgs,
deren Reiz ebenfalls in ihrer Ungekünsteltheit liegt. Mit stilllächelndem Behagen
liest man Pfenebergers „Morgenandacht":

Im dunklen Haar des Morgens Rosenblut,
Des Baches Silbergürtel um die Lenden,
Die Riesenlaute in den Künstlerhänden
Und um die Brust der gold'nen Brünne Glut,
So steht der Wald erlaucht und hochgemut
Ein Troubadour vor der Liebfrau'nkapelle usw.

ebenso die nicht zu beantwortende Frage:

Durch meine Seele leise fingt
Ein Sehnen süß und wehe,
Wie wenn ein Heimatgruß erklingt
Aus einem tiefen Seee. (!)
Doch weiß ich nicht, was mich so zieht,
Was mir so hold mag klingen,
Ist es der Liebe Ahnungslied,
Dies stille weiche Singen?

Renaissance

Wandschmuck

im Bubenzechgezecke in

Erlangen.

Geleitet von

Dr. Siegand (Suberumbia)

Generaldirektor des Norddeutschen

Lloyd.

oder wenn J. Teubner es für wichtig hält, mitzuteilen, daß er bei einem ganz gewöhnlichen Herbststurm „finster durch die dürren Blätter schreitet":

Des Nordens kaltes Wetter acht ich nicht,
Wie oft schon ist's, daß solch ein Sturmeswetter
Herein, herein ja über mich schon bricht.

oder im folgenden Gedicht behauptet, er könne nicht weinen, weil ihm ein Gott die Tränen versagt hätte und trotzdem

Wenn's so im Herzen klagt, da möcht ich schmelzen
Wie weicher Schnee im warmen Sonnenstrahl
Und alles Leid mir von der Seele wälzen
Und all' des Lebens Weh und Gram und Qual.
Doch ach, es hat mir Gott versagt die Tränen,
Es schwillt das Weh, das Herz, das schwache, bricht,
Stürzt nicht der Damm, wenn wilde Fluten lehnen
Sich drohend? an Und weinen kann ich nicht.

Auf die Prosastücke der Almanache einzugehen lohnt nicht, sie wären wohl aus studentischen Versbüchern besser weggeblieben.

Kommen wir nun zu den Leistungen der „evangelischen Studenten", die sich zunächst in den beiden Almanachen münchener Hochschüler darbieten, so wird vorauszusetzen sein, daß in den Büchern freier und kräftiger mit Wort und Gedanken geschaltet werden kann.

Hörst du wie die Geige lacht?
Mädel, Mädel, heute Nacht,
Heut Nacht wirst du die Meine,
Du — oder keine!

Das sind Klänge, die den alten Studenten süß anwehen; und wer hat nicht mit oder ohne Kater einmal im Walde geruht und Willi Geigers „Waldidyll" nachgefühlt?

Tief im dunklen Buchenwalde
Ruht ein Weiher,
Drin gurgeln viele Frösche
Alte Märlein.
Ringsherum die lieben Vögel
Präludieren,
Auf dem Spiegel malen Wolken
Gaukelbilder,
In die Glätte meißeln Frösche
Schöne Ringe.

Und trotz meiner Absicht, Prosa nicht zu erwähnen, möchte ich doch den schmackhaften Anfang des „Dreieck" von Adolf Dannegger wiedergeben:

„Wir waren wirklich elend heruntergekommen. Max Gruner und ich. Da saßen wir wieder nachts um drei Uhr in dieser schmierigen, stinkigen Schnapskneipe, mitten unter verlumpten Arbeitern und Zuhältern und besaufen uns methodisch mit dem gemeinsten Fusel. Haha, es ist gottvoll. Wir sprachen darüber, wie gemein die Natur es eingerichtet hat, daß man sich nicht selbst ins

Geficht fpucken kann. Es ist in biefer Spelunke entfetlich heiß. Drüben balgt fich der Wirt mit einem Kerl herum, der fich beftänbig erbricht und bann mit dem fchmutigen Ärmel ben Mund abwifcht." Ufw.

Die Gefchichte ift auch weiterhin überaus fchön und räumt enblich mal auf mit bem falfchen Ibealismus, der noch fo vielfach in ber irregeleiteten Stubenten-fchaft graffiert.

Scharf geht Arnulf Sonntag ins Zeug, wenn er im Jahrgang 1908 unter der Überfchrift „Föhnwind" ausruft:

Schlagt fie tot, bie alten Greife
Die hemmend euch im Wege ftehn,
Mit ihrem Dünkel klug und weife,
Die Welt am beften zu verfteh'n.
Nehmt bie Schwerter in bie Hand,
Putt bie alten Äfte aus.
Will der Frühling in bas Land,
Stürmt der Föhn mit Saus und Braus!

Da kann ben Profefforen bange werden!

Wir finden in biefem Buch aber auch ernft zu nehmende, fchöne Gebichte. So der „Morgen in ben Alpen" und der „Herbft" von A. Dreyer, der „Abend an einem Havelfee" und bie „Wintereinfamkeit" von Wolfgang Hammann, „Rokoko" und „Unterm Kirfchbaum" von Oskar Hey, bas „Gebet" von Préoöl. Den Preis trägt Ernft Mangold mit feinen vier Gebichten bavon, von benen ich ben „Sommergang" hier wiebergebe.

Taufend Blüten trug bie Welt,
Und mein Herz in holbem Traum
Hat der Hoffnung Land beftellt.
Froher Jubel brach fich Raum,
Doch ba fiel im Sommerfeld
Schon ein welfes Blatt vom Baum.

Aus einem anbern „Milieu" heraus fpricht der „Marburger Mufen-almanach" (1901). Das Eingangslieb von Friedrich Anz charakterifiert ben Gefamtinhalt:

Lerche in ben Lüften hoch
Singt in hellem Jubel,
Grille in bem Grafeloch
Zirpt zum Frühlingstrubel.
Flammt ein letter Sonnenftrahl
Durch bie fernen Bäume,
Abend breitet übers Tal
Weiche, blaffe Träume.
Auf der weiten Wiefenau,
Leicht wie Schaumesflocken,
Schwimmen rot und weiß und blau
Blüten, Sterne, Glocken!

Wandschmuck im Bubenrettherhause in Erlangen.

153

Naturpoefie, wie altmodifch! Aber wer fich in die unerfchöpfliche Natur verfenkt, wird immer etwas Neues von ihr fagen können; namentlich wenn in jungem Herzen lebhaftes Empfinden wohnt. So weht durch den Marburger Almanach ein weder zu weichlicher, noch zu fchwüler Hauch, man fühlt, daß die Dichter in ihren Grenzen geblieben find. Wie fchön ift z. B. der „Sommermittag" von Kurt Göbel:

> Die Lüfte flimmern und zittern
> Am Berghang, glutbefonnt,
> Und leife Schläge gewittern
> Am bleiernen Horizont.

und wie natürlich malt Wolfgang Lehmus feine „Wonne":

> Weit braußen auf der Heide
> Im lichten Sonnenfchein
> Lieg ich in roten Blüten
> Und — Gott fei Dank — allein.

Wie gehaltvoll der Spruch Paul Sörenfens:

> Komm, dein Glück ift deines Lebens
> Stille nimmermüde Tat!
> Fürchte nichts, was dir bereitet,
> Sei es nahe, fei es weit,
> Führt der Geift, der dich geleitet,
> Dir heran zur rechten Zeit.

Die unbewußte Kraft des Marburger Almanachs mag darin begründet fein, daß das Buch weder eine Tendenz verfolgt, noch Auffehen und Neuheit erftrebt. Nur die Schlußballade ift als Unglück anzufehen. Der Dichter fchildert darin — jedenfalls aus Mangel an einem bedeutenderen Stoff — die Verfuchung Jefu durch Lavinia, die Frau des Pilatus! Selbftredend mißlingt die Abficht der Frau und nun „Heiß und zifchend ihr Odem weht, fo wahre dich Jefu von Nazareth, Verfchmäht meine Liebe, Hahahaha, Nun küffe dein Liebchen auf Golgatha!"

Rühmend hervorheben will ich noch die einfachen, fchönen Zeichnungen von Otto Arndt in dem letzten Buch.

Ich kann mir denken, daß mancher meiner verehrten Lefer bis hierher mit dem Kopf gefchüttelt hat, als fuchte er etwas und fände es nicht. Es ift mir beim Lefen der Bücher auch fo gegangen, ich fand nichts darin von der alten Burfchenherrlichkeit. Die möchte man doch aber in Studentenbüchern finden. Nur wenige Anklänge verraten, daß es außer Liebesgram, Naturfchwärmerei und anderen allen gebildeten Menfchen gemeinfamen Empfindungen noch Dinge gibt, die nun einmal der richtige Student vor dem Philifter voraus hat. Ich werde nicht fehlgehen in der Vermutung, daß man die „mittelalterlichen Korporations-ftudenten" wohl nicht zur Mitarbeit eingeladen hat. Das wäre aber nötig gewefen, um die Bücher über die Linie beliebiger Gedichtfammlungen emporzuheben. Die Forderung eines Studenten an den Herausgeber des Münchener Almanachs, das Buch im „Bierzeitungsftil" zu geftalten, ift gar nicht fo unrecht, jedenfalls finden fich in den Bierzeitungen der Farbenverbindungen echte Blüten ftudentifcher Poefie. Das Studentenlied hat durch die Almanache nicht eine Zelle gewonnen.

Die Bücher haben ihre Reize, aber auf dem Gebiet der originellen Darstellung studentischen Lebens und Fühlens liegen sie nicht. Heidelberg, Jena, Würzburg, keine der zauberumwundenen deutschen Hochschulen ist nur mit Namen genannt, kaum einmal hebt sich ein schäumender Humpen oder ein blitzender Schläger empor, und nie fühlen wir uns da, wo wir es möchten, auf der liederdurchhallten Kneipe, auf „Bergen und Burgen" oder im urfidelen Bierdorf.

Möchte das burschenschaftliche Jahrbuch dazu beitragen, das kostbare Vermächtnis der Scheffel, Geibel, Arndt, Kugler, Eichendorff, Göthe zu mehren. Singe jeder wie er mag, gut oder schlecht, aber immer in der eigenen Melodie, die nur der farben-, trink- und waffenfrohe Student aus dem Herzen klingen lassen kann.

Zur Geschichte des Zweikampfes.

Von Dr. E. Haasler (Arm. a. d. P.).

In die Urgeschichte der Menschheit ist auch der Beginn des Zweikampfes zu setzen, der zuerst zu der Auslese der Starken führt im Sinn der Entwickelungsgeschichte. Oft auch mag es in späteren Perioden so zugegangen sein, wie im „Jörn Uhl" der alte Heim Heiderieter erzählt — übrigens in einer der stimmungsvollsten Stellen deutscher Prosa. Und zwar wurde rein persönlicher Kampf bald vergessen, ein solcher aber für die Existenz eines Stammes, ja für das Wohl eines ganzen Volkes klang noch lange nach in Sagen und Liedern. So bewahrt weiter das alte Testament den populären Sieg des kleinen David, errungen durch die fernwirkende Schleuder, als nationale Heldentat für ferne Zeiten auf, so glänzen die Einzelkämpfe der homerischen Helden noch heute durch ihre dichterische Verklärung in tönenden Strophen, dienen der Todesmut und die Aufopferung der Horatier und Curiatier immer noch dem heranwachsenden Geschlecht als Beispiel und Aufmunterung zur Vaterlandsliebe und zu idealem Gemeinsinn. War in jenen frühen Zeiten die übertriebene Wertschätzung der Muskelkraft, wie sie aus den primitiven Waffen sich ergab, ganz allgemein, so ist dem „animal méchant par excellence" ein Wenig von dieser Hochachtung seiner Urväter für persönliche Kraft nie ganz verloren gegangen, und noch in der Epoche der Riesengeschütze und Repetiergewehre mit ihren unheimlichen, ballistischen Wirkungen bemerken wir sonderbare, oft ganz unerwartete, atavistische Regungen davon. In den weitaus meisten Fällen resultieren aus dem Kraftgefühl der Mut und die Energie des persönlichen Eintretens und selbige werden heute noch in weiten Kreisen hoch bewertet, nicht bloß bei „alten, sitzen gebliebenen jungen Damen", wie der moderne Hauptkämpe gegen den Zweikampf, Professor v. Below, weder geschmackvoll, noch galant sich zu äußern beliebt. Dieses Bewertungsmoment fernstehender Kreise und als selbstverständlicher, notwendiger Gegensatz die scharfe Negation desselben ist es, was bei allen Ab- und Umartungen im Laufe der Geschichte, und selbst bei etwaigen zeitweiligen Unterbrechungen allen Erscheinungen auf dem Gebiet des Zweikampfes von vorn herein etwas Gemeinsames gibt. Ist dieser mehr äußerliche Zusammenhang nun nicht zu leugnen, so wird doch der moderne Zweikampf, das Duell, nach innerem Ursprung und Entwickelung sehr verschieden erklärt.

Während es die meisten Rechtshistoriker von den gerichtlichen Zweikämpfen des Mittelalters herleiten, andere es vom germanischen Fehdegang abarten lassen, sind diese Anschauungen neuerdings auch stark bestritten worden. Eingehend und am frühesten wohl bei A. v. Osenheim „das Wesen des Duells" Wien, 1887, der zuerst die Theorie vom spanisch-französischen Ursprung des heutigen Duells aufstellt, die Prof. v. Below erst 1896 in seinen zwei Schriften „das Duell und der germanische Ehrbegriff" und „das Duell in Deutschland, Geschichte und Gegenwart" wieder aufnimmt und nun allerdings in den weitesten Kreisen damit Beachtung findet. Eingeschaltet sei, daß die Duelliteratur Mitte der 90er Jahre aus Anlaß einiger Spezialfälle überhaupt außerordentlich reichhaltig sich erweist, wie auch Below persönlich in die Lage kam, eine Forderung abzulehnen und erst aus diesem Anlaß seine theoretische Stellung zum Duell kundgab. Gegen Belows geschichtliche Auffassung wendet sich der General A. v. Boguslawski, 1896, mit „die Ehre und das Duell." (Hierbei auszugsweise benutzt.)

Schon 1848 äußert H. R. Gneist in seinem „Zweikampf und germanische Ehre": „daß das Duell in seiner heutigen Anwendung nur über 300 Jahre alt, dagegen in seinem Grundgedanken der altgermanischen Kampflust Jahrtausende alt ist." Lassen wir diese vermittelnde Anschauung als Grundlage gelten und betrachten weiter den geschichtlichen Hergang. Bei den Germanen war, nach den ersten Berichten der Römer über sie, das Fehderecht in allgemeiner Übung und alltäglich war der Streit der Sippen untereinander, der oft Blutrache nach sich zog. Erst als sich feste, staatliche Verbände gebildet hatten, fingen anerkannte Gerichte an, Recht zu sprechen, zuerst nach Herkommen, später, seit 501 z. B. in Burgund, nach aufgezeichneten Gesetzen. Den Parteien blieb die Wahl zwischen dem Rechts- und dem Fehdegang. Da bei dem schwerfälligen Verfahren dieser Gerichte die Beweisaufnahme häufig versagte, bestand dann der Fehdegang zu Recht, aber in der eingeschränkten Form des Zweikampfs, allenfalls mit Helfern. So vermied man den Kampf der Sippen und richterliche Klugheit setzte ein kleines Übel an Stelle eines großen. Dieser Zweikampf vor Gericht war als Selbsthilfe natürlich nur ein Aushilfsverfahren, wird aber keineswegs von Anfang zu den Ordalen, wie z. B. die Feuer- und Wasserprobe, gezählt. Unter allen Umständen ist als erwiesen anzusehen, daß diese Form des Zweikampfs zuerst durch die Germanen in's Leben trat und später, nach Unterwerfung und Vermischung, teilweise auch von den Romanen angenommen wurde Heldenmut und Trotz, die den Grundzug germanischen Wesens ausmachten, ließen so häufig den Fehdegang betreten, zumal da, J. Dahn hebt es hervor, wo es galt, den Schatten eines Fluchtverdachtes zu vermeiden. Nach dem vollständigen Sieg der Feudalverfassung erst scheint der Fehdegang

vor Gericht in die Reihe der Ordale aufgenommen zu sein, wo durch das
Eingreifen Gottes im Ausgang des Kampfes Schuld oder Unschuld erwiesen
wurden. Auf diese Entscheidung im Kampfe, nicht auf das Jenseits bezieht
sich das noch in unserer heutigen Eidesformel vorhandene „So wahr mir
Gott helfe", wie E. Thümmel in „Der gerichtliche Zweikampf und das
heutige Duell" Hamburg, 1887, überzeugend nachgewiesen hat. Half Gott
dem Kämpfer nicht, so war eben seine oder seiner Partei Aussage als falsch
gebrandmarkt und der Richter sprach nun demgemäß das Urteil. — Aus
der Eigentümlichkeit germanischen Wesens, durchaus nicht aus einer gesetzlichen Regel, war also der gerichtliche Zweikampf entsprungen, was aber
nicht ausschließt, daß sich Gerichtsherren und Gesetzgeber eingehend mit ihm
befaßten. So Karl der Große, Otto der Erste und der Longobarde Rotharis,
der als einer der Ersten an der Unfehlbarkeit des Gottesurteils zu zweifeln
beginnt, Zweifel übrigens, die nicht mehr verstummen und immer weiter um
sich greifen.

Boguslawski hebt besonders noch hervor, daß die Formen des gerichtlichen Zweikampfs, wie sie das sächsische Landrecht zur Zeit Friedrich II.
enthält, ungemein denen unsers heutigen Duells ähneln, was Below als
ganz unwesentlich zur Seite geschoben hat. Des letzteren Hauptbeweis-
führung dafür, daß dem deutschen Mittelalter das Duell durchaus fremd
sei, stützt sich auf die Behauptung, daß nie ein Ehrenhandel durch den gerichtlichen Zweikampf ausgetragen worden wäre. Da meint allerdings Boguslawski, daß man in jenen Zeiten weniger feinfühlig gewesen sein wird, als
in unserer heutigen besten Gesellschaft; man dürfte sich erst tatsächlich beleidigt
gefühlt haben durch die Zufügung von handgreiflichem und materiellem
Unrecht. Aber selbst Below hat zugestanden, daß nach longobardischem
Recht der Zweikampf wegen schwerer Ehrenkränkung ausdrücklich gestattet
war, kein Wunder denn, daß unser Gewährsmann jene Lex Rotharis (lib. I.
tit. 5) als sein Hauptargument nimmt für den Gebrauch des Zweikampfs
in Ehrensachen. Allerdings war der gerichtliche Zweikampf ein gesetzlicher
Akt damals, während das heutige Duell ein ungesetzlicher ist, aber mehrfach
ist im Laufe der Geschichte aus einem gesetzlichen Akt das Gegenteil geworden,
ohne daß sich deshalb der innere Zusammenhang der Dinge leugnen ließe.
Man betrachte, dies betreffend, die Entwicklung der Feme. Der gerichtliche
Zweikampf, aus einer Ursitte der Germanen stammend, zeigt mit dem Duell
die gleiche Basis, einen Konflikt mit der Waffe auszutragen. Die Art der
Konflikte ist erst eine Frage untergeordneten Ranges. Hierin gipfelt
Boguslawskis Beweisführung.

Über die Entwicklung des gerichtlichen Zweikampfs ist noch anzuführen,
daß die Kirche mit ihm zuerst, aber nach ihrem bewährten Prinzip, die
Volkssitten möglichst zu schonen, sehr vorsichtig aufräumt, und es laufen
manche Inkonsequenzen dabei unter. Der heilige Ludwig von Frankreich
versucht den gerichtlichen Zweikampf zuerst auf seinen Domänen abzuschaffen
und mildert ihn, als seine Barone widerstreben, wenigstens durch mehrere

Germanischer Zweikampf.

Ordonnanzen. Philipp der Schöne umgibt ihn mit weitläufigen Zeremonien, die notwendig das geringe Volk ausschließen. Im 14. Jahrhundert schränken ihn die Gerichte schon stark ein, der letzte hat in Frankreich angeblich 1385 stattgefunden. Hervorzuheben ist noch, daß nach französischem Brauch der Lehnsherr seinen Dienstmann, sofern ihn letzterer der Unwahrheit zieh, zu gerichtlichem Zweikampf fordern mußte, — auch ein Argument gegen Beloms Regierung der Ehrenhändel im Mittelalter.

Von den gerichtlichen Zweikämpfen in Deutschland besitzen wir eine interessante Urkunde in 268 Pergamentblättern mit getuschten Federzeichnungen, dem Talhoferischen Kodex in der herzoglichen Bibliothek zu Gotha. Derselbe ist zuerst publiziert von Rath. Schlichtegroll, München 1817, aber nur in einigen ausgewählten Tafeln. Wir geben hier drei davon wieder; auf Abb. I ist der Augenblick unmittelbar vor dem Zweikampf geschildert, wo die beiden Gegner schon gewappnet in den Schranken sitzen, neben ihnen stehen ihre Grießwarte oder Sekundanten und vor ihnen sind die Fahnen aufgepflanzt. Auch eine Totenbahre für jeden steht im Vordergrund. Dabei die Unterschrift: „Hie sitzent sie beid Im schranken vnd warten des anlas vnd hat jeder sin bär hinder Im vnd sin grieswarten vor Im." Abb. II stellt einen Zweikampf zwischen Weib und Mann dar, den folgende Zuschriften erklären. Oben: „Da statt Wie Man vnd Frowen mit ainander kempfen söllen vnd stond hie Jn dem anfanng". Links: „Da statt die Frow fry vnd wyl schlahen vnd hat ain stain Jn dem sleer wigt vier oder fünb pfund." Rechts: „So statt er Jn der gruben bis an die waichin vnd ist der kolb als lang. als Jr der schleer von der Hand." — Es folgen in den andern Abbildungen die wechselnden Momente des Kampfes in dem Bestreben, sich gegenseitig zu verwunden und aus der Grube heraus- bezw. hineinzuziehen. Abb. III. zeigt ein Reitergefecht. Nachdem mit Speer und Armbrust gefochten wurde, sucht der eine Kämpfer den Gegner im Anreiten vom Pferde zu zerren. Inschrift: „hie ist das vorgeschriben Stuck mit dem Armbrost vnd Spieß volbracht vnd hatt Jn ergroffen by dem Halß". Daneben der Veranstalter der Kampfesdarstellungen mit folgendem Spruchband: „das buch hatt angeben hans talhoffer vnd gestanden zu mallen". — Ein Wappen auf Seite 30 weist die Jahreszahl 1467 auf, die ganze Reihe ist also zu Zeiten abgeschlossen, in denen sich traditionelle Überlieferungen an das Zeremoniell der gerichtlichen Zweikämpfe sehr wohl noch erhalten hatten. Auf andere Talhoferische Hinterlassenschaften, so auf sein Fechtbuch a. b. Sammlung des Prinzen Eugen von Savoyen, und auf sein Campfrecht näher einzugehen, bietet sich vielleicht später an dieser Stelle Gelegenheit. Es sei noch darauf hinge- wiesen, daß die Schlichtegrollsche Publikation neben andern interessanten Einzelheiten auch eine eingehende Literatur des Kampfrechtes gibt und als An- hang H. Dreyers „Anmerkungen von den ehemaligen gerichtlichen Duell- gesetzen und von einem seltenen und unbekannten Codice, worinnen des Talhofers Camp-Recht befindlich" zum Abdruck bringt. —

Der germanische Fehdegang, von dem manche Rechtshistoriker das moderne Duell ableiten wollen, ging von dem Freien und der Sippe im Lauf der Entwicklung allmählich auf den Adel über und bestand so neben dem gerichtlichen Zweikampf. Je mehr sich die Macht der Lehnsträger und Herzoge hob, um so umfangreicher ward der Fehdegang, bis er zum Kriegszug anwuchs und so die Kraft der Allgemeinheit bedeutend schwächte. Daher trat die Monarchie aufs entschiedenste diesen Sonderkämpfen entgegen, doch versagten die Mühen der sächsischen, fränkischen und staufischen Kaiser nur zu oft dabei. Erst Rudolph von Habsburg brachte einen dreijährigen Landfrieden durch Vertrag zu Wege. Der erste Gottesfriede ward während des ersten Kreuzzuges verkündet; der ewige Landfrieden für Deutschland kam erst 1495 zustande. — Below steht nun diesem Fehdewesen und dem modernen Duell nicht das mindeste Gemeinsame zu, während Boguslawski behauptet, daß es auch Fehden wegen Ehrensachen gab, wozu sein Gegner selbst eine Beweisstütze liefert, indem er der Fehde eine subsidiäre Stellung zuweist; es kann daher z. B. aus einer Beleidigung eine Fehde erwachsen, wenn der Rechtsweg vorher beschritten worden war und sich als resultatlos erwiesen hatte (vgl. das Duell u. d. g. Ehrbeg. S. 17). Trotzdem versucht Below eine gewaltsame und unnötige Ehrenrettung des deutschen Adels zu leisten, indem er beweisen will, daß der Adel im Mittelalter das Duell nicht gekannt habe. Nur in rein formellem Sinn ist das allenfalls zuzugeben; der Adel des Mittelalters hat allerdings nichts vom Duell in jetziger Form gewußt. Aber das gesamte Germanentum hat die Sitte der Verteidigung der persönlichen Ehre, des guten Rufes, und des Rechtes, mit der Waffe in die antike Welt hineingetragen, und das blieb bestehen zu allen Zeiten, nur wechselten die Formen und gehen in einander über. So gibt es auch ein Übergangsstadium von Gerichtszweikampf und Fehde zum Duell, und zwar in dem öffentlichen Zweikampf mit Erlaubnis des Souveräns, eine Variante, die Below anscheinend übersehen hat. Die Regierenden des Mittelalters hatten sich früh das Recht vorbehalten, über die Ausführung gewisser Zweikämpfe besonders zu bestimmen. Schon neben dem gerichtlichen Zweikampf kommen solche Fälle vor, mit dem Aufhören des ersteren häuften sie sich, und da sie aus den gerichtlichen Schranken heraustraten, handelte es sich dabei auch nicht mehr um eigentliche Kriminalfälle, sondern meist nur um Ehrenhändel. Wenn nun auch der König die höchste richterliche Gewalt behauptete, so kann man doch nicht sagen, daß er als Inhaber derselben dort auftrat, wo die Gerichte schwiegen. Der gestattete Zweikampf war entschieden anderer Natur als der gerichtliche, er stellt sich dar als eine Annäherungsstufe zu dem modernen Duell, — sowohl in der Art der Ausführung, als auch seinen inneren Beweggründen nach. Mehrere derartiger Zweikämpfe wurden von den Königen Frankreichs erlaubt, mehrere verweigert und durch Bußen gesühnt. Sie fanden meist in Gegenwart des Königs selbst statt, der oftmals den Waffengang aufhob (durch Herunterwerfen eines Stabes von seinem Hochsitz). Als unter Heinrich II. der Edelmann de la Chasteigneraye

9

in einem solchen Zweikampf fiel, — er war der Lüge beschuldigt worden, es lag also reines Ehrenmotio vor, — verschwor der König, der dem Toten sehr zugetan war, die Zulassung derartiger Kämpfe für alle Zukunft.

Von nun ab beginnt die Zeit des modernen Duells. Below, der das Duell als eine ganz neue Erscheinung im Völkerleben betrachtet wissen will, gibt Spanien als die Heimat desselben an. Richtig ist, daß sich der Übergang dort am frühesten vollzogen, schon 1480 wendet sich ein Edikt der Königin Isabella gegen das Duell. Damit ist aber nicht bewiesen, daß nicht dieser Übergang ebenso gut später in Deutschland, auch selbständig, stattfand. Nach Below ist der „Don Quixote" eine Satire auf das bei seinem Erscheinen schon blühende Duell. Ihm ist die Hauptfigur des spanischen Romans nur der närrische Abenteurer mit dem ausgetrockneten Hirn, nicht die „ahasverische Menschheitsgestalt des schwärmenden Idealisten". Aber er geht noch weiter, er wirft die der Mitte des 16. Jahrhunderts folgende fanatische Duellperiode mit der des erlaubten Zweikampfs zusammen, nachdem er letztere vorher als reines Sportvergnügen hingestellt hat, ja er konstruiert sogar eine Verbindung zwischen Duell und Meuchelmord, wie er unter Carl IX. und Heinrich III. so oft geübt wurde. Durch das zuweitgehende Begnadigungsrecht hätte sich die Duellmanie erst recht verbreitet und sie stelle sich dar als ein Produkt der Korruption der französischen Gesellschaft unter den letzten Valois. Dies soll noch bekräftigt werden durch die Behauptung, daß die technischen Duellausdrücke nach der Importierung dieser Sitte französische oder italienische gewesen wären. Auch das Wort Duell muß in diesem Sinne seines fremden Ursprungs wegen herhalten. — Aber durch alles dieses wird durchaus nicht bewiesen, daß in Deutschland keine selbständige Entwicklung des Duellgedankens stattgefunden habe. H. R. Gneist (a. a. O.) schildert dagegen den in Rede stehenden Zusammenhang aus der Zeit heraus, da nach dem mählichen Erlöschen der Fehden und gerichtlichen Zweikämpfe Rechtsverletzungen und Ehrbeleidigungen in den Schreibstuben der Beamten abgeurteilt und nach langen Fristen oft ungenügende Genugtuungen gewährt wurden. So verhängte das importierte römische Recht als Strafe für Beleidigungen nur eine Geldbuße. Dem gegenüber empörte sich das einst so schwertgewohnte germanische Ehrgefühl. „Der Begriff der männlichen Ehre und Selbständigkeit flüchtete sich jetzt in engere Kreise, und das Gefühl des Einzelnen wird auf diesem Gebiet, je enger es gezogen wird, immer reizbarer und empfindlicher." Dieser Ehre bot der Staat keine Genugtuung. Bürger- und Bauernstand fügten sich schweigend, aber die Gelehrten, Beamten, Offiziere, abligen Grundbesitzer konnten den römischen Rechtsbegriff nicht maßgebend im Punkte der Ehre sein lassen und die Entscheidung nicht Richtern übertragen, die in Ehrensachen Aktenbände mit derselben Langsamkeit anlegten wie über Diebstahls- und anderen Prozesse. So erhielt der Zweikampf in Deutschland (in Frankreich schon etwas früher) seit dem 16. Jahrhundert seine besondere Stellung.

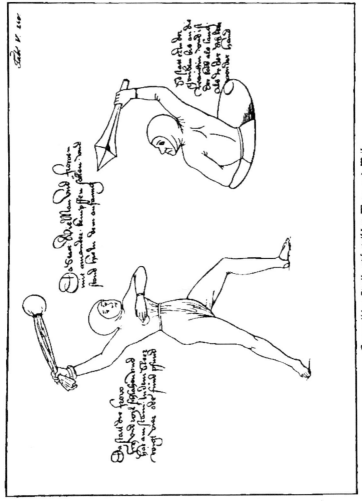

Germanischer Zweikampf zwischen Mann und Weib.

9*

Nachtragend ist noch zu bemerken, daß der Belowschen Geschichts-
schreibung eine eingehende Widerlegung erwachsen ist aus der Broschüre
Heinrich Gefskens „Fehde und Duell" Leipzig 1899. — Der Rostocker
juristische Kollege des Marburger Historikers bezeichnet diese Veröffentlichung
als Leitideen zu seinen für später geplanten Einzeluntersuchungen zur Geschichte
des Duells und führt, nachdem er eine sehr einleuchtende Definition von
innerer und äußerer Ehre gegeben und der letzteren die Eigenschaft eines
sozialen und eines Rechtsgutes zuerkannt hat, weiter folgendes aus: „Insbesondere bei unsern germanischen Vorfahren finden wir bereits in urältesten
Perioden ihrer Geschichte eine reiche Fülle von Sitten- und Rechtsgewohn-
heiten, die den Anspruch des Einzelnen auf die Achtung seiner Lebens-
genossen regeln. — Von noch fast höherem Werte aber als diese Volksrechte der
Franken, Alamannen, Baiern, Langobarden, Burgunder und Goten sind
uns hier wie auch sonst vielfach die Denkmäler nordgermanischer Sitten- und
Rechtsgewohnheit, also die ältesten Sagen und Rechtsquellen der Norweger,
Isländer, Dänen und Schweden. — Welches Bild tritt uns denn nun aus
diesen Quellen der germanischen Urzeit bezüglich der äußeren Ehre und
ihres Schutzes entgegen? — Eine Tatsache ist es, die hier sofort zu voller
Deutlichkeit gelangt: Der Germane der Vorzeit kennt kein edleres Gut_der
Persönlichkeit als die äußere Ehre, als die Achtung seiner Genossen. Ja
diese Achtung wird geradezu als die wichtigste Voraussetzung für die Anerkennung der Persönlichkeit im Sinne der Sitte und des Rechts angesehen.
Und die Sitte nimmt auf diesem Gebiet meist einen so zwingenden Charakter
an, daß sie begrifflich fast mit dem Recht zusammenfällt. Der Sklave hat
keinen Anspruch auf irgend welche Achtung seiner Individualität, er hat
keine Ehre, darum ist er rechtlich Sache und gilt dem Haustiere gleich. Der
Verbrecher, welcher durch seine Tat, der Gaukler, welcher durch sein Gewerbe
den Wert seiner Persönlichkeit herabsetzt, leidet Schaden an seiner Ehre, und
die Einbuße äußert sich sofort in rechtlicher Zurücksetzung. Ist die Ehre
aber ein so hohes Gut, so muß jeder, der an ihr Teil hat, auf das eifer-
süchtigste wachen, daß sie ihm nicht verloren gehe, denn ihr Verlust ist gleichzeitig Verlust am Recht.

Dazu kommt noch ein zweites. Der Begriff der Ehrenkränkung selbst
ist in germanischer Vorzeit ein viel weiterer, die Zahl der Verbrechen, welche
als Beleidigungen aufgefaßt werden, ist viel größer als nach unseren
modernen Rechtsvorstellungen. Die ganze Summe der Taten nämlich,
welche von unsern Altvordern als rechtswidrig empfunden wurden, wird
man in zwei große Kategorien unterbringen können. Die eine derselben
umfaßt die im Verborgenen begangene Schandtaten, für die ihr Urheber
nicht mit seiner Persönlichkeit einzustehen wagt. Dahin gehören Diebstahl,
heimliche Tötung und widernatürliche Laster. Die andere große Kategorie
der positiven Rechtswidrigkeiten ist diejenige der offenen Gewalttaten, d. h.
solcher Handlungen rechtsverletzenden Charakters, für die der Täter in
trotzigem Selbstbewußtsein vor aller Welt die Verantwortung übernimmt.

Beide Arten, die heimliche Schandtat wie die offene Gewalttat, stehen im engsten Zusammenhange mit dem Ehrenrechte der germanischen Vorzeit. Wer heimlich frevelt, begeht eine ehrlose Handlung und wird durch seine Tat selbst jeden Anspruches auf Achtung seines Lebenskreises bar. Heimliche Wegnahme fremder Sachen, verborgene Tötung machen den Schuldigen ehrlos. Wer es dagegen unternimmt, im Angesicht der Öffentlichkeit einen Andern an seinen wohlberechtigten Interessen zu kränken, der zeigt damit, daß er den Persönlichkeitswert oder, wie die Quellen sich wunderbar schön ausdrücken, die Mannheiligkeit des Gegners mißachtet. Jede Gewalttat ist nach urgermanischer Auffassung ein starker Versuch, der auf der trotzigen Zuversicht gründet, der andere werde nicht wagen, mit Gleichem oder Schlimmerem zu antworten. — Beweist der gewalttätige Angriff des Friedens-brechers, daß er dem Persönlichkeitswert seines Gegners nur einem unter-geordneten Rang zuerkennen vermöge, so greift der Verletzte vorzugsweise deshalb zum Schwerte, damit im Gegenteil die Mitlebenden erkennen möchten, wie wenig Recht sein Feind mit der Annahme habe, ihm straflos Unbill antun zu können. Nicht in dem Schmerz oder der Vernichtung seines Gegners, sondern in dessen Demütigung, in der Bewährung der eigenen, von jedermann anzuerkennenden Unantastbarkeit fand der Germane seine Genugtuung (vergl. Wilda, das Strafrecht der Germanen, 160). Damit aber hängt zusammen, daß mit der germanischen Rache deren heimlicher Vollzug schlechterdings unvereinbar war. Die beste Gewähr für solche Öffentlichkeit der Rache war es nun aber, wenn sie den Feind nicht über-raschend traf und zu sofortiger Gegenwehr zwang, sondern durch feierliche Herausforderung zum Zweikampfe vor Zeugen eingeleitet wurde. In der Tat finden wir diese Form der Privatrache unter den Germanen der Urzeit weit verbreitet, und insbesondere im hohen Norden, in Norwegen und Island, sind die Zweikämpfe als Mittel der Genugtuung für angetane Beleidigungen sehr im Schwange. Sie führen dort den technischen Namen der Holmgänge, weil man als Ort des Duells meist einen Holm, d. h. eine kleine Insel, wählte. Die Forderung hieß das Holmschneiden und ging in festbestimmter Weise vor sich. Zeit und Ort des Duells wurden bestimmt, ebenso einigte man sich über die Waffen, welche von gleicher Art sein mußten. Über die Länge der Holmgangsschwerter gab es sogar gesetzliche Vorschriften, mehr gewohnheitsrechtliche Normen waren es, die sich auf die Einfriedigung des Kampfplatzes bezogen. In das von Unparteiischen abgesteckte Feld traten die Kämpfenden, begleitet von ihren nächsten Freunden und Beiständen; sie prüften gegenseitig die Waffen, und der Forderer sagte die Holmgesetze: jeder soll drei Schilder haben, wenn aber diese verhauen sind, sich mit der Waffe allein wehren; wer mit beiden Füßen vom Kampfplatz heruntertritt, wird als flüchtig betrachtet und Neiding, d. h. ehrlos gescholten. Der Ge-forderte hat das Recht des ersten Schlages. Hinter jedem Duellanten stand ein Mann, der ihm den Schild hielt und die Hiebe aufzufangen suchte. Die Hiebe erfolgten in abwechselnder Reihe; die Zahl der Gänge war zuweilen beſtimmt. Saß ein Hieb, ſo ſprangen die Sekundanten ein (Weinhold, Altnordiſches Leben 297, ff.). Wer eine Forderung nicht annahm oder wer ſich als Forderer nicht ſtellte, fiel in größte Schande. — Unſere altgermaniſchen Vorfahren haben tatſächlich den Ehrenzweikampf gekannt. Und dieſer urgermaniſche Ehrenzweikampf hat mit dem Duell der Gegenwart eine geradezu verblüffende Ähnlichkeit, beide Inſtitutionen ſind ihrem Weſen nach ſchlechthin identiſch. Bei beiden bildet der zugefügte Schimpf die vornehmſte Vorausſetzung, beide verfolgen den Zweck, den Beleidiger zu der verſagten Anerkennung des Perſönlichkeitswertes zu zwingen, bei beiden erfolgt die Forderung in ſolennen Formen, bei beiden verläuft der Kampf ſelbſt nach hergebrachten feſten Regeln. Ja auch die Sekundanten des modernen Ehrenzweikampfes fehlen dem altgermaniſchen Duell nicht. Und das alles zu einer Zeit, wo von einem Einfluß ſpezifiſch romaniſcher Kultur auf unſere Altvordern in alle Wege keine Rede ſein kann." —

Soweit hier der Roſtocker Rechtsgelehrte, der anſchließend noch an den Rechtsurkunden der romaniſchen Völker, am Code civil Napoleons I. ſowohl, wie am ſpaniſchen Fuero juzgo das Vorwiegen germaniſcher bezw. weſtgothiſcher Quellen nachweiſt und weiter den Beweis erbringt, daß auch in Frankreich, wie in den übrigen romaniſchen Ländern das Duell zur germaniſchen Erbſchaft gehört.

Das moderne Duell hat ſich auch in Deutſchland ſelbſtändig entwickelt, es wurde aber im 16. Jahrhundert nur mäßig gehandhabt, und die Deutſchen zeigten ſich unbeeinflußt von der herrſchenden franzöſiſchen Duellmanie. Daß Nachweiſe für beſtimmte Fälle in dieſer erſten Zeit nicht möglich ſind, kommt daher, daß damals nie eine Duellverfolgung, wie immer geartet ſie ſein mochte, ſtatt hatte. Erſt als die erlaubten Zweikämpfe aufhörten, — in einer Verleihungsakte Rudolph II. an einen Reichsfürſten wird noch 1609 das Recht der Geſtattung des Duells erwähnt —, erblickt man im Duell allmählich einen Verſtoß gegen die Staatsgeſetze und beobachtet es demgemäß mit erhöhter Aufmerkſamkeit. Nun beginnen die Verſuche es zu verbieten, zu beſchränken und in mildere Bahnen zu leiten. Man hat dieſe Beſtrebungen in zwei Perioden eingeteilt, zeitlich von Mitte des 16. Jahrhunderts bis zur franzöſiſchen Revolution, und von der Revolution bis zur Gegenwart. Als das beſte Mittel zur Verhinderung der Duelle ſah der franzöſiſche Adel die Verſchärfung der Strafen für Beleidigungen an und petitionierte in dieſem Sinne ſchon 1560 an die Krone. Die Rechtsfrage, die nunmehr faſt vier Jahrhunderte erörtert wird, wie nämlich die Duelle zu unterdrücken ſeien, tritt mit den Ordonnanzen Karls IX. und einem Edikt von 1566 ins Leben, in welchem den höchſten Würdenträgern von Frankreich gewiſſe Ausgleichsrechte bei wörtlichen Beleidigungen (durch den Vorwurf der Lüge) übertragen werden; es ſind das Keime ehrengerichtlicher Befugniſſe übrigens, die geeignet ſind die Below'ſche Darſtellung, als hätten die Könige von Frankreich die Duellmanie mit allen Mitteln geradezu großgezogen, zu widerlegen. Aber neben allen Vorbeugemaßregeln durch

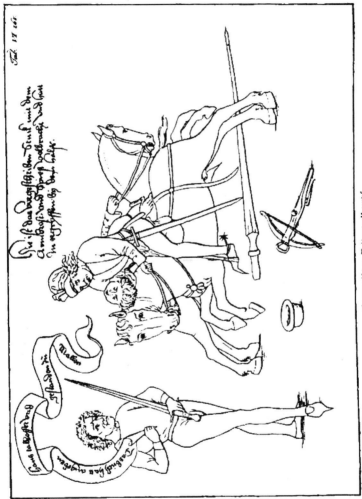

Germanischer Reiterzweikampf.

167

Unterdrückung, Verfolgung oder Milderung der Duellgebräuche geht eine geheime Macht daher, eine Stimme, welche den Königen und Gesetzgebern zuruft, daß diese Selbsthülfe ihre Ursache in der mangelhaften Gerichtsver-fassung habe, daß im Duell ein ehrenhafter Grundgedanke vorhanden sei, den man nicht absolut verwerfen, nicht mit dem Tun und Wesen eines anderen Verbrechens verwechseln solle. Daher denn die auffällig geringe Wirksamkeit der zahllosen Verordnungen der folgenden Zeilen. Die Ordonnanz von Blois von 1579 hat dadurch Bedeutung, daß sie das Beschreiten des Ge-waltweges als Majestätsbeleidigung kennzeichnet und dadurch zu erkennen gibt, daß das Königtum in der Selbsthülfe eine Gefahr für sich und seinen Bestand erblickt, weil sie Ruhe und Sicherheit des Staates bedroht. Auch die vom Konzil von Trient verfügte Exkommunikation, die über die Duellanten zu verhängen sei, wirkte nur wenig, wie denn ja noch heute in katholischen Ländern die Duelle am häufigsten sind.

Wiederholt wurde die Todesstrafe, verbunden mit Güterkonfiskation, über die Duellanten ausgesprochen, vollständige Ehrengerichte zur Recht-sprechung in Beleidigungssachen wurden eingesetzt, doch die Duelle ver-minderten sich nicht. Man hätte den Adel Frankreichs vernichtet, wäre man nach der Strenge des Gesetzes verfahren. So mußte man Gnade üben, und es soll Heinrich IV. 7000 Gnadenbriefe erlassen haben. Nun grassierte also unter einem guten König die Manie ebenso, wie unter den Valois, die und doch deren Sünden Belom allein für diesen epidemischen Verlauf verantwortlich machen will, und es ist eine Lehre für alle Zeiten, daß mit gewaltsamen Repressalien auf diesem Gebiete nichts erreicht wird. — Der letztgenannte König führte sogar, als er keinen andern Ausweg sah, wieder geschichtlich zurückgreifend, die Institution des erlaubten Zweikampfs ein, ohne damit jedoch die bestehenden Zustände für lange zu ändern. Auch die zum Teil drakonischen Reformen der Nachfolger erwiesen sich als vergeblich, bis unter der zweideutigen Haltung Louis XIV. die Duelle endlich merklich abnahmen. Durch Gewohnheitsrecht hatte sich allmählich der Begriff der beschränkten „Satisfaktionsfähigkeit" entwickelt, der nur für den Adel und diejenigen Per-sonen galt, die das Recht hatten, den Degen zu tragen. In engem Anschluß daran bildete sich ein gewisser Ehrenkodex, der, auf dem point d'honneur fußend, Ehrgefühl und Mut wohl stützte, aber auch zu Äußerlichkeiten und Renommistereien verführte. — In Deutschland entwickelt sich die Satis-faktionsfrage ganz ähnlich, wenn auch später. Bis Mitte des 16. Jahr-hunderts finden wir nichts von Duellen aufgezeichnet, weil ihre Straflosig-keit sie uninteressant machte. Mit den sich häufenden Erlassen vom Ende des Jahrhunderts können wir auf eine höhere Duellhäufigkeit schließen, ohne daß die französischen Tollheiten darum nachgeahmt wurden. Gustav Adolph ging scharf gegen die Zweikämpfe vor, die seiner im Felde stehenden Armee besonders Gefahr drohend waren, und setzte sein Generalkriegsgericht zugleich als für jedermann verbindliches Ehrengericht ein. Das Reich gibt erst 1668 ein „Reichsgutachten" heraus, das Todesstrafe gegen Duellanten verfügt,

Haus der Teutonia-Freiburg.

eventuell auf Totschlag erkennen will, und Entsetzung von Ehren, Würben, ja schließlich die Verweigerung des christlichen Begräbnisses androht. Etwas früher hatten Österreich und Brandenburg ähnliches verfügt. Aus den Artikulsbriefen für die schwedischen, dänischen, holländischen und schweizer Kriegsvölker läßt sich klar die Absicht der betreffenden Kriegsherrn erkennen, daß das Duell den Soldaten unter Umständen zu erlauben sei. Friedrich III., Kurfürst von Brandenburg, geht in dem „Edict wider die Duella" von 1688 dem Übel von entgegengesetzter Seite zu Leibe, indem er nämlich unter Hinweis auf die Zunahme der Ehrenhändel aufs strengste jede Art von Beleidigung, sei es in Worten, Mienen oder Taten, verbietet und arge Strafen im Zuwiderhandlungsfalle androht. Er will auch niemals Gnade walten lassen und verbietet ausdrücklich das Einreichen dies bezüglicher Gesuche.

Dieser große Aufwand hatte wieder nur negativen Erfolg; Heimlichkeit und Verschweigen konnten über das flotte Weiterbestehen der Duellgewohnheit nicht hinwegtäuschen. Unter Friedrich Wilhelm I. von Preußen fällt 1713 die letzte Spezialverfügung dieser Art vor Einführung des allgemeinen Landrechts. Sie enthält mancherlei Inkonsequenzen, indem sie einmal anerkennt, daß in gewissen Fällen ein Duell unvermeidlich sein kann, aber dennoch beim Tode einer Partei den Gegner nach gemeinem Recht, nicht nach dem Duellausnahmegesetz bestraft wissen will, während sie anscheinend (anmerkend) Strafloßigkeit da verheißt, wo eine Tötung nicht erfolgte. — Die Kriegsartikel von 1713 bedrohen Unteroffiziere und Soldaten, wenn sie im Duell töten sollten, gleichfalls mit Entleibung durch Hängen.

Auf den deutschen Universitäten waren seit den wilden dreißigjährigen Kriegszeiten die Duelle immer mehr in Rauferein ausgeartet, die zu Ende des 18. Jahrhunderts in dem mehr äußerlich rüden Treiben der Renommisten ausklangen.

Die zweite Periode der Duellentwicklung, — von der französischen Revolution, bis zur Gegenwart, — setzt mit der erstaunlichen Wendung ein, welche die Duellangelegenheiten während der Revolution nahmen, eine Wendung, die von den Vertretern der neuen Ideen am allerwenigsten erwartet war und die später, sowohl rechtlich wie sozial genommen, sich bedeutsam äußerte. Die Gesetzgeber des Revolutionszeitalters mußten in Konsequenz ihrer Ideen dafür halten, daß mit der Aufklärung das Duell von selbst aufhören würde, zumal mit Abschaffung des Adels und seiner Vorrechte. Da sie am Ende im Sturm der Ereignisse an Dinge von weit höherer Wichtigkeit zu denken hatten, so erklärt diese Äußerlichkeit das merkwürdige Faktum, daß sowohl im Code pénal von 1791, wie auch im Code de Napoléon von 1810, das Duell mit keinem Wort erwähnt wird. Da somit Duelle weder als Verbrechen gekennzeichnet, noch ihre Folgen unter Strafe gestellt waren, so bekannten die Gerichtshöfe, wenn aktuelle Fälle an sie herantraten, folgerichtig ihre Nichtzuständigkeit, und somit blieb das Duell in Frankreich vollkommen straflos bis 1837. Nunmehr bediente sich auch der dritte Stand mit Vorliebe des Duells und die Revolution hatte somit in dieser Hinsicht ein Ergebnis, das ihren Grundsätzen direkt widersprach.

Wie nun das Duell sich breiter Volkskreise erst bemächtigt hatte, nimmt es auch nicht weiter Wunder, daß es in der republikanischen und später kaiserlichen Armee auch unter Unteroffizieren und Gemeinen Sitte und häufig geübt wurde. Napoleon selber hatte wenig Interesse hieran, er ließ die Dinge ihren Lauf gehen und nur, wenn ihm eine Zwistigkeit störend wurde, erfolgte ein Machtspruch seinerseits. Nach seiner definitiven Niederwerfung machte sich der Ingrimm seiner Offiziere in Provokationen der feindlichen Offiziere und der Royalisten Luft, es standen sich zwei Offizierkorps und zwei Adelsklassen, alte und neue, in Frankreich gegenüber. So wurde von den Bonapartisten der Zweikampf geradezu sportmäßig betrieben, und die Duelle häuften sich wieder, wie sie auch in den literarischen Kreisen als merkwürdiges Erbe der Revolution manieartig in den ersten 30 Jahren des 19. Jahrhunderts anwuchsen. Und wie noch heute wurden auch damals, wenn besonders aufregende Fälle die öffentliche Meinung stark erregten, die Rufe nach Abwehr und Unterdrückung allgemein, und so wurde denn auch nach langen Vorarbeiten 1837 vom Kriminalsenat das Duell wieder als strafbar erklärt, die Sachlage aber damit keineswegs einwandsfrei klargestellt, die bewegende Frage nicht gelöst, sondern nur verschoben. Auch in der Folge blieb es halt beim Alten, fast ausnahmslos nahmen die Gerichte bei der Strafverfolgung mildernde Umstände an, wie auch die Strafen selbst sehr gelinde ausfielen.

Das allgemeine Landrecht in Preußen, wie vorher erwähnt, bezeichnete das Duell als besonderes Delikt, wandte aber bei unglücklichem Ausgang die für Mord, Totschlag usw. bestimmten Strafen an, auch waren Sekundanten und Zeugen straffällig. Die Strafen wurden meistens im Gnadenwege herabgesetzt. — Durch die allgemeine Wehrpflicht wurde der Offiziersehrenbegriff in weite Kreise verbreitet, Landwehr- und Reserveoffiziere vereinigten gleiche Anschauungen in Ehrensachen mit dem aktiven Offizierstand, denn, wie Frd. Paulsen (Syst. d. Ethik) sagt: „Ein Offizierkorps kann nicht bestehen aus Offizieren, die sich schlagen, und solchen, die sich nicht schlagen." — Obschon sich das Duell innerhalb der Armee in sehr mäßigen Grenzen hielt, ergriff Friedrich Wilhelm IV. gleich nach seiner Thronbesteigung mit Eifer den Gedanken der Einrichtung von Ehrengerichten, die denn auch 1843 durch zwei königliche Verordnungen zustande kamen und den richtigen Gedanken durchführten, die Offizierkorps selbst als Ehrengericht einzusetzen. Das im Jahre 1851 zur Ausgabe gelangende Allg. Preuß. Strafgesetzbuch weist dem Duell in seinen bezüglichen Paragraphen zuerst eine besondere Stelle unter den Vergehen an, indem es anerkennt, daß die Impulse, aus denen das Ehrenduell hervorgegangen war und welche auf sein Fortbestehen einwirken, nicht außer acht gelassen werden dürfen. Angesichts der fanatischen, zeitgenössischen Angriffe gegen die Sonderstellung von Duell und Duellanten in der Gesetzgebung wird man sich ganz besonders darauf besinnen, daß es ausgezeichnete Rechtslehrer waren, die nach Überzeugung und gewissenhafter Forschung zu diesem Resultat gekommen sind. — Eine Vermehrung der Duelle in Deutschland ist nicht zu konstatieren seit dieser Ausnahmestellung vor dem Gesetz, auch tritt ein Unterschied in Armee- und Zivilkreisen nicht besonders hervor. Vom Mai 1874 datiert eine neue Verordnung Kaiser Wilhelms I. über die Ehrengerichte der Offiziere im preußischen Heere, aus der wiederum, wie aus den hier angezogenen früheren Äußerungen preußischer Monarchen zur selben Sache, zu ersehen ist, daß der Kaiser das Duell mög- lichst eingeschränkt sehen will, aber von einer Verwerfung desselben weit entfernt ist.

Der Stand der Duellangelegenheiten in der Gegenwart auf den Uni- versitäten, im Heere und in der Gesellschaft ist dem Leser vertraut und es erübrigt, in weitere Ausführung in diesem Bezug sich einzulassen. Wie E. Häckel einmal daran erinnert, daß unsere Weste der alte Küraß ist, in unserm modernen Frack mit Aufschlägen und Rückenknöpfen Reste alter Kriegstracht sich zeigen und sich somit auch im launischen Wechsel der Moden das Gesetz des Beharrens äußert, so halten wir auch in vorstehenden Aus- führungen ein gewisses Beharrungsgesetz, und damit eine entsprechende Gleichartigkeit und den tatsächlichen Zusammenhang in der Geschichte des Zweikampfes für erwiesen. So oft es in der geschichtlichen Entwicklung des Zweikampfes schwierig und von den Gegnern bestritten ist, einen Zusammen- hang der verschiedenen Epochen zu konstatieren, hilft uns diejenige geschicht- liche Methode, die auch mit der inneren Wahrscheinlichkeit der Dinge rechnet, aus allen Zweifeln. Und aus dieser Geschichtsauffassung heraus erblicken wir einen inneren, der Volkspsyche nach tief gegründeten Zusammenhang von jener ältesten Fehde der germanischen Sippen, die auch vor Gericht zu Recht verhilft, über den gerichtlichen Zweikampf, der zum Ordal sich wandelt, hinaus zur Fehde des Adels und der privilegierten Stände mit Beihilfe ihrer Mannen, bis zum combat au champ clos, der vor Fürstenthronen sich abspielt, bis endlich zum modernen Duell. Wandel ist, wie in allem Menschenwesen, auch die Seele dieser Entwicklung. Wenn die alte Bur schen- schaft in ihrer Grundverfassung noch vier Kategorien der Satisfaktions- fähigen benennt, so stehen wir heute (Ehrengesetz d. D. Burschensch. Entw. Göttingen 1901) auf dem Standpunkt, daß ein jeder Satisfaktion erhält, dem das volle Bewußtsein von dem Wert der Ehre zu eigen ist. Diesen Standpunkt teilt gegenwärtig auch die Militärbehörde. — Wenn weiter Ende 1902 die Deutsche Burschenschaft in dem großen Kampf für die Anwendung der blanken Waffe voranging, so bedeutet diese Bewegung in ihren Resul- taten wiederum eine Wandlung in Zweikampfsangelegenheiten. Der großen Öffentlichkeit sind diese Fragen übrigens gleichgültig, und das Duell ist kein Privileg einer Kaste, das in die Rechtssphäre anderer eingreift. Je seltener grobe Ehrverletzungen und Schädigungen der Familienehre werden, je härter sie das Gesetz ahndet, um so seltener werden die Duelle. Aber die in tiefstem Grunde wurzelnde Anschauung von der germanischen Waffenfreudigfeit möge unserem Volke immer erhalten bleiben und es berührt erfrischend, wenn sich dieser Tage z. B. ein alter Jäger äußerte, wie folgt: „Zum Manne gehört die Waffe, darum laufen auch die Weibsleute immer den Mannsleuten nach, die eine Waffe tragen. Denn die wissen, wie der richtig Mann sein soll. Naturgesetz bleibt Naturgesetz, dagegen helfen 10 000 Jahre zahmster

„Haus der Alemannia-Freiburg.

Zivilisation nicht. Die Gewohnheit, eine Waffe zu führen, gibt dem Manne eine große gesellschaftliche Sicherheit. Es kann ihm kommen wer da will, was ist er mehr? — doch bloß auch ein Mann.“ — Und Treitschke sagt (Politik Bd. II): „Das Duell ist in einer demokratisierten Gesellschaft die letzte Schranke gegen die völlige Verwilderung der geselligen Sitte“ — ein

Wort, das in der Zukunft noch einmal mehr Beachtung finden dürfte, als zu seiner Entstehungszeit. — Der deutsche Burschenschafter mag sich bei seiner Stellungnahme zur Duellfrage mit Fug der Waffen bedienen, die die alten Burschenschafter H. Treitschke und Friedrich Paulsen ihm geschmiedet haben. Und damit dem Historiker und dem Philosophen in würdiger Dreiheit auch noch der Dichter zugesellt werde, seien schließend die schönen Verse des Burschenschafters Moritz Graf v. Strachwitz hergesetzt:

Wer je ein Schwert mit Händen griff,
Wem je ein Schwert im Hiebe pfiff,
Wer je der Klinge fest und traut
Ins zorn'ge blaue Aug' geschaut.

Der nimmt den Streich und rächt sich gleich,
Und gält es Erd' und Himmelreich
Für scharfes Wort den scharfen Stahl,
Und gält es Fluch und Höllenqual.

Vom Stipendienwesen.

Von Dr. Heinz Potthoff (Rhenania), M. d. R.

Was ist ein Stipendium? — Wer das nicht wissen sollte, es aber gern recht genau wissen möchte, braucht natürlich nur im Konversationslexikon nachzuschlagen. Da findet er beispielsweise im großen Brockhaus: „Stipendium (lat.: Sold, Löhnung, Tribut), Geld oder andere Dinge (Holz, Tuch usw.), wodurch Studierende oder Schüler anderer Lehranstalten (Stipendiaten) aus milden Stiftungen, Staats- oder Stadtkassen oder Privatfonds auf eine bestimmte Zeit unterstützt werden". Nichts weiter; keine Angabe einer Quelle, aus der man nähere Belehrung schöpfen könnte. Auch im „Meyer" steht nichts davon. Also, folgert vorschnell der Laie, gibt es keine „Quellen", gibt es keine „Literatur" zur Stipendienfrage. Vielleicht doch. Ziehen wir die anderen großen Sammelwerke zu Rate: „Was muß der gebildete Mensch von der Elektrizität, von der Bienenzucht, vom Reichstagswahlrecht usw. wissen?" oder „Jedermann sein eigener Rechtsanwalt, Tischler, Arzt, Schornsteinfeger usw." oder wie sonst die Titel lauten. Da stoßen wir auf eine verheißungsvolle Schrift: „Wo und wie erlangt man ein Stipendium?" von Dr. Heinrich Rube (Berlin 1899, Verlag von Hugo Steinitz). Trotz des ungemein „praktischen" Titels und trotz des schönen Vorwortes, in dem der „Verfasser" sich an die „Tausende von Studierenden" wendet, die „auf den Genuß von Stipendien angewiesen sind", enthält das Buch nichts weiter als eine Zusammenstellung von allen möglichen Stipendien. Bei einer Aufzählung von reichlich 1000 Stipendien ist es trotz der „Benutzung amtlicher Quellen" durchaus unvollständig und zeichnet sich vor anderen ähnlichen „Werken" nur durch seine Neuheit aus. Von diesen sind mir bekannt geworden eines von Dr. Max Baumgart (Berlin 1885), eines von Gg. Bestner (Pläßingsche Buchhandlung, Erlangen, Preis 1 ℳ) und eines von einem Universitätsbeamten (6. Aufl., Gustav Fock, Leipzig, Preis 2 ℳ), das auch Österreich und die Schweiz umfaßt und auch die nötigen Bewerbungsformulare enthält.

Außerdem gibt es Zusammenstellungen für einzelne Hochschulen, und zwar amtliche für Breslau, Freiburg, Gießen (in Vorbereitung), Halle, Rostock, Charlottenburg, Stuttgart; ferner Ausgaben für Breslau von Meister, Greifswald von Gesterding, Göttingen von Pauer, Jena von Zwez, Leipzig von Meltzer, Dresden von Scheffler. In anderen Büchern finden sich Nachrichten über Stipendien für Berlin (Daube: Die Universität Berlin), Straßburg (Hausmann: Die Kaiser Wilhelms-Universität Straßburg, ihre Entwickelung und ihre Bauten), Tübingen (Faber: Die württembergischen Familienstiftungen), Würzburg (Eytel: Die Julius Maximilians-Universität Würzburg und ihre Institute). Die genauen Titel usw., mit denen ich den Leser nicht langweilen will, stelle ich Interessenten gern zur Verfügung.

Im übrigen ist man angewiesen auf die Zusammenstellungen, die sich in „Vorschriften für die Studierenden" (Kiel), „Bestimmungen betreffend das Studium" (Rostock), „Chronik" (Bonn, Münster) bezw. „Bericht" (technische Hochschule München), „Programm" (Braunschweig, Darmstadt, Hannover, Karlsruhe), „Personalverzeichnis" (Tübingen) finden. Auch die Universitätskalender enthalten meistens die wichtigsten Angaben (aber auch nur diese) über Stipendien. Einige Hochschulen haben mir auf Anfrage ausdrücklich mitgeteilt, daß gedruckte Zusammenstellungen oder Schilderungen ihres Stipendienwesens nicht bestehen, so Marburg, München (Universität), Aachen.

Während so die Grundlage jeder Beurteilung, die Kenntnis der Tatsachen schon eine lückenhafte ist, namentlich bezüglich der Familienstiftungen (und zwar so lückenhaft, daß sich für manche Stiftung kein Bewerber findet), fehlt es vollständig an einer Bearbeitung des Stipendienwesens. Und doch ist eine solche Bearbeitung die notwendige Voraussetzung für eine Beurteilung. Die meisten Menschen ahnen ja gar nicht, welche Fülle von Erscheinungen unter dem Begriff Stipendienwesen zusammengefaßt ist. Die bunte Mannigfaltigkeit kann im folgenden nur angedeutet werden.

Die verschiedensten Arten von Unterstützungen müssen zu den Stipendien im weiteren Sinne gerechnet werden: Außer den Stipendien im engsten Sinne, d. h. baren Geldunterstützungen für das Studium, gibt es Reisestipendien für Reisen, die entweder der Ausbildung des Stipendiaten oder auch bestimmten wissenschaftlichen Zwecken dienen; Examensstipendien, die bedürftigen Kandidaten die Ablegung einer kostspieligen Prüfung erleichtern sollen; Prämien und Preise für die Lösung einer wissenschaftlichen Preisaufgabe (vielfach besteht dieser Preis in einem Reisestipendium); Zuschüsse zu den Kosten wissenschaftlicher Exkursionen mit den Professoren (Darmstadt); Unterstützungen für die Anschaffung von Lehrmitteln oder für die Ableistung des einjährigen Freiwilligendienstes (Dresden). Ferner Naturalstipendien: Freitische (Konvikte); Freibetten (z. B. Halle; in Berlin gibt „Agnes Zeitlers Kandidatenheim" freie Wohnung, Heizung und Licht*); freie Pflege in Krankheitsfällen. Die in früheren Jahrhunderten vielfach üblichen sonstigen Naturallieferungen (namentlich Holz) dürften heute kaum mehr vorkommen. Schließlich ist hierhin auch der vollständige oder teilweise Erlaß der Kollegsgelder zu rechnen, der vielfach mit dem Bezuge eines Staatsstipendiums verbunden ist (z. B. in Hannover und Stuttgart).

Die Mittel zu den Stipendien werden aufgebracht entweder vom Staate oder von Städten und sonstigen Verwaltungskörpern; oder von

Haus der Salingia-Halle.

Privaten; und zwar handelt es sich hier entweder um Stiftungen, die ein einzelner bei besonderen Gelegenheiten zu seinen Lebzeiten macht, oder um Vermächtnisse auf den Todesfall, oder um Sammlungen, die zur Erinnerung an einzelne Persönlichkeiten oder bei festlichen Gelegenheiten (Jubelfeiern, z. B. Heidelberg, Stuttgart) veranstaltet werden. Teilweise werden die Unterstützungsfonds auch von den Studierenden selbst aufgebracht. So wird z. B. in Berlin von jedem mit den Kollegsgeldern 1 ℳ für einen „allgemeinen Studentenfonds" eingezogen; an der Münchener technischen Hochschule wird „ein Viertel von den Unterrichtsgebühren zu einem Stipendienfonds für die Studierenden" verwandt.

10

Die Verleihung der Stipendien liegt für die behördlichen und staatlichen Unterstützungen regelmäßig bei diesen Behörden. Für alle anderen ist die „Kollaturbehörde" entweder eine akademische (Rektor, Senat, Fakultät, eine besondere Stipendien- oder Benefizienkommission usw.) oder eine staatliche bzw. städtische (Ministerium, Konsistorium, Magistrat usw.) oder der Vorstand irgend einer anderen Stiftung bzw. ähnlichen Einrichtung. Oder schließlich es ist eine eigene Stelle (Vorstand, Ausschuß, Komitee usw.) geschaffen.

Die Zahl der Stipendien an den einzelnen Hochschulen ist natürlich außerordentlich verschieden und hängt von der Größe, Art, dem Alter, der Geschichte der einzelnen ab. Die Kubesche Zusammenstellung enthält für Berlin 116, Breslau 191, Bonn 8, Königsberg 36, Münster 5, Heidelberg 5, Kiel 16, Greifswald 10, Rostock 11, Halle 40, Göttingen 11, Jena 43, Straßburg 9, München 8, Freiburg 36, Tübingen 25, Leipzig 71 von den Universitäten zu verleihende Stipendien. Die Programme der technischen Hochschulen führen auf in Aachen 7, Charlottenburg 18, Braunschweig 9, Darmstadt 15, Dresden 23, Karlsruhe 10, Hannover 12, Stuttgart 7. Diese Zahlen haben aber wenig Bedeutung, denn es kommt dazu die oft überwiegende Anzahl derjenigen Unterstützungen, die nicht von der Hochschule, sondern von anderen Stellen verliehen werden. (So enthält das amtliche Verzeichnis von Halle rund 100, das von Rostock 23, der Universitätskalender von Heidelberg 32 Stipendien.) Außerdem werden an einzelnen Stiftungen und staatlichen Fonds eine größere Anzahl von Stipendien verliehen (namentlich Staatsstipendien und allgemeine Universitätsstipendien). Schließlich sind in der angeführten Zusammenstellung garnicht berücksichtigt Erlangen, Gießen, Würzburg (mit 17 Stipendien), Marburg. Näheren Aufschluß ergeben die Abrechnungen der Hochschulen über die in jedem Jahre geleisteten Beträge. (Im letzten Jahre zahlten an Stipendien, Unterstützungen und Prämien Charlottenburg 25 775 M., die technische Hochschule München aus dem Stipendienfonds 79 342 M., an Staats- und Kreisstipendien 17 580 M., aus Stiftungen 12 155 M.) Doch werden auch von diesen Aufstellungen nicht alle Stipendien erfaßt. Eine zusammenfassende Darstellung dieser Zahlen haben wir für Preußen. Ehe ich darauf eingehe, mögen noch einige allgemeine Bemerkungen Platz finden.

Das Alter der Stiftungen ist natürlich äußerst verschieden. Auch jetzt noch werden in jedem Jahre neue errichtet. Daneben finden sich sehr ehrwürdige, die auf mehrere Jahrhunderte zurückschauen. Die Errichtung von Freistellen bei den Universitäten (bis zu je 150) auf Kosten von Kirchengütern oder Gemeinden ist wohl auf das mit der Reformation verbundene Aufhören der kirchlichen Pfründen zurückzuführen, da infolge dessen in der protestantischen Kirche vorwiegend arme Leute sich dem geistlichen Berufe zuwandten.[*] Aus dem 16. und 17. Jahrhunderte stammen eine Reihe noch

---

*) Emil Reicke: Lehrer und Unterrichtswesen in der deutschen Vergangenheit. Leipzig 1901, S. 84.

jetzt bestehender Stipendien, so namentlich in Halle, dessen Verzeichnis auch eines aus dem 15. Jahrhundert aufweist.

Auch in der Höhe der Unterstützungen zeigen sich ganz erhebliche Unterschiede, von 30 und 40 *M.* bis zu 1200 *M* jährlich. Der durchschnittliche Betrag ist wohl 2--300 *M.* jährlich. Verliehen werden die Stipendien entweder auf ein Semester oder auf ein bis mehrere Jahre, oder bis zum Ende des Studiums bzw. bis zur Abschlußprüfung, teilweise auch darüber hinaus. Bei manchen ist ausdrücklich eine wiederholte Verleihung an dieselbe Person mit oder ohne Beschränkung der Zeitdauer vorgesehen. Einzelne Stipendien werden nicht in jedem Jahre verliehen.

Wer erhält nun die Stipendien? Das ist die wichtigste Frage. Die Universitätsstipendien, die uns allein hier angehen, sind natürlich in erster Linie für die Studenten da, doch gibt es auch Stiftungen für Dozenten (z. B. in Halle 5 königliche Stipendien von je 210 *M.* jährlich für „würdige Privatdozenten"), Witwen und Waisen, Hochschulbeamte, Wärter von Kliniken usw. (in Halle namentlich zur Gewährung von Erholungsurlaub). Eine Mischung von allem stellt die Hoffmannsche Stiftung in Halle von 1742 dar, deren Zinsen „insonderheit für arme Witwen und Waisen der Halleschen Professoren, Universitätsbeamten und Unterbedienten, auch wohl nach Befinden für arme Studierende zu verwenden" sind.*) Der Kreis der Stipendiaten wird durch die Stiftungsbestimmungen nach den verschiedensten Seiten beschränkt. Stipendien, die allen Studierenden im Deutschen Reiche gleichmäßig offen stehen, dürfte es wohl nur ganz wenige geben. Als solche einschränkenden Momente kommen in Betracht:

1. Die Hochschule. Die von den akademischen Behörden zu verleihenden Stipendien sind regelmäßig nur für die Studenten der betreffenden Hochschule bestimmt. Alle anderen öffentlichen oder privaten Stiftungen gelten entweder für eine oder für mehrere bestimmte oder für alle Hochschulen einer bestimmten Art.

2. Die Heimat. Die staatlichen Stipendien sind in der Regel nur für die eigenen Landeskinder, und zwar entweder für die, welche die Staatsangehörigkeit besitzen, oder für die, welche innerhalb des Staates geboren sind, oder für die, deren Eltern dort wohnen. In ähnlicher Weise gelten die städtischen, Kreis- usw. Stipendien nur für solche, welche im betreffenden Gebiete geboren sind, wohnen oder die Schule besucht haben.

3. Die Religion. Die theologischen Stipendien sind wohl zum größten Teile nur für eine bestimmte Konfession; auch andere Privatstiftungen

---

*) Manche Stipendien sollen auch abwechselnd an verschiedene Klassen verliehen werden, so die Wallwitzsche Stiftung von 1775 zu Halle: „1. auf 3 Jahre einem armen, von dem Stifter oder seinem ehelichen Leibes-Lehens-Erben vorgeschlagenen Studierenden, hierauf 2. auf 4 Jahre einem in Wittenberg-Halle studierenden Sohne eines armen Professors an dieser Universität, 3. auf 3 Jahre der bedürftigen Witwe eines Professors dieser Universität".

10*

schreiben vielfach evangelisches oder katholisches Glaubensbekenntnis vor. Zahlreich sind namentlich die speziell jüdischen Stiftungen (an der Berliner Universität über 80).

4. **Verwandtschaft.** Privatstiftungen sind häufig ausschließlich oder vorzugsweise für eine einzelne Familie, Nachkommen oder Verwandte des Stifters oder der Person bestimmt, zu deren Gedächtnis die Stiftung errichtet ist. Hierher gehören auch Stipendien für Adlige.

Haus der Dresdensia-Leipzig.

5. **Fakultät.** Über die Verteilung der in Preußen gewährten Unterstützungen auf die einzelnen Fakultäten geben die untenstehenden Zahlen näheren Aufschluß. Ebenso wie bei dem Anteil an den gesamten Unterstützungen haben auch bei den Sonderstipendien für einzelne Fakultäten die Theologen das Übergewicht, sowohl absolut wie relativ. Den geringsten Anteil haben die Juristen, weil die Stifter von der richtigen Erwägung ausgehen, daß dem Studium der Rechte sich wohl nur wenige „Bedürftige" zuwenden.

6. **Schule.** Sowohl private wie städtische Stiftungen gelten manchmal vorzugsweise für ehemalige Schüler bestimmter Anstalten.

Die unter 4 und 6 genannten Bedingungen sind meist, die anderen auch zum Teil nicht zwingend, sondern gewähren nur den betreffenden eine Bevorzugung vor anderen Bewerbern.

Unter den Voraussetzungen und Bedingungen für die Verleihung eines Stipendiums sind ferner zu nennen:

1. **Bedürftigkeit:** Nicht in allen, aber in den meisten Fällen, namentlich bei staatlichen, städtischen usw. Stipendien, stets bei Erlaß des Kollegsgeldes; nicht dagegen bei Prämien für Preisarbeiten und meist auch nicht bei Reisestipendien.

2. **Würdigkeit:** Namentlich die älteren Stiftungsurkunden legen Nachdruck auf sittliche und religiöse Würdigkeit. („Einem armen Studierenden, so Gott fürchtet"; bestimmt die Dreißigsche Stiftung von 1753 in Halle.)

3. **Fleiß:** Vielfach wird auch ein gewisses Maß von Fleiß und Kenntnissen zur Vorbedingung gemacht. Bei den Preisaufgaben ist die wissenschaftliche Leistung selbstverständliche Voraussetzung des Preises. Auch die Reisestipendien werden größtenteils auf Grund einer größeren Arbeit oder eines guten Examens erteilt. Aber auch bei den übrigen Unterstützungen ist es häufig vorgeschrieben, daß der Bewerber bestimmte Vorlesungen belegt oder besucht haben muß; daß er eine bestimmte Anzahl von Semestern bereits an der Hochschule war und darüber ein Fleißzeugnis beibringt; daß er an bestimmten Seminarübungen teilnimmt; daß er in seinem Reifezeugnis die Gesamtzensur 1 oder 2 hat; daß er beim Abgange von der Schule die beste lateinische Rede gehalten hat; daß er zur Bewerbung eine schriftliche Arbeit vorlegen oder unter Klausur anfertigen oder auch eine mündliche Prüfung ablegen muß.

4. Vielfach müssen auch die Stipendiaten Verpflichtungen für die Zukunft übernehmen, so namentlich die 90 Eleven der Kaiser-Wilhelms-Akademie für das militärärztliche Bildungswesen zu Berlin (Pepiniere) die Verpflichtung, 8 Jahre als Militärärzte zu dienen. Einzelne theologische Stipendien sind nur für Missionare; usw. Die Verwendung ist nicht nur bei Reisestipendien und solchen zur Beschaffung von Lehrmitteln vorgeschrieben, sondern gelegentlich auch bei anderen. So ist das Görckesche Prämien-Legat in Berlin „für den fleißigsten und sittlichsten Studierenden zu einem bedeutenden Buch oder für die auf Görckes Jubiläum geprägte Medaille". Hierher gehört auch die vorsichtige Bestimmung der Sigismundschen Stiftung von 1706 zu Halle, die im amtlichen Verzeichnisse durch Sperrdruck hervorgehoben ist: „Das Stipendium darf nur einem Studierenden verliehen werden, der zuvörderst von den Stipendiengeldern seine Vorlesungshonorare bezahlt".

Die Unterstützungen werden ja in der Regel auf kurze Zeit gewährt und nicht erneuert, wenn eine der notwendigen Voraussetzungen beim Stipendiaten nicht mehr besteht. Vereinzelt ist aber auch eine Entziehung des gewährten Stipendiums vorgesehen, „wenn der Beliehene sich der Wohltat dieser Stiftung unwürdig gemacht hat" (Hannover, Karmarsch-Stiftung). Endlich enthalten manche Stiftungen auch besondere Regeln, was mit den Erträgnissen zu machen sei, falls kein geeigneter Stipendiat sich findet. Hier ist eine Verwendung zugunsten anderer Gesellschaftskreise (Beamte, Witwen usw.) vorgeschrieben, dort die „Anschaffung nützlicher Lehrmittel" (Dresden). Wo keine Vorschriften bestehen, werden die Zinsen zum Kapitale geschlagen. Auf

solche Weise sind manche Fonds mit beschränktem Bewerberkreis ganz erheblich über ihren ursprünglichen Betrag hinausgewachsen.

Ich erwähnte oben schon, daß es eine statistische Bearbeitung der
preußischen Stipendien gibt. In der „Zeitschrift des königlich preußischen
statistischen Bureaus" veröffentlichte 1902 Erich Petersilie eine Abhandlung
über Universitätsbesuch und Studentenschaft, die auch Angaben über Unterstützungen enthält.

Bei der bekannten, wenn auch bedauerlichen Abneigung der meisten
gebildeten Menschen gegen Zahlen versage ich es mir, näher auf die Einzelheiten dieser Statistik einzugehen, und gebe nur eine ganz gedrängte Zusammenstellung der wichtigsten Zahlen, aus der hervorgeht:

1. Die Zahl der Benefiziaten ist gesunken, bei den Nichtpreußen nur
relativ, bei den Preußen auch absolut, der Betrag der gewährten Unterstützungen dagegen sowohl absolut wie relativ gestiegen.

2. Am stärksten mit akademischen Benefizien versorgt sind die theologischen Fakultäten (die allein auch eine Zunahme der Benefiziaten aufweisen),
viel weniger die medizinische und philosophische, am wenigsten die juristische.

3. Ein starker Unterschied in der Versorgung der Studenten mit und
ohne preußische Staatsangehörigkeit tritt in der katholisch-theologischen (63
gegen 38 %) und in der medizinischen (29 gegen 14 %) hervor. Die Unterstützungen der Nichtpreußen bestehen in höherem Maße aus Stipendien als
die der Preußen, daher ist der durchschnittliche Geldwert des Benefiziums
bei jenen höher.

Zahl der durch Stipendien, Freitische, Erlaß oder Stundung des
Honorars auf preußischen Universitäten unterstützten deutschen Studierenden
und Geldwert der Unterstützungen (ohne Honorarstundung bez. Erlaß) durchschnittlich in einem Semester (P. = Preußen, N. P. = andere Deutsche):

Im Durchschnitt der Semester	Zahl der unterstützten		Das macht von je 100		Geldwert in Mark		für je 1 unterstützten	
	P.	N. P.	P.	N. P.	P.	N. P.	P.	N. P
1886/87 — 1891	3864	301	34,3	21,1	380,663	45,928	145	176
1891/92 — 1895/96	3401	298	32,2	21,6	403,030	49,121	171	190
1899 — 1899.1900	3595	321	27,6	18,3	416,818	54,155	176	204.

Auf die einzelnen Fakultäten und Religionsbekenntnisse verteilten sich
in den Halbjahren 1899 und 1899/1900 die Unterstützungen folgendermaßen.
In jedem Semester erhielten Unterstützungen in der

Fakultät	überhaupt		von je 100 Studierenden	
	P.	N. P.	P.	N. P.
evangel.-theologischen . .	660	87	57,6	52,9
kathol.-theologischen . .	544	12	63,4	38,1
juristischen	570	57	14,8	11,3
medizinischen	790	54	29,1	13,8
philosophischen	1031	111	23,3	16,8.

Von je 1000 deutſchen Studierenden ſtanden im Genuſſe von

Religion	Stipendien		Freitiſchen		Honorarſtundung oder Erlaß	
	P.	N. P.	P.	N. P.	P.	N. P.
evangeliſch	164	164	81	40	125	46
katholiſch	137	86	42	5	290	130
jüdiſch	97	59	9	—	188	17
ſonſtige	122	80	10	—	82	120.

Laſſen ſich nun aus dieſen Zahlen ſichere Schlüſſe auf die wirtſchaftliche
Lage der Studenten ziehen? — Am meiſten kennzeichnend für die „Bedürftigkeit" iſt nach Peterſilie die Stundung des Honorars. Danach würde aus
den vorſtehenden Zahlen zu folgern ſein, daß die Katholiken im allgemeinen
den am wenigſten begüterten Kreiſen entſtammen, und daß die Zahl der
Preußen mit Honorarſtundung in allen Konfeſſionen ſtark abgenommen hat.
In dieſer Allgemeinheit iſt dieſe Erkenntnis nicht neu. Weitergehende
Schlüſſe ſind mit großem Mißtrauen aufzunehmen, denn 1. enthalten die
herangezogenen Zahlen nicht nur die Honorarſtundungen, ſondern auch die
allerdings nicht ſehr zahlreichen Honorarerlaſſe, die nichts über Bedürftigkeit
ausſagen, weil Fälle von ſatzungsgemäßer Honorarfreiheit (Profeſſorenſöhne)
mit einbegriffen ſind. 2. Die Geſtaltung der Zahlen hängt weſentlich von
der Handhabung der Vorſchriften ſeitens der Univerſitätsbehörden ab. Dieſe
iſt weder an allen Hochſchulen noch zu allen Zeiten gleich. Ich möchte als
ſehr wahrſcheinlich annehmen, daß ein nicht unerheblicher Teil des Rück-
ganges der Stundungen auf größere Strenge der Behörde zurückzuführen
iſt. 3. Schließlich wird doch nicht nur „Bedürftigen" geſtundet. Jeder
kennt ſicher mehr als einen Studiengenoſſen, der ſeinem wohlhabenden Vater
das Kolleggeld doppelt und dreifach vorrechnete, es doppelt und dreifach
erhielt und trotzdem ſich ſtunden ließ. Wieſo das? — Das iſt einer von
den „dunkelen Punkten" des Studententums.

Noch weniger läßt ſich aus der Zahl der Stipendien ein ſicherer Rück-
ſchluß auf die Lage der Studierenden und deren Änderung ziehen, denn
viele Stipendien werden ohne Rückſicht auf Bedürftigkeit verliehen, und die
Zahl der Stipendien im Verhältnis zur Zahl der Studierenden iſt ſowohl
an den einzelnen Hochſchulen wie in den einzelnen Fakultäten verſchieden.
Geht doch von einer kleinen norddeutſchen Univerſität die ſehr bezeichnende
Sage, daß dort kein Theologe immatrikuliert wird, der ſich nicht verpflichtet,
mindeſtens zwei Stipendien anzunehmen. Andererſeits gibt es an großen
Hochſchulen, wie namentlich Berlin, ſicher manchen Bedürftigen, der keine
Unterſtützung erhalten kann. Auch die Auffaſſung von Stipendium iſt nicht
bei allen Studierenden die gleiche, und mancher ſcheut die Bewerbung, ob-
gleich er es nötig hätte. Schließlich genießen ſicher manche ein Familien-
oder ſonſtiges Privatſtipendium, von dem die Hochſchulverwaltung und die
Statiſtik nichts erfahren.

So intereſſant und dankenswert alſo dieſe Statiſtik iſt, ſo genügt ſie
bei weitem nicht für eine Erkenntnis und Würdigung des Stipendienweſens.
Sie giebt ja gar keinen Aufſchluß über die wichtigſte Frage: Wer erhält

die Stipendien? Welchen Bevölkerungskreisen und welchen Verhältnissen entstammen die Stipendiaten? — Diese Frage läßt sich nur beantworten aus einem Studium der Akten heraus. Als ich mich vor reichlich Jahresfrist einmal an alle Hochschulverwaltungen wandte, erhielt ich ziemlich übereinstimmend die Antwort: „Eine Einsicht in die Akten ist gern gestattet,

Simrockdenkmal in Bonn.
Enthüllt am 15. Juli 1909.

eine Versendung ausgeschlossen." Zur Lösung der Aufgabe wird es also wohl nötig sein, daß sich an jeder Hochschule jemand bereit findet, nach einem gemeinsamen Plane die Stipendienakten durchzusuchen. Ich wende mich zunächst hiermit an die Burschenschafter: Wer nimmt soviel Anteil an dieser für die gesamte Studentenschaft doch recht wichtigen Frage, daß er bereit ist, etwas Zeit und Mühe daran

zu wenden? Unter den 3000 Studierenden und den vielen in Universitätsstädten ansässigen Philistern sollten sich doch die drei Dutzend finden, deren
es zur bequemen Durchführung des Planes bedarf. Ziel: für die „Burschenschaftliche Bücherei" ein grundlegendes Werkchen über ein ganz unbearbeitetes
Thema aus dem Studentenleben zu schaffen. „Benefizium": außer dem Bewußtsein und Ruhme, an einer nützlichen Aufgabe mitgewirkt zu haben, ein
angemessenes Honorar, nach der Leistung der einzelnen verteilt.

Voraussichtlich würde die Untersuchung sich beschränken müssen auf
die Stipendien, welche von den Universitätsbehörden, und auf die, welche
von anderen staatlichen und Kommunal-Behörden vergeben werden. Das
genügt auch vollkommen, denn damit haben wir die größte und wichtigste
Gruppe erfaßt, vor allem diejenige, bei der eine öffentliche Kritik berechtigt
ist und auf die Praxis Einfluß ausüben kann.

Gelingt es uns, in weitem Umfange die Tatsachen festzustellen, vielleicht
auch einen Teil der Stipendiaten ins praktische Leben hinein zu verfolgen,
so können wir auf Grund des Beweismateriales an eine Erörterung der
Stipendienfrage gehen; insbesondere

1. Erfüllt das Stipendienwesen an deutschen Hochschulen den Zweck,
den es vernünftigerweise haben kann: unbemittelten Studierenden die Ausbildung und das Fortkommen zu erleichtern, ohne zur Vermehrung des
gewiß nicht wünschenswerten sogenannten „geistigen Proletariates" beizu-
tragen? Kann es diesen Zweck erfüllen? Ist die Organisation in Deutschland
gut, oder empfiehlt es sich, auf eine Verminderung der nach jeder Richtung
grenzenlosen Mannigfaltigkeit hinzuwirken? eine größere Gleichmäßigkeit und
Einheitlichkeit in der Leitung und Verteilung der Unterstützungen zu erstreben?

2. Ist die Handhabung der Stiftungssatzungen durch die Behörden
richtig? erfolgt die Verwendung der Zinsen usw. im Sinne der Stifter?
verfolgt sie den vorhin genannten, einzigen berechtigten Zweck? Wieweit ist
der vielfach erhobene Vorwurf zu beweisen, daß manche Stipendien im
engsten Kreise einer Beamtenklique vergeben werden? (Man hat mir den
Namen eines kleinstaatlichen Ministers genannt, dessen Sohn an der Landes-
universität ein nicht unbedeutendes Stipendium bezog!)

3. Welche Stellung nimmt das Kouleurstudententum, insbesondere die Burschenschaft, zum Stipendienwesen ein? — Heute dürften
die Beziehungen der schlagenden Verbände zum Benefizienwesen nahe an + 0
kommen. Bei Preisarbeiten und Reisestipendien auf Grund guter Examina
wird natürlich auf Farben und Schmisse keine Rücksicht genommen, doch
möchte ich fast behaupten, daß der Anteil der „Kouleurstudenten" an solchem
Wettbewerbe verhältnismäßig gering ist — leider! Auch von der „Unterstützung" durch Honorarstundung machen Burschafter und andere
„Satisfaktionsgebende" gern und oft Gebrauch — vielleicht zu gern! Aber
an den eigentlichen Studienstipendien haben sie verschwindenden Anteil.
Nehmen die „Kollatoren" an, das Aktivwerden sei ein Beweis gegen die

Bedürftigkeit? vermissen sie bei einem „Schlagenden" ohne weiteres den nötigen Fleiß oder gar die „sittliche Würdigkeit"? oder ist eine allgemeine Abneigung gegen das Farbenstudententum ausschlaggebend? — Zweifellos liegt der Grund auch großenteils auf der Gegenseite: Es gilt als nicht „kouleur-fähig", sich um ein Stipendium zu bewerben, insbesondere vielleicht gar einen Beweis für Fleiß und Bedürftigkeit anzutreten. Beide Anschauungen dürften in dem heutigen Umfange gleich unberechtigt sein. Protzentum hat mit dem Wesen einer guten, gediegenen Verbindung nicht das geringste zu tun. Man kann mit sehr knappen Geldmitteln ein sehr guter Burschenschafter sein. Auch ein unbemittelter Vater kann den erzieherischen Wert einer guten Korporation so hoch einschätzen, daß die finanziellen Bedenken dagegen zurück-treten. In solchem Falle darf es das Ansehen des Sohnes nicht mindern, wenn er seinen geringen Wechsel eingesteht und sich um ein Stipendium be-wirbt, das nicht gerade für die Ärmsten der Armen bestimmt ist. Insbesondere da, wo die Zahl der Stiftungen so groß ist, daß jeder wirklich bedürftige berücksichtigt werden kann. Erst recht ist es für keinen Studenten, auch nicht für den „feudalsten", eine Schande, wenn er studiert, wenn er arbeitet im Wettbewerbe mit anderen und durch seine Arbeit sich die Mittel zur An-schaffung eines wissenschaftlichen Werkes oder zu einer Studienreise in Gestalt eines Stipendiums erwirbt. Andererseits muß gegen die Auffassung in Behörden- und Dozentenkreisen, als fehle den Kouleurstudenten in der Regel die für ein Stipendium notwendige Würdigkeit, energisch angekämpft werden; nicht mit Worten, sondern mit Taten! —

Tua res agitur, lieber Leser; willst Du nicht mithelfen die Aufgaben zu lösen?

Der akademische Hofmeister vor zweihundert Jahren.

Von Dr. G. H. Schneider (Germania-Jena).

Geht heutzutage ein junger Kavalier auf Reisen oder auf die Universität, so wird sich dieser Vorgang kaum wesentlich von der Art unterscheiden wie ein Bürgerlicher aus begüterter Familie eine Fahrt antritt. Die Eisenbahnzüge haben zwar Abteile erster bis vierter Klasse, aber diese Einrichtung ist nicht mit Rücksicht auf die Standesunterschiede, sondern lediglich in Hinblick auf die Zahlfähigkeit der Reisenden getroffen; einen „Abteil für Standespersonen" gibt es nicht.

Vor zweihundert Jahren vollzog sich Abfahrt und Reise eines jungen Mannes aus vornehmem adligen Hause etwas umständlicher. Bei entsprechendem Rang und Reichtum war die Bestellung eines Hofmeisters, der zugleich Mentor sowie Berater in wirtschaftlichen und gesellschaftlichen Angelegenheiten zu sein pflegte, selbstverständlich. Diesem übertrug man die volle Verantwortung für das Wohlergehen des Zöglings sowie für den gewünschten Erfolg des Aufenthalts auf der Hochschule oder in fremden Ländern.

Sein Amt war kein leichtes; Mühe und Sorgen hatte er genug, oft aber wenig Dank. Kam der Sohn als vollendeter Kavalier und tüchtiger Mensch zurück, so schrieb man dies der ihm von kleinauf zuteil gewordenen häuslichen Erziehung zu; stellten sich allerhand Fehler und Mißstände heraus, so trug die Schuld der Hofmeister, an den man die höchsten Anforderungen stellte. Er mußte ein gebildeter, gesellschaftlich wohlerzogener Mann sein, gelehrt, klug und fromm, viel gereist, sprachgewandt und wirtschaftlich; am besten geeignet dazu waren Männer, die schon als Schüler oder Studenten sich selbst den Unterhalt durch Unterrichtgeben hatten erwerben müssen. Also nur wirklich tüchtige und ehrliche Leute kamen für solchen Posten in Betracht, aber auch zweifelhafte Elemente drängten sich danach, die ausschließlich auf ihren eigenen Vorteil bedacht waren und ihre Zöglinge sowie deren Eltern bei Aufstellung der Rechnungen gründlich betrogen. So erfuhr man, daß ein

Hofmeister von einem Wirt Zimmer für hundert Taler mietete, aber von ihm über hundertundzwanzig quittieren ließ; ein anderer verschaffte sich dadurch einen Nebenverdienst beim Tuchkaufmann, daß er diesen ebenfalls um gefälschte Quittung anging und so an einem für den jungen Kavalier bestimmten Anzuge über acht Taler erübrigte. Im Jahre 1704 wohnte ein deutscher Graf mit seinem Hofmeister sechs Monate lang in Holland und bezahlte fünf holländische Gulden pro Kopf. Der Hofmeister steckte sich nun hinter den Wirt und machte folgendes mit ihm ab: er wollte ihm noch sieben Herren verschaffen, dafür verlangte er selbst freien Tisch, der ihm auf der Rechnung aber doch notiert werden sollte. Der Wirt ging darauf ein und der Hofmeister verstand es, sich auf diese und andere Weise in sechs Monaten zweihunderteinundbreißig Gulden als Nebengewinn zu verschaffen.

Solchen unlauteren Gesellen stand aber die überwiegende Menge ehrlicher Hofmeister gegenüber, und als Vorbild eines zuverlässigen Hofmeisters darf man wohl den vor zweihundert Jahren tätigen Wolff Bernhard von Tschirnhauß ansehen, der selbst eine Reihe von Belegen für seine Tätigkeit veröffentlicht hat, darunter einige „Instruktionen". Es war damals Mode, daß man den Hofmeistern oder Kompagnons, welche junge Standespersonen begleiteten, eine Instruktion ausarbeitete, worin die Eltern ihren Wünschen und Anordnungen für die Leitung schriftlich Ausdruck gaben.

Wolff Bernhard hat nun mehrere Stellen innegehabt; so war er Hofmeister bei zwei jungen Verwandten, Söhnen des Herrn George Albrecht von Tschirnhauß auf Schönfeld und des Herrn Ehrenfried Walther von Tschirnhauß zu Leipzig; ferner bei Söhnen des Barons von Bibran, des Herrn von Kannenberg, des Barons von Abschatz, des Baron von Stosch und des Grafen Hans Heinrich von Hochberg auf Rohnstod.

Das bezügliche Schriftstück, welches Georg Albrecht von Tschirnhauß ausstellte, war überschrieben:

Instruction vor Tit. Herrn Wolff Bernhard von Tschirnhauß, auf Hackenau, meinen vielgeliebten Herrn Vetter, wegen der Inspection über meinen lieben Sohn Siegmund Gottlob in der Fremde.

Diese Instruktion umfaßt zwanzig Artikel, deren erster von der Pflicht gegen Gott handelt; die anderen enthalten Anweisungen über die Obacht auf den Sohn, Gesundheit, Geldverwendung, Warnung vor Spiel, Kleiderluxus, Frauenzimmern, Duellieren, Trinken usw. Zum Schluß wird aufgezählt, welcher Studien, Sprachen und Kollegien sich der Zögling anzunehmen habe. Datiert ist das Schriftstück: Schönfeld, den 5. April 1704.

Eine ähnliche Instruktion gab Ehrenfried Walther betreffs seines Sohnes Gottlob Ehrenfried, welcher 1704 die Universität Leyden bezog. Dort sollte er sich nahe der Universität einquartieren, womöglich in einem Hause, in dem junge Mediziner wohnten, da diese zuweilen Privatsektionen und andere Experimente machten, so daß es da immer was sehen gäbe; auch redeten sie stets lateinisch. Mit Teutschen sollte der Herr Sohn nicht zusammen wohnen. Zuweilen würde es sich empfehlen, mit dem Studiosen nach dem Haag zu reisen, zur Erholung und um das Gemüt zu „divertieren".

Diese Instruktionen zeugen von Intelligenz und väterlicher Liebe, gleich derjenigen, welche 1721 demselben Wolff Eberhard Graf Hans Heinrich von Hochberg für den Sohn Hans Heinrich mitgab. Vier Jahre später stellte der alte Graf dem Kompagnon eine „Generalquittung" aus, worin er bestätigte, daß Wolff Bernhard den jungen Grafen vier Jahre hindurch akkompagniert habe, zunächst auf der Universität Leipzig, dann auf Reisen durch Böhmen, das Reich, Lothringen, England, Frankreich,

Wartburg um 1815.

die spanischen und die vereinigten Niederlande, Nieder- und Obersachsen bis zurück nach Rohnstock.

Wolff Bernhard war danach ein Mann, der seine Ämter mit großem Eifer und vieler Treue verwaltet hatte. Welt und Menschen kannte er gründlich aus eigener Anschauung, war weit herumgekommen und so durchaus in der Lage, einen Leitfaden oder ein Handbuch für angehende Hofmeister zu schreiben, welches er dem Geschmack der Zeit entsprechend unter einem möglich umständlichen Titel veröffentlichte.

Als unerläßlich für einen jungen Kavalier wird das Erlernen des Tanzens bezeichnet, auch das Fechten empfohlen, um sich in Gefahr seiner Haut wehren zu können; von Sprachen kommt außer Latein nur noch die französische in Betracht.

Wenig Wert legt Wolff Bernhard dem flüchtigen Reisen bei, man solle sich längere Zeit in großen Städten aufhalten, sich aber soviel wie möglich vor seinen Landsleuten hüten; die meisten reisten nur zum Vergnügen und man könne von ihnen nichts lernen; die deutschen Wirte und Handwerksleute im Auslande suchten nur zu betrügen. Am besten tue man, sich auf Empfehlung des Bankiers oder guter Freunde bei ehrlichen Bürgern chambre garni Wochen- oder Monatweise zu mieten; auch sollte man stets in den renommiertesten Wirtshäusern logieren, wo man am wohlfeilsten accomodirt werde. Wer sich einen Bedienten aus eigenen Mitteln nicht halten könne, solle das gemeinsam mit einem Reisegefährten tun, wer aber weder Compagnon noch Bedienten halten könne, solle sich durch gute Rekommandationen an Kaufleute zu helfen suchen, ihnen seine Wechsel, Kredit oder Zirkularbriefe zeigen und sie um Rat bitten. Vorsicht sei allenthalben geboten; man solle nie den Bestand seiner Kasse zeigen, eine Unvorsichtigkeit, die unlängst fünf nach Paris reisenden Engländern das Leben gekostet habe. Den noch unerkannten Reise-, Maul-, Sauf-, Spiel- und Wollustfreunden dürfe man keinen Heller borgen; es gäbe in den großen Städten feine und raffinierte Chevaliers d'Industrie, welche einem fremden reisenden Kavalier beständig nachgingen und in Opera, Comoedien, Caffé- und Wirtshäusern zur Connoissance Gelegenheit suchten. Auch Hazard- und Falschspieler gäbe es reichlich; in Braunschweig habe ein Reisender im Lhombre zu 4 Groschen 4000 Taler und ein anderer in Paris beim Kauflabet 5000 Livres verloren. In Holland müsse man sich bei der Fahrt auf den Treckschuyten, namentlich des Nachts, vor Dobgens-Spielern und Riemstechern hüten; man könne im Streit mit ihnen leicht einen Circumflex mit dem Messer über das Gesicht bekommen. In Italien solle man sich nicht in die Betten legen und in England am besten nicht mit der ordinären Stage-Coaches reisen, weil die High-way-men solche anzufallen und zu plündern pflegten. Gut sei es, ein paar Reisepistolen oder Puffer überall mitzuführen. Seinen Lohn-Lakeien solle man nicht zu hart traktieren, durch Schimpfworte oder vieles Prügeln zur Desperation bringen oder ihm gar den Lohn vorenthalten.

Bedenklicher gestaltete sich das Reisen bei Kriegszeiten. Da sei es nötig, sich mit gültigen Passe-Ports zu versehen, wenn man nicht Gefahr laufen wolle, in Verhaft genommen zu werden und seine Freiheit mit langem Gefängnis oder auf andere Weise wieder zu erkaufen. „Wenn der Landesherr, dessen Vasall oder Untertan man ist, mit auswärtigen Puissancen in einen Krieg geräth, und deswegen alle Correspondentzen, Commercien und Reisen dahin verboten hat: So muß man von demselben die Erlaubniß zu reisen vor allen Dingen zu erhalten suchen und hernach von des feindlichen Staats darzu authorisirten Ministris, oder Generals-Personen, durch seinen Bankier oder andere Leute sich einen Paß verschreiben lassen. Hiermit nun kan man in Feindes-Ländern so lange sicher fortkommen, biß denen sich daselbst befindlichen und unter feindlicher Parthey stehenden Vasallen und Unterthanen anbefohlen wird, sich binnen einer gesetzten Frist, aus dem Lande weg zu begeben, oder gewärtig zu seyn, auff bezeigten Ungehorsam, als Feinde tractiret, und biß zum Friedens-Schlusse auf eigene Unkosten, und vor vieles Geld, schlecht genug im Gefängnisse unterhalten und verwahret zu werden."

Es werden des weiteren die Gefahren des Reisens in Feindesland ausgemalt, namentlich auf Marodeurs und anderes bewaffnetes Gesindel hingewiesen, vor denen kein Freizettel schützt; da werde man leicht angefallen, um Geld, Gepäck, auch wohl ums Leben gebracht.

Eine große Plackerei war das Visitieren des Gepäcks, welches auf das Schärffste auf verzollbare Gegenstände untersucht wurde. Wolff Bernhard erzählt: er habe Anno 1724 als Reisekompagnon des jungen Grafen Hochberg auf der Reise von England nach Frankreich für das zum täglichen Gebrauch des Grafen dienende silberne Handbecken, die Gießkanne und Seifenkugelbüche in Calais 10 Pfund 5 Sols Verzollung zahlen müssen. An den

Dornburg bei Jena (1815).

italienischen Grenzen gab man besonders auf religiöse Kontroversschriften Acht und „machet sie contreband". Daß man durch Verabfolgung eines Trinkgeldes sich mancher Ungelegenheit beim Gepäckvisitieren überheben konnte, wird ausdrücklich betont.

Das Trinkgeld spielte auch bei Bedienten vornehmer Gesandten eine Rolle; man erfuhr durch das Personal auf diese Art so mancherlei, was Privatkavalieren unbekannt blieb. Kam ein junger Kavalier an einen Ort, wo ein Ambassadeur, Envoié oder Resident von seinem Landesherrn oder von einer mit diesem alliirten Puissance war, so mußte der Edelmann alsbald die schuldige Aufwartung machen und seine Empfehlungen überreichen. Man hatte Ehre daran, wenn man bei dem Herrn Gesandten freien Zutritt bekam, denn man wurde unter den Großen des Landes bekannt, bei Hofe oder in andern Gesellschaften den Ministern, Kurfürsten und Königen vorgestellt; die Protektion des Gesandten schützte auch vor allerlei Zufällen, man konnte sich auf ihn berufen. „Man muß durch Continuation der Assiduité sich immer mehr und mehr in dessen Grace und durch die Ver-

ſchwiegenheit in Credit zu ſetzen und ſeine Confidence zu gewinnen ſuchen
...bey Galla-Tagen muß man alles wohl obſerviren, und ſich ſonderlich eines
Miniſtres Grace dergeſtalt inſinuiret haben, damit man bey Hofe jemand
habe, mit dem man reden kan. Wenn die andern ſehen, daß man einen
Groſſen vom Hofe zum Freunde hat, ſo werden ſie ſich ſchon von ſich ſelbſt
zum Discours und der Bekanntſchafſt bequemen, und man niemahls ver-
laſſen alleine ſtehen dürffen."

Etwas wunderlich wirkt die in unmittelbarem Anſchluß an dieſe Regeln
für den Verkehr bei Hof erfolgende Warnung vor Taſchendieben. Man
ſolle im Theater, bei Redouten und Maskenbällen auch anderen Feſtlich-
keiten keine Pretioſen, wie goldene Uhren, Ringe, Tabatièren und Dukaten-
beutel bei ſich führen, „weyl die Kunſt der Spitzbüberey ſo hoch geſtiegen,
daß auch die vorſichtigſten Leute in dem Gedränge, durch ſie öffters be-
ſtohlen werden. Iſt man doch an groſſen Örtern vielmahl in ſeinem eigenen
Zimmer nicht ſicher, durch ſolcher gallonirten Filous ſimulirte und unver-
muthete Staats-Viſiten zu allerhand gefährlichen Extremitäten forciret zu
werden. Dahero man auch, zu Bewillkommnung ſolcher intereſſirten unge-
betenen Gäſte, ſein Gewehr beſtändig fertig halten, und im Fall der Noth
bey der Hand haben muß."

Ergötzlich iſt das Kapitel, welches der brave Wolff Bernhard über das
Studium politicum zum beſten gibt. Da nützten die Profeſſorenſchriften
gar nichts; auf Univerſitäten könne hierin nicht viel gethan werden, weil
man mit anderen Studien genug zu thun habe. Das lerne man beſſer auf
Reiſen aus klugen Discurſen guter Staatsmänner; vornehmlich in Repu-
bliken könne man, wenn man attent ſei, die rechten Künſte lernen, wie ein
Staat in Flor zu bringen ſei.

Die ganze Sache komme auf zwei Hauptpunkte hinaus: wie man
große Summen Geldes ohne Beſchwerung der Unterthanen mit leichter Mühe
machen kann und wie ſolche hernach zur Wohlfahrt des Landes im Frieden
und zur Beſchützung deſſelben .in Kriegszeiten angewendet werden müſſen.
Ein guter Hofmeiſter muß nun ſeinen Kavalier anweiſen, welches die rechten
Mittel zur Erlangung dieſes Zuſtandes ſind, beſonders muß er ihm
zeigen, wie ein Monarch aus dem Wohlſtand der Unterthanen ſeinen eigenen
bewirken kann. Beſonders vor einem Krieg, durch den niemals in Jahren
das erreicht werde, was in kurzer Friedenszeit, müſſe gewarnt werden und
wo Fürſten nur ein Kriegsfeuer aufgehen ſähen, ſollten ſie „alle coniunctis
viribus, ſo wohl durch habile Miniſtros, als durch Haltung eines perpetui
militis, ſolches in der Zeit, ehe es völlig ausbricht, dämpffen."

So hat denn Wolff Bernhard von Tſchirnhauß in ſeinem Getreuen
Hofmeiſter nichts außer acht gelaſſen, was für das geiſtige und leibliche
Gedeihen eines Zöglings von Nutzen ſein kann; die wichtigſten Dinge, bis
herab zu dem Mittel gegen Seekrankheit ſind in umſtändlicher Weiſe erörtert,
ja ſelbſt den Pegaſus hat er beſtiegen und ſeine Lebensregeln in ſchöne
Verſe gebracht.

Bediene dich hiernächst der edlen Mäßigkeit
In Speiß, in Trank, in Ruh, und wenn du dich bewegest;
Iß und trink ordentlich zu der bestimmten Zeit,
Und daß du nüchtern seyst, wenn du dich schlafen legest.
In Kleidern halte dich so gut als dir's gebührt:
Recht reinlich, ohne Pracht, und übe deine Sinnen.
In dem was Mode ist, und was der Kaufmann führt,
An Gold- und Silber-Tuch, und auserlesnen Linnen.

Von derselben Schönheit sind die übrigen Alexandriner, deren letzte lauten:

Der diesen Regeln folgt, und stets ans Ende denkt,
Hat die Zufriedenheit auf einen Felz gebauet.

Wenn Wolff Bernhard dem Grafen Hochberg betreffs der Instruktion nachrühmt, „daß der Hoch-Reichs-Gräfliche Herr bey der Education seines einzigen geliebtesten jungen Herrn Grafens nichts unterlassen habe, was zu Deroselben Standesmäßigen Vollziehung etwas beytragen könne," so hat Graf Hans Heinrich von Hochberg in seiner Generalquittung nicht zu viel gesagt, wenn er Gelegenheit nimmt, dem Hofmeister „nochmahls vor alle gute Ermahnungen, gehabte Vorsorge, und erwiesene Liebe und Treue zu dancken, und hiernächst zu versichern, daß wir Ihm davor Zeitlebens mit allem geneigten Willen, von Hertzen zugethan verbleiben, dessen gut Conduite rühmen, und dessen zeitliche Wohlfahrt mit Rath und That zu befördern, niemahls ermangeln werden."

Wolff Bernhard von Tschirnigheiß auf Hackenau, Getreuer Hofmeister auf Academien und Reisen, Welcher Hn. Ehrenfr. Walthers von Tschirnhauß auf Kiplingswaldau ꝛc. Für Studierende und Reisende, sonderlich Standes-Personen und Deroselben Hofmeister, zu einer sichern Anleitung zur anständigen Conduite auf Universitäten und Reisen, in Manuscripto hinterlassene XXX Nützliche Anmerkungen mit XLVI Erläuterungen und XII Beylagen vermehret, wohlmeynend ans Licht stellet. Hanover, Verlegts Nicolaus Förster u. Sohn, 1727.

Wolff Bernhard legte also, nachdem er seiner eigenen Angabe zufolge seit 1702 gereist war, ein ihm von einem Vetter 1704 hinterlassenes Manuskript dem 1727 veröffentlichten „Getreuen Hofmeister" zu Grunde. Aber nicht nur für Leute dieses Berufs war sein Buch bestimmt, es richtet sich zugleich an die Zöglinge und deren Eltern. In der derben Weise seiner Zeit äußert er sich da über Kindererziehung, richtige und falsche, wobei sich feststellen läßt, daß es damals wie zu allen Zeiten und auch heute noch vernünftige und törichte Eltern gab, die zum Heil oder Unheil die Erziehung der Kinder leiten. Da schreibt er:

„Ich kan nicht unterlassen, bey dieser Gelegenheit zu erinnern: Daß die meisten Eltern ein grosses zum Verderben und Untergang ihrer eigenen Kinder beytragen, und wegen ihres bösen Exempels des Fressens, Sauffens, Spielens, Zanckens, unmäßiger Pferd- und Hunde-Liebe ꝛc. selbst Ursache

11

sind, daß sie nicht wohl gerathen. Da muß ein Kind von 2 oder 3 Jahren ein chamarirtes Röckgen, einen Hut mit einer Feder, einen Stock mit einem schönen Bande und Knopff ꝛc. haben, um es von Jugend auf zur Kleiderpracht zu gewöhnen; da muß es aufs delicateste gespeiset, aufs weichlichste gelagert, und aufs beste bedienet, und sein bey Zeiten der Wollust-Göße in ihm aufgerichtet werden . . . . . andere hingegen halten ihre Kinder gar zu scharff, schlagen, ohne Ursache, und unvernünfftig in sie hinein, so offt sie selbe zu sehen bekommen: strafen sie also entweder zur Unzeit, oder zu hart, und schlagen ihnen das point d'honneur aus dem Kopfe, und machen sie Schläge-faul, und diese verderben so wohl ihre Kinder als die ersteren."

Wolff Bernhards Buch besißt aber neben dem pädagogischen auch einen nicht zu unterschäßenden kulturhistorischen Wert, denn es gibt uns zuverläßigen Aufschluß über damalige Verhältnisse, besonders wie man als Reisender lebte, verpflegt, befördert wurde, was man zu sehen bekam, mit was für gefährlichen Leuten man Bekanntschaft machen konnte; aber auch die gute Gesellschaft bis zum Fürstenhof hinauf finden wir charakterisiert, immer in Hinblick auf die Person des jungen Kavaliers.

Drei „Notiones" hatte der getreue Hofmeister zunächst seinen Zöglingen bringend zu empfehlen; erstens die notiones decori et indecori, welches nämlich in der Conversation die anständigsten Sitten seien, was man nur in guter Gesellschaft erlernen könne. Da sei man immer genötigt, sich einigen Zwang anzutun und bahne sich durch gute Conduite den Weg zu künftiger Beförderung. Um auf Reisen zu profitieren, müsse ein Cavalier seine Zeit nicht in Aubergen und Caffé-Häusern, unter seinen Lands-Leuten, mit Schmausereyen und Ausübung allerhand sündlicher Lüste zubringen, wohl aber mit vornehmen, gelehrten und rechtschaffenen Leuten. Denn durch Annehmung fremder Nationen gute Sitten (worunter die Petits maitres airs und Affectationes nicht gehören), anständige Lebens-Art, und andere Qualitäten, corriget man die groben Mores patrios, die Caprices, den Pruritum dominandi, den Spiritum contradictionis u. a. m."

Einen besonders günstigen Einfluß verspricht sich der Hofmeister von der Konversation mit vornehmen, klugen und höneten Frauenzimmern, die einem mancherlei Unschickliches abgewöhnen könnten und wenn Minen und Gebehrden nicht helfen wollten, durch nachdrückliche Worte eine höchst heilsame Lection geben könnten.

So kam einmal ein deutscher Cavalier von einer Reise nach Frankreich zurück an einen deutschen Fürstenhof, um dort seine Aufwartung zu machen. Als er am zweiten Tage mit demselben Hemd (es ist dabei wohl an die Spißen des Hemdes am Brusteinsaß und an den Ärmeln gedacht) zu Hofe gekommen sei, hätten die Damen über seine malpropreté zu raisonniren angefangen; am dritten Tage aber habe ihm beim Lhombrespiel die eine Dame ein boshaftes Geschichtchen erzählt; es sei vor kurzer Zeit ein Kavalier mit breitägiger Wäsche an den Hof gekommen, dem hätten sie eine gute Waschfrau empfohlen. „Ich meyne," setzt Wolff Bernhard hinzu, „der ehrliche Passagier würde viel darum gegeben haben, wenn er seine Groschen-Menage aufs Dorf versparet „und nicht mit nach Hofe gebracht hätte."

Noch einen anderen Vorfall erzählte er. Drei deutsche Kavaliere machten 1714 Aufwartung bei der damals noch lebenden Herzogin Elisabeth Charlotte, der Herzogin von Orleans, gerieten darauf aber in lustige Gesellschaft und ließen sich sechs Wochen lang nicht mehr sehen. Dann aber regte sich das böse Gewissen und sie fanden sich unter Vorbringung allerhand leerer Ausflüchte wieder in St. Cloud ein. „Ich weiß besser, wo, und wie, ihr eure Zeit zugebracht habet," versetzte Madame (die durch ihre derbe Naivetät bekannte pfälzische Prinzessin Lise Lotte); Ihr N. seyd bey dem Bereiter; Ihr N. bey dem Fechtmeister, und Ihr N. bey dem Tantz-Meister gewesen, und ich rathe euch gutes, verlasset diese Gesellschaft, welche euerm Gewissen beschwerlich, eurer Ehre unanständig, euerm Leibe schädlich, und euerm Vermögen so sehr nachtheilig ist." Hierüber wurden sie, wie man leicht gedencken kann, schamroth, retirirten sich wieder nach Paris, danckten ihre Maitressen ab, führten gantz ein anderes Leben, und statteten nachgehends ihre Aufwartungen, biß zur Abreise, fleißig ab."

Eine Stammtischgeschichte.

Nacherzählt von A. P. W. (Alemannia-Gießen, Franconia-Freiburg)

Wenn man drei bis viermal im Jahre 200 englische Meilen im
Kurierzug zurücklegt, um bei einem alten Freunde einen Löffel Suppe
zu essen, so müssen ganz besondere Gründe das Opfer der langen Eisen-
bahnfahrt klein erscheinen lassen; die Suppe, der Braten und der schäumende
Aßmannshäuser allein tun es nicht. Der Freund ist die Hauptsache. Achtzig-
jährig, volle sechs Fuß hoch, kerzengerade, steht der alte Gießner Bursche
auf der Schwelle seines Hauses und streckt mir mit einem „Grüß Gott, old
boy" beide Hände entgegen. Zunächst ein paar Fragen nach dem Befinden
der beiderseitigen Familienangehörigen, ein „smile" an der „Icebox", und
dann zu Tische.

Seit fast zwanzig Jahren bin ich dankbarer Zuhörer, wenn Freund
Cramer mir Bilder aus der Heimat malt, die ein halbes Jahrhundert und
mehr zurückliegen, die Toten stehen wieder auf und die mir so wohl bekannten
alten Gassen unserer Alma mater Gießheim bevölkern sich mit den Groß-
und Urgroßvätern der Füchse, die heute, statt wie einst, bei Weidig und
Lotz, bei Comes und Scalißki ihr „echtes" trinken. (Auch ein Beweis,
daß die Reichsidee auf Kosten der Sonderbündelei erstarkt. Hessische Studenten trinken bei eingewanderten Preußen bayrisches Bier!) Unsere Unterhaltung dreht sich ausschließlich um Gießen und die alten und jungen
Gießner.

„Also", sagt Freund C. zwischen zwei mächtigen Zügen aus der Kaffee-
zigarre, „Was gibt's Neues?"

Der „Andres" ist verkauft.

No! — —

Yes Sir, an einen Preußen.

Erzählen!

Festkneipe des Alum111w-München, Hofbräuhaus.

Sic transit und so weiter. Erst der erste Brauer Hessens, dann Restaurateur, jetzt Mineralwasserfabrikant, seine Enkel werden dereinst wohl ein Reely-Institut für Heilung von Gewohnheitssäufern betreiben.

Und Lotz?

Haben auch die Preußen erobert.

Wenzels Garten?

Auch preußisch geworden, heißt jetzt Neuer Saalbau.

Busch'e Sannché?

Heißt jetzt „Kaisergarten", ebenfalls in schwarz-weißen Händen. Der Alte in Germantown schüttelt das weiße Haupt. —

„Ja, was, zum T...., ist denn aus den alten Gießnern geworden? Das waren immer „helle Köppe", die meisten sind in Amerika."

In die Lachsalve hinein knallt der Stöpsel der zweiten Flasche, Johann Anton Jung, Aßmannshäuser Flaschengährung.

C. führt mich vor das alte Gießner Rhenanenbild und deutet auf den links unten in der Ecke sitzenden stud. med. Le Roux.

Der sollte heute bei uns sein, und der da, der alte Moter, der übrigens droben in Reading seine 84 Jahre noch mit Anstand trägt. Wird wohl der letzte dieser fröhlichen Zecher sein, der noch übrig ist.

Le Roux, — — — sit down, man, take a fresh cigar. — — —

Nachdem wir uns gegenseitig mit Feuer bedient haben, erzählt er mir von seiner letzten und vorletzten Begegnung mit Le Roux, die beide, 32 Jahre auseinanderliegend, an derselben Ecke desselben Tisches, des Stammtisches in der „Sonne" zu Mainz, stattfanden.

In der zweiten Hälfte der 40er Jahre, begann er, pflegte ich gelegentlich einen Frühtrunk in der „Sonne" zu mir zu nehmen und hatten wir dort einen famosen Stammtisch, alles alte Gießner Studenten, unter denen Le Roux wohl der regelmäßigste Besucher und deshalb Vorsitzender der Tafelrunde war. Er war damals ein junger tüchtiger Arzt, sehr wohlhabend und deshalb imstande, sich Praxis und Mußestunden nach Belieben einzurichten. Es waren durchweg tüchtige, flotte Kerls, ultraliberal, den Schnüffelnasen Metternichs stark verdächtig.

An diesem Stammtisch wurde der Plan zur Befreiung des Freiwilligen Moras ausgeheckt und Germain Metternich*) mit der Ausführung betraut.

Moras war zu zehnjähriger Zwangsarbeit wegen revolutionärer Gesinnung verurteilt und sollte per Schiff nach Ehrenbreitstein gebracht werden. Bei Geisenheim rudert ein Nachen in den Strom, dem Dampfer entgegen, und Moras macht mit gefesselten Händen einen Kopfsprung in den Rhein. Er wird aufgefischt und von Germain Metternich ans Nassauer Ufer gerudert.

*) Metternich fiel im amerikanischen Bürgerkriege als Oberst eines Regiments der Nordstaaten durch Meuchelmord.

Der Kapitän des Bootes sowie ein Gefangenwärter waren von Metternich ins Komplott gezogen. Ein Jahr später saß die Hälfte dieses Stammtisches in New-York, darunter Yours truly; die Zustände in der Heimat waren uns verleidet. Le Roux blieb Mainzer Arzt und Stammgast der „Sonne". — — —

32 Jahre später, an einem schönen Frühlingsmorgen des Jahres 1880, war ich zum erstenmal wieder in Mainz und begab mich zur Zeit der Frühmesse auf die altgewohnte Bahn, der „Sonne" zu.

Nichts war verändert, alles noch im selben Zustande wie anno 48, als wir wehmütig den Abschiedstrunk nahmen. Und dort, am alten langen Eichentisch ein einsamer Gast — Le Roux. Er war, wie ich, ergraut, aber sonst nicht verändert.

Da er in der Frankfurter Zeitung las, hatte er mein Kommen nicht bemerkt.

Ich hob das Deckelglas; Prosit, Le Roux!

Die Zeitung sank, seine Paar scharfe graue Augen fixieren mich eine Sekunde; er erhebt sein Glas: „Prosit Heinrich" und dann, nachdem er kräftig Bescheid getan, fragt er mich vorwurfsvoll im schönsten Mainzer Deutsch: „Wo warschte dann die ganze Zeit?" — —

Ihm waren 32 lange Jahre wie ein Tag vergangen und sein Stammtisch war „der ruhende Punkt in der Erscheinungen flüchtigem Wechsel". — — —

Unsere Gläser klangen zusammen auf unser altes Gießen und die alten und jungen Burschen der Ludoviciana.

„Tria Pulcherrima Dona Studiosi Seduli."

Während der jüngsten Heidelberger Jubeltage erblickte ich im Schaufenster eines Antiquars unter einer Anzahl bildlicher Darstellungen Heidelbergs aus den letzten vier Jahrhunderten auch einen kleinen Kupferstich aus dem Jahre 1623, den ich mir sofort käuflich erwarb und den ich heute in unserem „Burschenschaftlichen Jahrbuche" abbilden will, in der Überzeugung, daß sein Anblick jedem Freunde studentischer Kulturgeschichte ebensoviel Vergnügen macht, wie mir, seitdem er mein Zimmer schmückt.

Das Blättchen stammt aus dem 1623 erschienenen „Thesaurus Meißner". In dem von dem verstorbenen Oberbibliothekar der Ruperto-Carola, Professor Dr. Zangemeister (Marchia-Bonn) in den „Mitteilungen zur Geschichte des Heidelberger Schlosses" Bd. 1 zusammengestellten Verzeichnis bemerkenswerter Abbildungen der Stadt Heidelberg ist es unter Nr. 56 eingereiht. Veröffentlicht ist es meines Wissens noch nirgends, auch nicht in der trefflichen Petters'schen Sammlung „Heidelberger Studentenleben einst und jetzt", wohin es in erster Linie gehört.

An sich soll, wie auch bei anderen Bildern des „Thesaurus Meißner", die allegorische Szene im Vordergrunde lediglich Staffage sein, dazu bestimmt, den Charakter der Stadt als „Universität" zu verdeutlichen. Daneben wollte der Künstler aber offenbar noch ein Tendenz- und Idealbild: „Der Student, wie er sein soll" schaffen und allen, die es anging, solchen Musterstudio vor Augen zu führen. Die „Reform" studentischen Lebens und Treibens, die ja so alt ist, wie dieses selbst, strebte man in früheren Jahrhunderten ganz besonders im Wege solcher Tendenzbilder an, und die „Burschenschaftlichen Blätter" haben des öfteren Belege*) gebracht, in denen nach diesem alten, heute von Schulze-Naumburg bei seinen „Kulturarbeiten" im „Kunstwart" wieder gepflogenen Erziehungsgrundsatz, einem scheußlichen „Gegen-

---

*) Vergl. „Der tugend- und lasterhafte Student usw." Leipzig 1764 i. d. „B. Bl." 1900/01 Nr. 11 u. 12.

beispiel" ein um so löblicheres „Beispiel", dem „saufenden", „raufenden", „spielenden", „borgenden" Stubenten, das „nüchterne", „fromme", „fleißige" usw. Exemplar gegenüber gestellt wird. Die nicht alle werdenden „Reformatoren" der Neuzeit freilich schreiben zu diesem Behufe umständlich eine „zeitgemäße" Broschüre, die dann zwar nicht die Zeitgenossen, wohl aber die nützliche Papier-Stampfmühle beschäftigt.

Wie dem auch sei, jedenfalls wirkt unser kleines Blatt in seiner köstlichen Naivetät auch heute noch überaus ansprechend, je nach der Stimmung des Beschauers sogar — ich möchte fast sagen — wie ein stubentisches „Ultbild" vor 300 Jahren, auf uns, während der alte Freund und Kupferstecher von 1623 die Sache natürlich mit heiligstem Ernste gemeint hat.

Nach einem alten Heidelberger Kupferstich.

Da sitzt nun der gute Junge — es läßt sich wohl kein braveres Gesicht denken — im Freien, mitten vor der prangenden Heidelberger Landschaft, am schön gearbeiteten und sorgsam gedeckten Tisch vor dem aufgeschlagenen Codex, daneben einen jedenfalls nur reinstes Heidelberger Quellwasser enthaltenden Becher, und stärkt sich durch ein Gebet für einen gedeihlichen Fortschritt seiner Arbeit. Und siehe da: der Erfolg bleibt nicht aus. Die Göttin der Weisheit selbst, die hehre Pallas Athene erscheint mit Schild, Speer und Buch und segnet mit ihrer Palme seine Studia. „Fahre nur so fort, mein Sohn, in Arbeit, Gebet und im Wandel, sacht und bedacht stets", scheint sie zu sprechen, „denn rasch läuft die Uhr der Zeit um, wie Du siehst, aber reiches Licht leuchtet Dir dafür auch von oben her und nahe schweben Dir bereits, dem Arme der Gottheit selbst geweiht, die Schlüssel zu allen sieben Himmeln als köstlicher Preis Deines Strebens."

Durch kräftige Sprüche sucht der Künstler die Wirkung des Bildes noch zu steigern, indem er uns die „tria pulcherrima dona Studiosi Seduli" also schildert:

„Haec tria commendant Studiosum et honoribus ornant,
Sobzia. nava. piae: Vita, Minerva, Preces."

> Auff Erden seind drey schöner Stück,
> Die erheben zu Kunst, Ehr und Glück:
> Mäßig leben, vleißig Studirn
> Vnd sein Gottselig Gbetlein führn.

Es ist nur gut, daß diese Verse dabei stehen. Sonst könnte ja ein entarteter Jüngling auf die Idee kommen, das Bildchen scherzhaft dahin zu erklären: Pallas Athene schlägt diesem rettungslosen Streber das Buch zu, klopft ihm auf die Finger und spricht: „willst Du denn ewig tüfteln und spintisieren und nach den Schlüsseln der Erkenntnis jagen?

> „Die Geisterwelt ist nicht verschlossen;
> Dein Sinn ist zu, Dein Herz ist tot!
> Auf, bade, Schüler, unverdrossen
> Die irdsche Brust im Morgenrot!" —

Drum auf und hinaus in die Pracht dieses sonnigen Gaus — überdies: siehst Du nicht, daß die Uhr 11 zeigt und es also allmählich ratsam erscheint, daß ein ehrlicher Christenmensch sich einen Frühschoppen zulegt?" - - - —

Ich muß es Dir überlassen, geneigter Leser, welche von beiden Deutungen Dir am meisten im Sinne der „eulenäugigen" Göttin zu liegen scheint, die heute aus dem Weinberg unseres Bildes hinabgestiegen ist und auf der alten Brücke in hehrer, steinerner Ruhe ob Stadt und hoher Schule wacht. Als ich sie neulich während der Heidelberger Jubeltage besuchte, sah sie die dona Studiosi seduli ganz im Sinne des angeführten Faust-Spruches, so freudig leuchtete ihr vom Zauberhauch der Landschaft und des weihevollen Festes umwittertes Antlitz über die blitzenden Wellen zum Schloß hinüber. Nur die alte Gorgo in ihrem Schilde grinzte scheußlich, wie immer, in all die Pracht hinein, und ich ärgerte mich, daß ich ihr nicht, wie ich einst als kleiner Junge that, so oft ich im Winter vorbeikam, einen Schneeball in die grünliche Fratze werfen konnte.

Es ließen sich noch mancherlei Gedanken an das kleine Bild anspinnen. Nur eins noch: Wer trug wohl einen reicheren Schatz köstlicher Erinnerungen an Alt-Heidelberg mit sich, der Bruder Studio von 1623, indem er sich solch gewiß nicht sonderlich kunstreich aber so liebevoll gezeichnetes Blatt der Erinnerung an seine Musenstadt für wenig Geld mitnahm, das ihm die alte zinnenreiche Stadt, den rauschenden Fluß, die wuchtige Brücke, Neckarberge und Wald, die „lustige" Ebene bis zu den feinen Linien der Hardtberge und sich selbst weisheitsuchend mittendrin als dieser Schöpfung Krone zeigte, — oder der Herr „Auswärtige" von 1903, der seine zehn Pfund „Photo-Crayons" („Gruppen-", „Familien-" und „Ultbilder", Bundesbrüder, das stolze Haupt halbrechts gereckt, soweit sie nicht „Linkser" waren, so etwa wie: „mein Herr, ich wünsche mit Ihnen zu jüngen!") im Reisekoffer mit sich schleppt, natürlich im tadellos lackierten und blechbeschlagenen Wappen-Album verstaut, das der treue Leibfuchs nachher zu Hause als „Corpus Juris" oder „Anatomischer Atlas" zu verrechnen pflegt? — Aber das ist ein Kapitel für sich, das hier zu weit führen würde und heute nicht mehr angeschnitten werden soll. Für diesmal ist in Bild und Wort Moral genug geprebigt — —

      — „Mäßig leben, vleißig Stubirn
        Und sein Gottselig Gbetlein führn — —

Wie wär's, Ihr Füchse?

                      Fritz Ullmer (Franconia-Heidelberg), Referendar.

Aus unserer Dichtermappe.

Deutsche Zukunft.

Und ich seh' in die Zukunft, und seh' nicht zurück,
Von deutschem Wesen hoff' ich mein Glück.

So blick' ich hinaus von einsamer Wacht,
Ich schau nur die Sonne, ich seh' nicht die Nacht.

Denn die Nacht ist ein Wahn unterm Himmelszelt,
Stets leuchtet das Licht und durchstrahlt seine Welt.

O sieh, wie im Osten es flammt, wie es loht!
Wir leben, wir leben im Morgenrot!

A. Sturm (Alemania a. d. B.).

Frei ist der Bursch!

O freies Burschenleben, Gezecht, geliebt, gesungen,
Du schäumender Pokal, Gefahren in die Welt,
Vom Glück zu Hand gegeben Ein ehrlich Schwert geschwungen,
Mir nur ein einzigmal, Mein' Sach' auf nichts gestellt!
Aus dir will ich mir trinken All Leben muß vergehen, —
Der Erde Seligkeit, Doch wenn die Seele flieht,
So lang die Sterne blinken Dann soll sie froh verwehen,
Der goldnen Jugendzeit. Wie ein Studentenlied.

Ullmer (Franconia-Heidelberg)

Über der Musenstadt.

Ja, Füchslein, da unten das Häuserschock
  Im altväterischen, lustigen Rock,
Das war derzeit mein Kanaan,
Darin ich als Bursch mir Gutes getan.
Mit blanken Schäften und Mütze schief
Man damals gassenunter lief,
Grüßte die Fräulein und die Philister,
Kannte ja Bürgermeister und Küster.
Dort hinterm Rathaus den hohen Giebel
Kannten wir alle wie eine Bibel,
Denn aus dem saubern, freundlichen Städtchen
Barg er das sauberste, freundlichste Mädchen.
Na, und der Heinz hat's just von den lieben
Brüdern wieder am tollsten getrieben.
Zog im Weinstübchen nur wegen Ellen
Pfropfen aus mancherlei Flaschenhälsen,
Und von der Bürgerschaft mit dem Alten
Mocht' er so lang sich unterhalten,
Bis es gelang, auf Flur oder Stiegen
Lohnenden Hinterhalt zu kriegen.
Himmel, die süßen Bürgermädel
Machen mir heut' noch warm den Schädel! —
Da drüben aus dem engen Tor
Drangen wir oft mit Hussa vor.
Sind auf die Dörfer hinausgerollt,
Von klaffender Hundemeute umtollt,
Und wie die Gäule schnoben und stampften,
Unsere Pfeifen gemächlich dampften.
Draußen die Gänse und Hasenbraten
Konnten nicht genug geraten,
Und aus den Holzgemäßen das Bier,
Junge, das mundete, sag' ich dir!
Gut, wir tranken uns toll und voll,
Fromme Landsknechte jeder Zoll,
Und zur Ernüchterung dem Gehirne
Schwang man im Tanz die Bauerndirne,
Ging auch verschlungen mit seinem Schatz
Durchs mondhelle Dorf zum Lindenplatz.
Würfel und Karten mußten daneben
Wechsel und flotte Kurzweil geben.
Landsknechtleben sagt' ich vorher,
Und das Wort paßt auch einzig her;

Gerauft ward öfter noch als getanzt,
Und wer am meisten herumgeschanzt - -
Jeder Bürger mochte es sagen —
Durfte den Kopf am höchsten tragen.
Bei klingendem Frost, im Julibrand
Sind sie wie Eber zusammengerannt,
Rissen und schürften sich die Gesichter,
Waren ein waffenfrohes Gelichter.
Doch nun der Markt! Von den Bildern allen
Laß ab - - der muß dir besonders gefallen.
Denk, daß Dämmerung niederrinnt,
Um Türme und Bergesnasen spinnt,
Und der Brunnen singt nimmermüd'
Über den Platz sein Abendlied.
Merke, wie sich bemützte Gesellen
Mehr und mehr vor die Kneipe stellen.
Wie sie an Pfosten und Mauer lehnen,
Alle die Pfeife zwischen den Zähnen.
Schau'n aus plauderndem Getümmel
Stillvergnügt in den Abendhimmel
Wie ein Bauer vor seinem Haus.
Doch nun trägt man Tische heraus,
Stühle werden durchs Fenster gehoben,
Bald hat sich alles zurechtgeschoben,
Und ausgestreckt und aufgestützt
Die Kumpanei beisammensitzt.
„Am Brunnen vor dem Tore" schallt
Heraus, der Häuserkranz erhallt,
Auf tut sich manches Fensterlein
Und läßt das traute Lied herein.
Der Apotheker, der Oberlehrer
Sind unser'm Singsang frohe Hörer,
Und sachter tönt das Abendklingen:
Wie schön doch die Studenten singen!
Und die taten's mit hellen Kehlen
Und mit hellen, starken Seelen,
Bis das Schmollis Ende gemacht.
Wer weiß, was jeder grad' gedacht!
Sah er die Alten im engen Garten
Zum Feierabend der Rosen warten?
Oder nahte mit schlichtem Haar,
Welche daheim die liebste war,
Und grüßt blautiefer Sterne Schein
In seine Andacht still herein? —

Doch hat der Zechlärm bald verscheucht,
Was lyrisch um die Tische kreucht.
Und in Windgläsern dicke Lichter
Schienen auf heiße, frohe Gesichter.
Drüben schwingt sich ein Spottvers auf,
Lachen und Gläserklappen darauf,
Hier am Ende mit leiser'n Worten
Öffnet einer des Herzens Pforten
Seinem lauschenden Bankgenossen.
Mondlicht hat sich ausgegossen
Auf Häuserzacken und dämmernde Höh'n.
Heimlicher Nachtwind hebt sein Weh'n.
Schlüssel knacken in allen Toren,
Die Häuser haben ihr Licht verloren.
Und Fensterläden klappen zu.
Das müde Städtchen pflegt der Ruh',
Ohne den Burschen drauß' zu grollen,
Die noch so manchen schäumend vollen
Schoppen wider den andern rennen,
Bis die Lichtstümpfe niederbrennen,
Der und jener die Glieder reckt,
Die Pfeife ausklopft und zu sich steckt
Und den Hund aus den Stühlen lockt,
Der dann schweifwedelnd vor ihm hockt.
Endlich trollen nach Gruß und Hallo
Beide um eine Ecke wo. —
Ja, das war unsere Lebensführung.
Du siehst, mein Sohn, wie heiße Rührung
Mir heute noch im Halse quillt.
Möchte nun sehen, wer die Jahre schilt,
Die hochherrlichen tollen Stunden,
Wo man im Kampf seinen Kern gefunden!
Doch lassen wir das. Jetzt geht's zu Tal,
Und unten am Markte gilt's einmal,
Ob noch die alte Weinstube dort
Frommen Gemütern ein stiller Port.
Denn mir liegt's wirklich von dem Erzählen
Wie Feiertagsmorgen auf der Seelen.

Max Rind (Germania-Jena).

Fahrender Schüler.

Sie haben in den Kopf gepaukt
Mir Weisheit unverdrossen,
Doch alles Wissens höchstes Maß
Hab' ich bei dir genossen.

Sie sehen klug und weise aus
Und haben viel guten Willen
Und glauben, ihr gelehrter Kram
Könnt' mein Verlangen stillen.

Was nützt mir die Philologie,
Was das Philosophieren?
Der Kopf wird schwer, jedoch das Herz
Läßt leer all das Studieren.

Am Gartenzaun vorm alten Tor,
Da hab' ich mehr erfahren
In einer kühlen Abendstund'
Als in vier Studienjahren.

Aus deinem Kuß hab' ich aufs neu
Mir Lebenskraft gesogen.
Wie Frühlingshauch und Sonnen-
                          schein
Ist mir's ins Herz gezogen.

Dein lachend' Auge sprach zu mir:
„Der Jugend Tage eilen.
Wo Liebe sich und Kuß dir beut,
Da nimm sie ohn' Verweilen!"

Und dazu noch der rote Mund,
Der schwatzte ohn' Verdrießen,
Bis ich, der höchsten Weisheit voll,
Ihn schloß mit heißen Küssen.

Und ob ich den gelehrten Kram
Voll Ehrfurcht auch anstaune,
Der Weisheit Fülle schöpf' ich doch
Vorm Tor am Gartenzaune.

*   *   *

„Heute Abend um halb Neune
Triffst du mich am Gartenzaune!"
Also sprach mein Lieb beim Scheiden,
Und fort flog der Zopf, der braune.

Und des Abends um halb Neune
Stand ich am bestimmten Platze.
Sehnend schlug mein Herz entgegen
Meinem wilden, süßen Schatze.

Und da hört ich schon sein Lachen,
Und da kam er schon gesprungen.
Eh' ich dessen mich versehen,
Hielt er mich schon fest umschlungen.

Wie die dunklen Augen strahlten
Und die braunen Wangen glühten!
Wie die vollen, roten Lippen
Leuchtend mir entgegen blühten.

In die heiße, braune Stirne
Keck das lock're Haar sich drängte,
Und der volle Busen wogte,
Daß er fast das Mieder sprengte.

Worte hatt' ich mir ersonnen,
Meinen Schatz hier zu begrüßen,
Doch mir ward der Mund ver-
                          schlossen
Und ich konnt nur küssen — küssen.

*   *   *

Blick' mir nicht so trübe!
Mädel, weinst wohl gar?
Denk', daß uns're Liebe
Doch ein Traum nur war.

Sieh, die ersten Rosen
Blühn im Garten schon.
Frühling, Sommer eilen
Allzu rasch davon.

Neu im Herzen glüht mir
Alte Wanderlust.
Wenn ich länger weile,
Sprengt es mir die Brust.

Winter kommt und bringt dir
Anderen Scholar.
Blick' mir nicht so trübe!
Laß das Weinen gar!

12

Ach Gott, wie weh tut Scheiden!
Das ist ein Schmerz fürwahr.
Ich geh' hin über die Heiden,
Bin aller Freude bar.
Die mir die Liebste ist,
Die muß ich jetzo meiden.
O Welt voll arger List!

In ihrem Rosengarten
Wird nun allein sie gehn.
Nicht kann ich ihr'r mehr warten.
Wie ihr so wohl geschehn.
So unstät ist mein Fuß
Nach neuen Wanderfahrten.
Das ist ein harter Schluß.

Nun mag dich Gott behüten,
Dielliebes Mägdelein,
Daß bald dir sei beschieden
Ein Knabe jung und fein.
So heg' ich nimmer Zorn,
Wenn dich in Treu und Güten
Ein and'rer hat erkorn.

Walther Göße (Oberlila-Rostock).

Des Fuchsen Geistesgegenwart.

Zu Heidelberg am Neckar da steht ein altes Haus,
    Da schwirren die Studenten oft mutig ein und aus,
Da schwingen ihre Klingen die braven Fechter gut,
Da stieben oft die Funken, da spritzt das rote Blut.

Einst zog zu dem Gehäuse ein Fähnlein Franken hin,
Gefolgt von Allemannen, nach Kämpfen stand ihr Sinn,
Sie haben, Muts zu holen, getan 'nen tiefen Schluck
Und ziehen nun selbander hinauf die alte Bruck.

Raus mit dem Camisole! — Der Paukwichs liegt bereit. —
Die Klingen sind gebunden! Nun hebet an der Streit:
Wie da die Speere klirren, wie da der Stahl erblitzt!
Wie da die Quarten schwirren, wie da der Fechter schwitzt!

Der Doktor stand im Saale; — es war ihm nicht ganz recht —
Vom gestrigen Gelage war ihm ein lützel schlecht.
Er drückt sich aus der Türe — da pfeifst 'ne Terz heran!
Und einer von den Kämpen ward schnöd hinabgetan.

„Herr Doktor! — Ja, Herr Doktor — wo ist der Doktor doch?!
Der Doktor, der ist unwohl! — Grad war im Saal er noch!" —
„Der Mann fällt ja zu Boden!" — Aus zehen Wunden baß
fleußt ihm herab vom Schädel das edle rote Naß!

12*

211

Ein fuchs in seiner Krümme, der kam auf einen Plan:
Hin sauft er an den Schenktisch und schnauzt das fräulein an:
„Gebt mir zu 35 ein Viertel Eures Weins,
„Gebt mir's auf Pump einstweilen, denn Geldes hab' ich keins."

Dann hin zum Abgestochnen — und ohne langen Feez —
Drückt ihm das Haupt nach unten und geußt auf dessen Däts
Den Wein, den er erborget — es trieft das nasse Haar,
Es stehet in der Runde baff die Studentenschar.

Der fuchs zeigt triumphierend hin auf des Ritters Haupt,
Und alle sehen's schweigend — sie hätten's nie geglaubt —:
Die Wunden schließen krampfhaft sich zu mit einem Mal! —
— Das war zu 35 der Wein im Paullokal!

Aus der Kneip-Zeitung der franconia-Heidelberg.

⚕

Das hundertundzwölfte Semester.

Es strahlen die Lichter im Saale,
Es lacht in den Gläsern der Wein,
Und deutscher Studenten Augen
Und Schläger blitzen darein.

„Silentium! Das erste Semester!"
„Das erste Semester trinkt
Auf alles, was wir lieben!"
fiducit rings erklingt.

Sie tranken auf freiheit und Ehre
Auf Vaterland, Burschenschaft,
Den Rektor und die Pedellen
Und des Karzers lustige Haft.

Viel ernste und heitere Worte
Aus manch' berufenem Mund
Erweckten ein jubelndes Echo
Un festlicher Tafel Rund.

Das hundertundneunte Semester
Auf fröhliche Zukunft trank.
„Das hundertundzwölfte und letzte!"
Ertönt es die Reihen entlang.

213

Da schwang in schneeigem Haare,
Mit Jugendübermut,
Ein froher Greis zur Decke
Den alten Burschenhut:

„Das hundertundzwölfte Semester
Das wünscht den Brüdern im Saal:
Mögt nimmer ihr trinken allein nur
Den Wein aus eurem Pokal!

Seht! Dieser volle Becher
Birgt nicht nur edlen Wein,
Es floß mit dem Blute der Reben
Manch sondere Würze hinein.

Ich trank aus dem meinen die Freude
An Gottes schöner Welt,
Versöhnung mit ihren Gebrechen,
Vergebung, so einer gefehlt.

Für alles Schöne Begeisterung
Und Unverzagtheit in Not,
Ich küßte beim funkelnden Römer
Der Liebsten Lippen so rot.

In Trübsal trank ich Vergessen
Und Hoffen auf schönere Zeit,
Wehmütig süßes Gedenken
An die glückliche Jugend so weit!

So trank ich und so will ich trinken,
— Ein Prosit, wer's mit mir so hält —
Bis einst den lachenden Lippen
Der letzte Becher entfällt.“

Da brachten aus vollen Pokalen
Ein donnernd Fiducit ihm dar,
Die alten und jungen Studenten,
Dem Jüngling im silbernen Haar.

Doch der hat nicht mehr vernommen
Den Dank, den man jubelnd ihm bot:
Das hundertundzwölfte Semester
Starb einen seligen Tod.

Rademacher (Germania-Halle).

Immer Student.

Sind die Semester schon zu End'?
Ich bleib mein Leben lang Student.

Es bleibt mein ewiger Gewinn
Studentenmut, Studentensinn.

Hab ich auf Erden ausstudiert,
Bin endlich exmatrikuliert, —

Klopf mutig an und trete ein:
Mög' das Examen gnädig sein.

A. Sturm (Arminia a. d. B.).

Geſchichte der einzelnen Burſchenſchaften.

Allemannia-Berlin.

Am 31. Mai 1883 wurde die Reformburſchenſchaft Longobardia mit den Farben: ſchwarz-weiß-roth (v. u.) und dem Wahlſpruch „Gott, Ehre, Freiheit, Vaterland" gegründet, nachdem ſie vorher einige Semeſter als ſtudentiſche, nicht farbentragende Vereinigung exiſtirt hatte. Schon am Ende des 4. Semeſters ihres Beſtehens trat ſie aus dem Reformverbande aus und konſtituirte ſich als „Freie Burſchenſchaft" mit den jetzigen Farben. Sie gab unbedingt Satisfaktion. Im W.-S. 1885/86 trat die „Sedinia", akademiſcher Verein ehemaliger Stettiner Gymnaſialabiturienten, faſt vollzählig zur Allemannia über. Im Januar 1890 wurde die Allemannia als renoncirende Burſchenſchaft und im Januar 1891 endgiltig in den A. D. C. aufgenommen. Wahlſpruch: „Gott, Ehre, Freiheit, Vaterland!" Farben: blau-ſilber-roth v. u. mit ſilberner Perkuſſion in Band und Mütze. Mütze: hellrot. Fuchsfarben: roth-ſilber-roth in Mütze und Band. Kneipe: Roſenthalerſtr. 38 II.

Arminia-Berlin.

Am 10. November 1859 wurde die Verbindung „Brandenburgia" mit den Farben weiß-roth-gold gegründet, die ſich am 15. Mai 1860 als „Berliner Burſchenſchaft" mit dem Wahlſpruch: Freiheit, Ehre, Vaterland und den Farben: ſchwarz-roth-gold aufthat. Sie trat die Erbſchaft der früheren Burſchenſchaft „Teutonia" an, deren Mitglieder ſich ſeit der Zeit ununterbrochen zu ihr gehalten haben. Nach dem Auftreten der Burſchenſchaft Germania nahm ſie den Namen „Brandenburgia" an, den ſie erſt am 30. Oktober 1875 mit dem Namen „Arminia" vertauſchte. Kartelle: Im Jahre 1860 trat die Berliner Burſchenſchaft in das 1857 gegründete Norddeutſche Kartell, dem ſie bis zu ſeiner Auflöſung Pfingſten 1872 angehörte. In ihrem Beſitz befindet ſich heute noch der Becher des in der Burſchenſchaft bedeutungsvollen Kartells. Durch dieſen Verband trat ſie in engen Verkehr mit der alten Breslauer Burſchenſchaft der Raczeks. — Im S.S. 76 wurde die Arminia in den E. D. C. aufgenommen, in dem ſie bis zu ſeinem Ende verblieb. Danach betheiligte sie sich an der Gründung des A. H. C. am 20. Juli 1881. Im Anfang des S.-S. 83 suspendirte die Burschenschaft, wurde jedoch noch in demselben Semester wieder aufgethan. Zum zweiten Mal suspendirte sie im Jahre 1887. Im W.-S. 93/94 machten ausgetretene Mitglieder der Berliner Reformburschenschaft „Neogermania" den Versuch, sie zu rekonstituiren; was ihnen nicht gelang, geschah am 19. Oktober 1896 durch vier Münchener Arminen mit Unterstützung zweier Heveller. Wahlspruch: Freiheit, Ehre, Vaterland. Farben: schwarz-roth-gold, rothe Mütze. Füchse tragen Burschenband und Burschenmütze. Kneipe: Rosenthaler Hof, Rosenthalerstr. 11/12.

Cimbria-Berlin.

Die Burschenschaft Cimbria wurde von der Karlsruher Burschenschaft Teutonia am 5. Oktober 1888 zu Karlsruhe gegründet. Ins Sommersemester 1889 fiel die Gründung des R. D. C., an der sich die Cimbria betheiligte. Im Wintersemester 1889/90 siedelte die Cimbria nach Berlin über, um an der technischen Hochschule zu Berlin die burschenschaftliche Sache zu vertreten. Im Sommersemester 1891 that sich das suspendirte Korps Gothia als Burschenschaft auf und suchte bei der Cimbria ein Pauktverhältniß nach. Bald darauf wurde die Gothia in den R. D. C. aufgenommen und bildete mit der Cimbria einen B. D. C. der Königlichen Technischen Hochschule zu Berlin. Wegen Zwistigkeiten mit der Gothia bezüglich des Maturitätsprinzips löste sich die Cimbria pro forma auf, da ein Austritt der Cimbria aus dem R. D. C. statutenwidrig war, um sich nach einigen Tagen wieder aufzuthun. Im Sommersemester 1894 erhielt sie ein Paukverhältniß mit dem B. D. C. Am 8. Januar 1897 wurde sie in den A. D. C. aufgenommen. Wahlspruch: Ehre, Freiheit, Vaterland. Farben: weiß-schwarz-roth-weiß mit goldener Perkussion. Weiße Mütze. Fuchsfarben: schwarz-roth mit goldener Perkussion. Keine Fuchsmütze. Kneipe: Charlottenburg, Schlüterstr. 3 I.

Frankonia-Berlin.

Am 14. Mai 1878 wurde eine zwanglose Vereinigung ehemaliger Danziger Abiturienten unter dem Namen „Gedania" gegründet. Im S.-S. 1879 wurde dieselbe als akademischer Verein „Gedania" bei dem Rektor der Universität angemeldet. Dieser Verein schloß sich von vornherein, z. B. namentlich bei den Ausschußwahlen dem Berliner D. C. an und schlug seine Mensuren größtentheils auf die Waffen der B. V. Germania. Am 25. Januar 1881 that sich der Verein mit Unterstützung der B. V. Germania als Burschenschaft „Gedania" auf mit den Farben: roth-weiß-gold, den Fuchsfarben: roth-gold-roth. Die Mitglieder trugen rothe Mützen, auch Stürmer. Perkussion an Band und Mütze war golden. Gleichzeitig trat die junge Burschenschaft in den C. D. C. ein und später bei seiner Gründung in den A. D. C. Am 28. Juli 1884 wurde sie durch Beschluß des Universitätsrichters wegen Infamirung eines Mitgliedes auf ein Semester suspendirt, that sich aber noch an demselben Tage unter Annahme des jetzigen Namens: Burschenschaft Frankonia wieder auf mit den Farben: schwarz-gold-

roth, den Fuchsfarben: schwarz-roth, weißer Mütze und dem schon früher an=
genommenen Wahlspruch: Ehre, Freiheit, Vaterland. Die Füchse tragen
Burschenmütze. Kneipe: Linienstr. 160 II.

Germania-Berlin.

Die Gründung der Burschenschaft Germania—Berlin erfolgte unter diesem
Namen am 26. Juli 1862. Wahlspruch: Ehre, Freiheit, Vaterland. Farben:
bis Ende W.-S. 1872/78: schwarz-roth-gold v. u. mit goldener Perkussion.
Mütze: schwarze Sammetmütze mit schwarz-roth-goldener Perkussion. Von dieser
Zeit ab: schwarz-roth-silber v. u. mit silberner Perkussion. Mütze: schwarze
Sammetmütze mit schwarz-roth-silberner Perkussion und silberner Einfassung.
Fuchsfarben: bis S.-S. 1874 trugen die Füchse mit Ausnahme der Zeit vom
S.-S. 1870 bis W.-S. 1871/72, in welcher sie dasselbe Band wie die Burschen
hatten, kein Band. Mütze: die Burschenmütze. Seit S.-S. 1874: schwarz-silber-
schwarz mit silberner Perkussion. Mütze: schwarze Sammetmütze mit schwarz-
silber-schwarzer Perkussion und silberner Einfassung. Kartelle: Die Burschenschaft
Germania zu Berlin bildete zusammen mit den Burschenschaften Rugia und
Dresdensia das sogenannte schwarz-roth-violette Kartell vom 2. August 1874 bis
W.-S. 1879 80, zu welcher Zeit dieses Kartell durch Austritt der Dresdensia aus
dem E. D. C. sein Ende nahm. Seit dem S.-S. 1880 bildeten die Burschen-
schaften Germania und Rugia das sogenannte schwarz-rothe Kartell bis zum
S.-S. 1881, als die Burschenschaft Rugia aus dem E. D. C. austrat. Kneipe:
Elsasserstr. 43.

Hevellia-Berlin.

Am 5. Juni 1877 wurde der farbentragende akademische Verein Hevellia
von Havelländern gegründet. Er gab Satisfaktion auf eigene Waffen und
machte seinen Mitgliedern zur unbedingten Pflicht, „die studentische Freiheit
und Ehre zu wahren und echte Unterthanentreue zu hegen und zu pflegen";
sein Wahlspruch war: Amico pectus, hosti frontem! Die Abzeichen bestanden in rother Mütze und grün-roth-schwarzem Bande. Anfang des W.-S.
1878/79 nahm der Verein den Namen „Verbindung" an, um schon am 2. Juli
1880 unter dem Namen „Burschenschaft" zum Berliner D. C. überzugehen, welcher
damals von den Burschenschaften Arminia und Germania gebildet wurde.. Als
Burschenschaft trat die Hevellia dem E. D. C. und bei seiner Gründung dem
A. D C. bei; statt der alten Farben wurde jetzt grün-silber-rothes Band mit
silberner Perkussion und für die Füchse silber-grün-silbernes Band mit
grüner Perkussion, sowie grüne Mütze mit den Burschenfarben angenommen. Name
und Zirkel blieben unverändert, während neben dem alten Wahlspruche noch
der allgemein-burschenschaftliche „Freiheit, Ehre, Vaterland" angenommen wurde.
Am 3. Juni 1889 suspendirte die Burschenschaft wegen Mangels an Mitgliedern,
wurde jedoch bereits am 21. Oktober desselben Jahres wieder aufgethan. Kneipe:
Linienstr. 159 I.

Primislavia-Berlin.

Im Anfang der siebziger Jahre waren ehemalige Abiturienten des Prenzlauer Gymnasiums zu einem akademischen Verein in Berlin zusammengetreten, der neben der Freundschaft die Pflege studentischen Geistes bezweckte. Im S.-S. 1877 wurde der Name „Verbindung Primislavia" und als leitende Grundsätze das Prinzip der unbedingten Satisfaktion und der Bestimmungsmensur angenommen. Als Gründungstag gilt der 2. Juni 1877. Im Anfang des W.-S. 1878/79 schaffte sich die Verbindung eigene Waffen an und trug jetzt die dem Prenzlauer Stadtwappen entlehnten Farben roth-silber-blau — blau als Grundfarbe (Fuchsfarben silber-blau). In demselben Semester knüpfte sie ein Paukverhältniß mit den Berliner Burschenschaften Arminia und Germania, der Landsmannschaft Normannia und der Verbindung Saravia an. Mit letzterer zusammen betheiligte sie sich im Dezember 1880 an der Gründung des Berliner B.-C. (Verbindungsconvent) und im S. 1882 an der Gründung des „Goslarer C.-C." (Chargirtenconvent). Als sich der Goslarer C.-C. im S.-S. 1891 in Folge innerer Streitigkeiten auflöste, schloß die Verbindung Primislavia mit dem Berliner L.-C. ein Paukverhältniß ab und wurde auf ihren Antrag im S.-S. 1892 als Landsmannschaft vom Coburger L.-C. recipirt. Auch in diesem Verbande fand sie keine ihren Neigungen entsprechende Stätte. Sie beschloß im S.-S. 1895 aus dem Berliner L.-C. auszutreten und erhielt auf ihr Gesuch vom Berliner D.-C. ein Paukverhältniß. Auf dem a. o. A.-D.-C.-Tage im Januar 1898 wurde die Primislavia als Burschenschaft in den A.-D.-C. aufgenommen. Farben, Namen und Zirkel hat die Primislavia nie gewechselt. Wahlspruch: „Ehre, Freiheit, Recht, Brudersinn". Kneipe: Luisenstr. 31 A, Hof rechts part.

Saravia-Berlin.

Die Burschenschaft Saravia-Berlin ist entstanden aus einem an der Technischen Hochschule von Saarländern am 6. Juni 1872 gegründeten geselligen, satisfaktiongebenden Verein, welcher die Farben rosa-blau-weiß und den Wahlspruch: „Per aspera ad astra" führte. Am 6. Juni 1878 verwandelte sich dieser Verein in eine freischlagende Verbindung mit unbedingter Satisfaktion. Der Wahlspruch lautete von nun an: „Honestas, virtus, veritas". Die Saravia trat im S.-S. 1879 in ein Paukverhältniß mit den B. B. Germania und Arminia, der Landsmannschaft Normannia und dem S.-C., mit welch letzterem dasselbe jedoch schon zu Ende des S.-S. 1880 gelöst wurde. Im W.-S. 1880 schloß die Saravia mit der Berliner Verbindung Primislavia und anderen Verbindungen den B.-C.-C. (Chargirtenconvent), welch letzterer von den Berliner Burschenschaften nicht anerkannt wurde, in Folge dessen auch das Paukverhältniß mit diesen aufhörte; die Saravia trat dem sog. Goslarer C.-C. bei. Am 1. November 1884 suspendirt, that sich die Saravia am 7. Januar 1885, mit der Verbindung Colonia verschmolzen, wieder auf und nahm deren Farben: silber-karmoisinroth-grün (Fuchsfarben grün-rothgrün), sowie einen neuen Wahlspruch: „Honestas, virtus, patria" an. Nachdem die Saravia im S.-S. 1886 aus dem Goslarer C.-C. ausgetreten, meldete sie sich am 12. Januar 1887 als renoncirende Burschenschaft in den A.-D.-C., in welchen sie im S.-S. 1888 endgültig aufgenommen wurde. Kneipe: Rathausstr. 4 I.

Alemannia-Bonn.

Ostern 1819 bei Eröffnung der Universität bildete sich eine „Allgemeinheit" b. h. Burschenschaft), die sich in Folge der Karlsbader Beschlüsse auflöste; doch existirte sie im geheimen fort. Schon Herbst 1820 trat sie wieder offen hervor, um nach harten Verfolgungen am Anfang des folgenden Dezenniums wieder zu verschwinden (1830). In den vierziger Jahren entstanden neue burschenschaftliche Bestrebungen in der „Schweizer- und Theologen-Kneipe", dann in der „Hallenser Kneipe" und der vereinigten „Kieler und Hamburger Kneipe", vor allem aber in der „Knorschia" (so genannt nach ihrem Stifter Knorsch 1841, der übrigens später Mitbegründer der Fridericia wurde, ferner Mitglied der Alemannia 1848—49). Die drei letztgenannten enthielten viele burschenschaftliche Elemente von fremden Hochschulen, sie vereinigten sich S.-S. 1842 zu gemeinsamen Fechtübungen und traten 1842/43 als Korporation auf. Am 11. Februar 1843 entstand aus ihrem Schoße die Burschenschaft Fridericia. (Sie trug schwarze Mützen, bestand bis 1848.) Am 18. Juli 1844 traten 18 Mitglieder der Fridericia aus und gründeten eine neue Burschenschaft, die am 22. Juli den Namen Alemannia annahm und am 29. statt der schwarzen Mütze die „dunkelrothe Burschenschaftsmütze" (ohne Percussion) einführte. Die Alemannia — heißt es in den Statuten — ist eine Burschenschaft, sie hat den Wahlspruch: „Gott, Ehre, Freiheit, Vaterland" und trägt die Farben: schwarz-roth-gold. Die Percussion (schwarz-roth-gold) wurde 1855 eingeführt. Die Füchse tragen kein Band. Kartellverhältnisse: Ostern 1844 bis Ostern 1846 bildet die Alemannia einen „Allgemeinen Convent" (A.C.) in Bonn mit der Teutonia[1]), Fridericia, Saxo-Rhenania[2]) und seit W.-S. 1845/46 auch mit der Frankonia[3]). Ostern 1845 bis Herbst 1846 bildet die Alemannia eine Sektion der „Allgemeinheit" in Bonn. Herbst 1849 bis Ostern 1851 zweiter A.C. mit der Teutonia-Bonn. Ostern bis Herbst 1853 dritter A.C. mit Teutonia, Helvetia[4]), Martomannia[5]). Ostern 1859 bis Ostern 1860 Kartell mit der „Progreßverbindung" Hannovera zu Göttingen und zugleich bis Ostern 1861 mit der Frankonia-Heidelberg. Ostern 1864 bis November 1866 Mitglied des (exklusiven) Kartells (Alemannia-Bonn, Bubenruthia, Arminia a. d. B.-Jena). Januar 1870 bis 76 Mitglied der „Eisenacher Convention". 1881 Eintritt in den A.D.C. Bildung eines Lokal-D.C. mit der Frankonia, zu dem S.-S. 1885 die Marchia trat. Am 28. Juli 1847 traten 7 Mitglieder aus der Alemannia aus und gründeten die Burschenschaft Arminia zu Bonn, die nur wenige Semester bestand. Kneipe: Schänzchen.

---

[1]) Die Teutonia wurde 1842/43 gegründet als Verbindung, wurde bald Burschenschaft, später Landsmannschaft, endlich 1875 Korps.

[2]) Eine Landsmannschaft, die nur kurze Zeit bestand.

[3]) Die heutige Burschenschaft Frankonia.

[4]) Eine Burschenschaft, die vorübergehend bestand. 1857 bildete sich, unabhängig von ihr, eine neue Burschenschaft Helvetia, die allgemein bekannter geworden ist.

[5]) Eine Verbindung, die Anfang der fünfziger Jahre sich bildete, später Korps wurde und alsbald aufflog.

Frankonia-Bonn.

Die Frankonia wurde gegründet von 11 Fridericianern, welche wegen politischer Meinungsverschiedenheiten aus der alten Burschenschaft Fridericia austraten und am Abend des 11. Dezember 1845 eine neue Burschenschaft mit dem Namen Frankonia gründeten, zu deren Sprecher an demselben Abend noch Bernhard Gudden gewählt wurde, der nachmalige Professor der Psychiatrie, der mit dem unglücklichen König Ludwig II. von Bayern zusammen ums Leben gekommen ist. Die neuen Franken hatten einen neuen gemäßigteren politischen Standpunkt als die alten Fridericianer; in Folge dessen war das Verhältniß zwischen den beiden Burschenschaften in der ersten Zeit kein gutes, später jedoch standen die Franken und Fridericianer wieder in freundschaftlichem Verkehr. Im Jahre 1849 trat Carl Schurz mit 10 Franken aus und gründete eine neue Burschenschaft Normannia, die aber bald suspendirt wurde, und die Normannen kehrten wieder zur Frankonia zurück. Im Jahre 1887 am 11. Dezember bezogen die Franken ihr neues Heim, das Frankenhaus, nachdem sie vorher lange Jahre auf dem Schänzchen gekneipt hatten. In den fünfziger Jahren bahnte sich ein freundschaftlicher Verkehr mit der Hannovera-Göttingen, später auch mit Germania-Jena, Frankonia-Halle und Frankonia-Heidelberg an. Im S.-S. 1896 schloß die Frankonia ein Kartell mit der Hannovera, welches im W.-S. 1898/99 aufgelöst wurde. Mit der Burschenschaft Marchia und Helvetia stand sie im D.C.-Verhältniß. Gepaukt wurde theils mit der Burschenschaft Alemannia und mit der Landsmannschaft Teutonia, theils mit dem S. C. Farben: weiß-roth-gold, weiße Mütze. Bis zum Jahre 1871 wurde das schwarz-roth-goldene Band der Fridericia neben dem weiß-roth-goldenen getragen. Fuchsfarben: Im Anfang der 70er Jahre roth-gold, die aber bald wieder abgeschafft wurden, jetzt keine Fuchsfarben. Wahlspruch: Ehre, Freiheit, Vaterland. Kneipe: Frankenhaus.

Marchia-Bonn.

Die Burschenschaft Marchia-Bonn ist am 1. November 1854 als Verbindung Münsterania gegründet worden. Ihre Farben waren blau-gold-blau. Mütze blau. Die Verbindung hatte keine eigenen Waffen; die Mitglieder gaben aber auf Contrahage Satisfaktion, jedoch mußte jede Forderung vom eigenen Ehrengericht genehmigt werden. Am 29. Mai 1857 wurde der Name Marchia angenommen. Am 2. Mai 1856 wurden die Farben: blau-gold-roth, Fuchsfarben: blau-gold-blau angenommen. S.-S. 1661 wurden eigene Waffen angeschafft und mit dem S. C. schwarz gegen schwarz gesochten bis zum W.-S. 1862/63; von da ab focht sie mit den Burschenschaften Alemannia, Teutonia, Helvetia. Im S.-S. 1865 trat die Marchia dem Eisenacher Burschenbunde bei, dem sie bis zu seiner Auflösung angehörte. Mit den Burschenschaften Frankonia, Helvetia, Teutonia stand sie im D. C.-Verhältniß. Der Wahlspruch ist: Fest, treu, wahr! Freiheit, Ehre, Vaterland. Kartellverhältnisse: Die Marchia hat früher in besonderen Beziehungen gestanden zur Frankonia-Heidelberg, Algovia-München, Germania-Berlin, Germania-Greifswald, Burschenschaft a. d. Pflug-Halle. Mit allen diesen Burschenschaften hat sie gemeinschaftliche alte Herren. In Folge des Feldzuges 1870/71, den fast sämmtliche Mitglieder mitmachten, wurde die Marchia zur Suspension gezwungen. Im S.-S. 1885 that sie sich wieder auf. Kneipe: Lennéstr. 9.

Arminia—Breslau.

Im Jahre 1848 traten einige burschenschaftlich gesinnte Studenten zur Gründung einer neuen Burschenschaft an der Universität Breslau zusammen. Da sie der bis dahin einzigen Breslauer Burschenschaft, der sogen. „alten Breslauer Burschenschaft" (später: a. B. B. der Raczeks) nicht beitreten wollten, weil sie dem Prinzipe der thätigen Theilnahme am öffentlichen politischen Leben nicht beistimmten, so gründeten sie eine neue Burschenschaft, Arminia, in deren Statuten sie zum Unterschiede von der alten Burschenschaft den Paragraphen aufnahmen: „Die Mitglieder der B. B. Arminia enthalten sich der thätigen Theilnahme am öffentlichen politischen Leben." Diese Burschenschaft Arminia steht in keinerlei Zusammenhange mit der alten B. B. Arminia, welche bis um die dreißiger Jahre herum existirte und identisch ist mit der alten Breslauer Burschenschaft, die ja zu verschiedenen Zeiten verschiedene Namen führte. Das offizielle Gründungsdatum der Breslauer Burschenschaft Arminia, welche diesen Namen von diesem Termin ab bis auf den heutigen Tag führt, ist der 27. Oktober 1848. Der Wahlspruch heißt heute wie damals: Freiheit, Ehre, Vaterland. Die Farben, welche die Burschenschaft bei der Gründung anlegte, waren schwarz-roth-gold. Diese wurden im Jahre 1850 freiwillig abgelegt und in violett-roth-gold mit violetter Mütze verwandelt, um die Mitglieder als solche äußerlich schärfer von denen der alten Breslauer Burschenschaft zu unterscheiden. Als letztere i. J. 1861 vom Senate aufgelöst wurde, nahm die Burschenschaft wieder ihre alten Farben an, wie sie ihre Mitglieder noch heute tragen: schwarze Sammetmütze mit schwarz-roth-goldenem Streifen und schwarz-roth-goldenes Band mit goldener und schwarzer Perkussion. Fuchsfarben hat es bei der Burschenschaft Arminia nie gegeben. Am 3. Dezember 1868 entstand eine Spaltung in der Burschenschaft, indem 5 Aktive, denen sich später auch einige „Alte Herren" anschlossen, für Ablegung der schwarz-roth-goldenen Farben stimmten und grün-weiß-rosa Bänder und grüne Mützen zu tragen beschlossen. Da sich jedoch die übrigen Aktiven, die Inaktiven und fast sämmtliche „Alten Herren" gegen diesen Beschluß erklärten, schieden jene aus der Burschenschaft aus und thaten bald darauf im Verein mit Mitgliedern der suspendirten Landsmannschaft Macaria das eingegangene Korps Lusatia (blau-roth-gold, blaue Mütze) zu Breslau wieder auf. Kartellverhältnisse: Im Kartell stand die B. B. Arminia in den fünfziger Jahren mit der Alemannia-Bonn. Im Jahre 1855 schloß sie ein Kartell mit der Germania-Gießen und der Germania-Jena, aus welchem sie 1857 ausschied. Am 4. Juni 1861 trat sie in Kartell mit der Burschenschaft Germania-Halle. Im S.-S. 1886 trat die B. B. Arminia aus dem A. D. C. aus, dem sie seit dem W.-S. 1889/90 wiederum angehört. Kneipe: Hôtel Born, Werderstr. 87.

Cheruscia—Breslau.

Im W.-S. 1875/76 (20. Februar 1876) gründeten einige Mitglieder des akademischen Gesangvereins Leopoldina in Breslau eine schlagende Verbindung unter dem Namen Cheruscia mit den Farben blau-silber-braun. Im Jahre 1879 löste sich eine Landsmannschaft Posnania auf, und die Mehrzahl der Mitglieder trat in die damals sehr schwache Cheruscia ein. Letztere nahm die bisherigen Farben der Landsmannschaft weiß-roth-schwarz, weiße Mütze an. Die Verbindung hatte von

ihrer Gründung an Paukverhältnis mit dem Breslauer D. C. Im B.-S. 1881/82
erfolgte die Meldung und zu Pfingsten 1882 die Aufnahme in den A. D. C. Sie
suspendirte im S.-S. 1892, im B.-S. 1896 wieder rekonstruirt, B.-S. 1899/1900
wieder suspendirt. **Wahlspruch:** Ehre, Freiheit, Vaterland.

Germania—Breslau.

Am 10. November 1859 feierte die Breslauer Studentenschaft den hundertjährigen Geburtstag Schillers durch einen großen Kommers. In begeisterten
Reden wurde der Wunsch nach deutscher Einigkeit, nach einem deutschen Reiche
laut. So wurde ein Vorschlag Rudolf v. Gottschalls begrüßt, der als Sprecher
der alten Breslauer Burschenschaft (Raczeks) den Kommers leitete, die Breslauer
Studentenschaft solle im kleinen dem deutschen Reiche ein Vorbild sein und eine
allgemeine große Verbindung bilden. Bereits am folgenden Tage wurde die
„Allgemeine Studentenverbindung Biadrina" gegründet, der sämmtliche
Verbindungs- und Nichtverbindungsstudenten, mit Ausnahme des S. C., angehörten. Die Biadrina zerfiel. Die einzelnen Verbindungen sonderten sich wieder
ab. Ende des S.-S. 1860 löste sie sich ganz auf. Verschiedene Mitglieder aber
hielten noch zusammen. In den großen Ferien wurden weitere Verhandlungen
mit Gesinnungsgenossen wegen Eintritts in eine neue zu gründende Verbindung
geführt. Sie hatten Erfolg, und so wurde nach der Rückkehr ins Semester sofort
begonnen, die Satzungen auszuarbeiten, auf die sich am 80. November 1860 etwa
vierzig Mann verpflichteten. Alsbald wurde auch beschlossen, eine neue Burschenschaft zu bilden, und am 10. November, gerade ein Jahr nach Gründung der
alten Verbindung, nahm die neue den Namen „Breslauer Burschenschaft
Biadrina" an, mit dem Prinzip der unbedingten Satisfaktion, der Gleichberechtigung aller und der Ausbildung ihrer Mitglieder „zum Dienste eines fest
geeinten, freien deutschen Vaterlandes". Der Wahlspruch war wie noch heute:
„Freiheit! Ehre! Vaterland!" Vorläufig wurden die Farben der alten Biadrina:
schwarz-weiß-gold und schwarze Sammetmütze beibehalten; erst im Januar 1861
beschloß die Allgemeinheit die Farben in schwarz-roth-gold zu ändern und „diese
Farben an der Kopfbedeckung zum Unterschiede von den anderen Burschenschaften
auf weißem Grunde zu tragen". Außer dem Cerevis mit weißem Deckel wurde
der weiße Stürmer angenommen. Am 18. Juni 1861 wurde in der Allgemeinheit
der Antrag gestellt, den Namen „Burschenschaft Biadrina" in „Burschenschaft
Germania" umzuändern. Der Antrag ging durch, und zugleich wurde statt des
alten Biadrinenzirkels der kleine Burschenschafterzirkel angenommen, der bald auf
Ersuchen der Burschenschaft Bratislavia aus „Billigkeitsrücksichten" in den großen
Allgemeinen geändert wurde. Im Jahr 1866 verlangte die Regierung von der
Burschenschaft, daß sie ihre Farben ablege, und nur den Bemühungen und um-
sichtigen Verhandlungen des Sprechers gelang es, das schwarz-roth-goldene Band
weiter tragen zu dürfen.

Mit den beiden anderen Burschenschaften hatte die Germania von Anfang
an gemeinsame Ehrengerichte, die aber öfters durch gegenseitige Verrußerklärungen
unterbrochen wurden. Mit dem S. C. bestand anfänglich Verruf, erst Ende der
sechziger Jahre wurden wiederholt Paukverhältnisse geschlossen, die jedoch meist
nur von kurzer Dauer waren. Dem E. D. C. und A. D. C. trat die Burschenschaft

bei deren Gründung bei. Farben: schwarz-rot-gold mit goldenem Vorstoß. Weißer Stürmer. Wahlspruch: Freiheit! Ehre! Vaterland! Kneipe: Hôtel Oberschloß, Sandstraße 18.

Raczeks—Breslau.

Unmittelbar nach den Befreiungskriegen schließt sich eine Anzahl burschen-schaftlich Gesinnter zusammen. Bekannt ist jedoch von ihr nichts, „als daß sie sich Burschenschaft nannte". Es hielt zu ihr die landsmannschaftliche Verbindung Teutonia, welche wieder durch Vereinigung der beiden schon in Frankfurt a. O. existierenden Landsmannschaften Marchia und Silesia entstanden war. Gründungs-tag dieser Teutonia ist der 20. Mai 1816. Der auf Gesamtdeutschland hinweisende Name, sowie der enge Verkehr mit der Burschenschaft Teutonia zu Halle deuten darauf hin, daß auch dieser Landsmannschaft schon burschenschaftliche Tendenzen zugrunde gelegen haben. Im Sommer und Herbst 1817 erhebt sich im Innern der Teutonia ein heftiger Kampf über die anzunehmenden allgemein burschen-schaftlichen Grundsätze. Im Herbst 1817 erfolgt die Auflösung der Landsmann-schaft Teutonia. Als Gründungsdatum der Breslauer Burschenschaft gilt der 27. Oktober 1817. Der Name der neugegründeten Burschenschaft ist „Teutonia"; Farben: schwarz-rot-weiß. Am 22. November 1819 löst sich die Teutonia auf, um sich am 28. November 1819 als Arminia neu zu konstituieren. Die Farben sind schwarz-rot-gold. Der Name „Raczeks" wird im Jahre 1835 angenommen, und zwar nach dem Namen des Wirtes, bei welchem die Burschenschaft ihre Kneipe hatte. Die Bezeichnung „alte" Breslauer Burschenschaft stammt aus dem Sommer 1847, er wird gebraucht zum Unterschiede von der sich abzweigenden Burschen-schaft Markomannia, welche sich 1850 wieder mit der Mutterverbindung vereinigt, der Burschenschaft Teutonia (1848—1851?) und der Burschenschaft Arminia 1848. Nachdem noch einmal die Burschenschaft im Jahre 1861 das Schicksal einer Auf-lösung von seiten des Senats erfahren hatte, nahm sie nach außen hin den Namen Bratislavia an, behielt jedoch den alten Namen bei, der vom Jahre 1872 an wieder öffentlich geführt werden durfte. Wahlspruch: Freiheit, Ehre, Vater-land. Farben: schwarz-rot-gold. Kartellverhältnisse: Die Burschenschaft war, soweit sich durch die Protokolle der Kartelltage des norddeutschen Kartells ermitteln läßt, seit 1860 Mitglied des genannten Kartells. Am 27. Januar 1869 erfolgt der Austritt der alten Breslauer Burschenschaft Bratislavia (Raczeks) aus dem norddeutschen Kartell. Ein neues Kartell wurde später nicht wieder ge-schlossen, dagegen mit mehreren der früheren Kartellburschenschaften ein engeres Freundschaftsverhältnis unterhalten. Dasselbe besteht noch, namentlich mit Carolina-Prag und anderen Burschenschaften. Kneipe: Altbüßerstr. 11 I.

Buchenruthia—Erlangen.

Die Buchenruthia ist die direkte Fortsetzung der alten Erlanger Burschenschaft Arminia (gegründet 1. Dezember 1817). Diese vereinigte in sich die Renoncen und Landsmannschaften, sowie die Mitglieder der schon am 27. August 1816 ge-gründeten B. Teutonia. Während diese den Wahlspruch „Tugend! Wissenschaft! Vaterland!" und „Dem Biedern Ehr' und Achtung!" und keine studentischen Ab-zeichen geführt hatte, nahm die Arminia den Wahlspruch: „Ehre! Freiheit!

Vaterland!" und die Farben: blau-weiß-grün, die sie aber nach dem Jenenser Burschentag vom 18. Oktober 1818 mit schwarz-rot-gold vertauschte. (Zweiteiliges schwarz-rotes Band mit goldenem Rande, schwarz oben.) Tracht: schwarzer Rock und schwarzes Barett mit silbernem Kreuz oder schwarzer Feder. Nach der im Jahre 1819 infolge der Karlsbader Beschlüsse erfolgten Auflösung bestand die Burschenschaft formlos, doch fest gefügt weiter, um sich dann 1823 abermals mit ähnlichem Erfolge aufzulösen. Durch die Thronbesteigung König Ludwigs I. wurde es der bis dahin als „Allgemeinheit" fortexistierenden Burschenschaft ermöglicht, sich am 6. Juni 1826 wieder aufzutun und im folgenden Jahre den Namen Arminia und die alten Farben wieder anzunehmen. Die anfangs getragene schwarze Mütze mit schwarz-rot-goldener Perkussion wich bald der roten Perkussionsmütze, zuweilen sah man auch schon den goldenen Eichenkranz. Der Zeitströmung und ihrem Triebe nach praktischer Beteiligung am politischen Leben folgend, trat im Jahre 1827 eine Minorität als Germania aus. In Würzburg (Ostern 1829), von einem Burschentag, über dessen Kompetenz man streiten kann, in Verruf gesteckt, ging die Arminia im Jahre 1830 mit Jena und Halle den „arministischen Burschenbund" ein, der jedoch schon zwei Jahre später sich wieder auflöste. Die Folgen des am 3. April 1833 begangenen „Frankfurter Attentats" erstreckten sich auch auf die Arminia. Sie löste sich am 9. Mai 1833 im Bubenreuther „Salettle" auf. Ihre Papiere wurden verbrannt, doch sie selbst lebte fort in Gestalt der „Bubenreuther", die diesen Tag jetzt als ihren Gründungstag feiern. Im W.-S. 1840—41 gab Hans v. Raumer der unter den Folgen der Formlosigkeit leidenden Burschenschaft eine Verfassung, an deren Spitze der Wahlspruch: „Gott! Freiheit! Ehre! Vaterland!" stand, und einen Comment. Das Jahr 1848 mit seiner liberalen und revolutionären Strömung brachte den Bubenreuthern die alten Farben, aber auch den alten germanistischen Zwiespalt zurück, und so trat denn am 7. Dezember 1849 wieder eine Germania unter der Führung von Reitmayr aus. Zu Anfang der 50er Jahre kamen die bis dahin gewohnten Pariser außer Übung und wurden durch Korbschläger ersetzt. Noch einmal, am 12. August 1854, wurden die schwarz-rot-goldenen Farben verboten, am 4. November 1860 aber wieder definitiv angelegt. Am 16. Juni 1857 erklärte sich die Bubenruthia für eine Lebensverbindung und ihre Prinzipien für Philister wie Aktive in gleicher Weise bindend. Wahlspruch: „Gott! Freiheit! Ehre! Vaterland!" Prinzipien: Vaterlandsliebe, Wissenschaftlichkeit und Sittlichkeit. Farben: schwarz-rotes Band mit goldenem Rande. Schwarz unten getragen. Mütze: rot mit goldenem Eichenkranz auf schwarzem Sammetstreifen. Seit 1873 Kranzmütze offiziell. Fuchsfarben gibt es nicht. Kartellverhältnisse: 1840—1843: Kartell mit dem Burgkeller in Jena, welchem Verbande auch vorübergehend die Leipziger „Kochei" angehört. 1856 Februar: Kartell mit der Kieler B. Teutonia, 1856 Sommer: Kartell mit der Tübinger B. Germania, 1857 Sommer: Kartell mit der Heidelberger B. Allemannia, 1857 August: Auflösung des engeren Kartellverbandes mit der Kieler Teutonia, die im folgenden Jahre ganz aus dem Kartell ausscheidet. 5. Februar 1861: Auflösung des Kartells mit der Tübinger Germania. 5. März 1861: Auflösung des Kartells mit der Heidelberger Allemannia. 1. Februar 1862 bis 1880, Sommer: Kartell mit der Burschenschaft Arminia-Jena („das rote Kartell"), dem von 1864—1866 auch die Bonner Alemannen angehören. Kneipe: Bubenreuther Haus.

13

Frankonia—Erlangen.

Die Burschenschaft Frankonia zu Erlangen ist sozusagen ein Kind des A. D. C. Als nämlich auf dem A. D. C.-Tage 1884 zu Eisenach die Burschenschaft Bubenruthia ihren Austritt aus dem A. D. C. erklärte, und sich dadurch eine starke Schwächung des Ansehens befürchten ließ, das derselbe bis dahin in Erlangen genoß, da galt es, die Kraft der erst seit drei Jahren neu geeinigten deutschen Burschenschaft aller Welt und insbesondere der Stadt Erlangen zu zeigen, die schon seit 1817 eine Stätte eifrigen burschenschaftlichen Wirkens gewesen war. Dieses Bestreben führte noch auf dem A. D. C.-Tage zu dem Entschlusse, die Gründung einer neuen Burschenschaft in Erlangen ins Werk zu setzen und sie zu fördern. In sehr kurzer Zeit wurde dieser Beschluß denn auch zur Wirklichkeit, indem am 12. Juni desselben Jahres die Gründung einer neuen Burschenschaft Frankonia durch auswärtige Burschenschafter erfolgte. Sie wurde sofort ohne Renoncezeit in den A. D. C. aufgenommen, welchem sie seitdem ohne Unterbrechung angehört hat. Wahlspruch: Ehre, Freiheit, Vaterland. Farben: weiß-schwarz-roth-weiß v. u. mit silberner Perkussion. Fuchsfarben: vom W.-S. 1889/90 an: weiß-schwarz-weiß mit silberner Perkussion. Kneipe: Apfelstr. 10.

Germania—Erlangen.

Am 27. August 1816 Gründung der Burschenschaft Teutonia zu Erlangen. Dieselbe kann jedoch der Uebermacht der Landsmannschaften gegenüber zu keiner Bedeutung gelangen. In Folge des Wartburgfestes Gründung der „Erlanger Allgemeinen Burschenschaft" am 1. Dezember 1817 (unter gleichzeitiger Auflösung der Landsmannschaften), mit welcher sich bald auch die Teutonia vereinigt. Ihr Wahlspruch war: „Freiheit, Ehre, Vaterland!", ihre Farben anfangs blau-weiß-grün, seit dem Burschentage zu Jena im Oktober 1818 schwarz-roth-gold. In Folge der Karlsbader Beschlüsse wurde die Burschenschaft am 9. Dezember 1819 aufgelöst; sie bestand jedoch im Geheimen fort und konnte auch bald wieder öffentlich als Verbindung auftreten; nachweisbar seit Januar 1820 führte sie den Namen „Germania". Ende 1823 abermals aufgelöst, bestand die Erlanger Burschenschaft heimlich als formlose Vereinigung unter dem Namen „Allgemeinheit", dann aber seit Juni 1826 wieder als organisirte Burschenschaft fort. Am 5. Februar 1827 erfolgte die Trennung der Allgemeinheit in eine Germania und Arminia. Die Germania trägt schwarz-gold-roth mit weißer Mütze; ihr Wahlspruch ist: „Freiheit, Ehre, Vaterland!" Auf den Burschentagen zu Nürnberg (Juni 1827) und zu Würzburg (Ostern 1829) wurde die Germania von der „Allgemeinen Deutschen Burschenschaft" als die einzige und allein berechtigte Erlanger Burschenschaft anerkannt, auf den letzteren außerdem die Arminia (so nannte sich erst nach der Trennung im Gegensatze zu der Germania der andere Theil der Allgemeinheit, wie sie auch erst seit dieser Zeit rothe Mütze mit schwarz-goldener Perkussion trug) in Verruf gesetzt. Nach dem Frankfurter Attentate wurde die Germania im April 1833 aufgelöst; auch die Arminia sah sich anfangs Mai zur Auflösung gezwungen. Die Ueberbleibsel der Germania suchten diese nun als formlose Vereinigung fortzusetzen — gewöhnlich „Wernleinianer" (nach ihrer Kneipe, der Wernleinei) genannt —; doch wurden sie von den Behörden 1837 völlig unterdrückt. Auch die Reste der Arminia suchten die burschenschaftliche Tradition unter dem Namen „Bubenreuther" in Erlangen fortzupflanzen. Erst im

W.-S. 1840/41 gelang es ihnen, durch die Aufstellung einer Verfassung sich als organisirte Burschenschaft aufzuthun. Bald aber machten sich auch in der Bubenruthia, welcher sich in der Folge, als sie nach der Auflösung der Wernleiniäner die einzige burschenschaftliche Vereinigung in Erlangen war, Alles anschloß, was der Sache der Burschenschaft zugethan war, wie früher in der Allgemeinheit, die alten germanistischen und arministischen Gegensätze geltend, und so erfolgte denn am 7. Dezember 1849 eine abermalige Trennung der Erlanger Burschenschaft in Germanen und Bubenreuther. Die neue Germania nahm die Farben, den Zirkel (welchen schon die Burschenschaft von 1820 geführt hatte), Wahlspruch und in der Hauptsache auch die Verfassung der alten Germania an und erneuerte diese dadurch. Von den zahlreichen ehemaligen Mitgliedern der alten Germania wurde sie auch als Fortsetzerin derselben anerkannt, und sie schlossen sich ihr zum großen Theile förmlich an. Der Gründungstag der jetzigen Germanen ist der 12. Dezember 1849. Wahlspruch: „Freiheit, Ehre, Vaterland!" Farben: schwarz-gold-roth (v. u.); Mütze: weiß mit schwarz-gold-rother Percustion. In Folge des Verbotes der „deutschen Farben" trug die Germania vom 14. März 1856 bis zum 12. Dezember 1860 roth-weiß-grün mit rother Mütze. Kartellverhältnisse: Sogleich nach ihrer (Wieder-) Gründung schloß die Germania ein Kartell mit der Burschenschaft Teutonia in Jena. Dieses Kartell betrachtete sich als die direkten Fortsetzer und zur Zeit alleinigen Mitglieder der Allgemeinen Burschenschaft und versagten allen anderen sich „Burschenschaft" nennenden Verbindungen die Anerkennung. Im Sommer 1859 trat dem Kartell auch die Burschenschaft Teutonia in Kiel bei. Auf dem Burschentage zu Eisenach, Pfingsten 1861, vereinigten sich die Germania-Erlangen und Teutonia-Jena mit dem bereits bestehenden Kartell der Alemannia-Heidelberg und Germania-Tübingen und schlossen das „Süddeutsche Kartell" — offiziell „Allgemeine Deutsche Burschenschaft" genannt — ab. Zugleich wurde die Hallenser Burschenschaft Alemannia a. d. Pflug aufgenommen, während mit der Kieler Teutonia in Unterhandlung getreten wurde, welche auch im Mai 1862 in das Kartell eintrat. Dasselbe erweiterte sich in demselben Jahre noch durch die von Kartellmitgliedern ausgehende Gründung der Burschenschaft Normannia in Göttingen, welche sich jedoch nach kurzem aber glanzvollem Bestehen wieder auflöste. In den Sommer 1872 fällt der Austritt der Alemannia a. d. Pflug. Die Germania-Erlangen selber trat aus dem „Süddeutschen Kartell" im W.-S. 1882/83 aus, am 25. Juni 1895 trat sie dem Süddeutschen Kartell wieder bei. Kneipe: Germanenhaus.

Alemannia—Freiburg.

Der Zweck der Gründung der Alemannia-Freiburg war, die Gleichberechtigung aller Studenten in studentischen Fragen zu vertreten; deshalb in den sechziger Jahren Anschluß an die Burschenschaft Teutonia und gemeinsames Auftreten mit derselben. Gründungsdaten: 26. Juni 1860: als „akademischer Verein" (suspendirt 1864 - 67). 19. Januar 1872: Name verändert in „akademische Verbindung Alemannia". 24. Januar 1879: als „Burschenschaft Alemannia" in den E. D. C. übergetreten. Wahlsprüche: „Auf ewig ungetheilt!" und (seit 1879) „Ehre, Freiheit, Vaterland!" Farben: 1867—1868 blau-weiß-blau, sonst immer blau-weiß-grün (bis 1864 nicht getragen). Füchse blau-weiß. Mütze blau (keine Fuchsmütze). Kartellverhältnisse. 16. Januar 1872: Kartell mit

13*

„Vorarlbergia", jetzt „Burschenschaft Suevia" in Innsbruck. 5. Februar 1876: Kartell mit „Verbindung Schottland", in Tübingen. 23. Oktober 1878 sind beide Kartelle aufgehoben. Paukverhältnisse: Seit 1871—76 mit Teutonia und mit dem S. C., 1876—78 nur mit dem S. C., 1878—79 nur mit D. C. Kneipe: Milchstr. 5.

Frankonia—Freiburg.

Die Gründung der Frankonia-Freiburg erfolgte am 80. Juni 1877 als Burschenschaft mit dem Grundsatz der unbedingten Satisfaktion durch Mitglieder der Alemannia-Marburg, Germania-Breslau, Rugia-Greifswald, Germania-Berlin, Germania-Leipzig und Teutonia-Freiburg. Mit letzterer trat die Burschenschaft zum Freiburger D. C. zusammen und wurde in den Eisenacher D. C. aufgenommen. Im Sommer 1881 beteiligte sie sich an der Gründung des A. D. C. Wahlspruch: Freiheit, Ehre, Vaterland. Farben: roth-weiß-grün (rosa-weiß-moosgrün) von unten mit silberner Perkussion. Fuchsfarben: weiß-grün (Fuchsband und seit 1887 auch Fuchsmütze). Kartellverhältnisse: Violett-grünes Kartell mit der Burschenschaft Alemannia zu Marburg seit Januar 1879. Kneipe: Salzstr. 83.

Saxo-Silesia—Freiburg.

Am 18. Januar 1885 gründeten 7 auswärtige Mitglieder des Cob. L. C. die Landsmannschaft „Septentrionia" mit den Grundprinzipien des Coburger L. C. Mit dem Sommersemester desselben Jahres wurde sie in den Coburger L. C. unter dem Namen „Saxo-Silesia" aufgenommen und gehörte ihm bis zur Auflösung im Wintersemester 97/98 an. Mit den Landsmannschaften Ghibellinia-Tübingen, Makaria-Würzburg und Budissa-Leipzig bestand ein Freundschaftsverhältniß. Gepaukt wurde in den ersten Jahren mit dem Freiburger B. C. nach Abbruch des Paukverhältnisses mit der damals aus dem A. D. C. ausgetretenen Burschenschaft Teutonia und sodann mit der freien schlagenden Verbindung und späteren Landsmannschaft Cimbria. Gleich nach ihrem Austritt aus dem Coburger L. C. schloß Saxo-Silesia ein Paukverhältnis mit dem Freiburger D. C. und meldete sich Pfingsten 1898 zum A. D. C. Farben: schwarz-weiß-schwarz. Fuchsfarben: schwarz-weiß. Schwarze Mütze mit Silberperkussion, im Winter weißes Pelzcerevis. Wahlspruch: „Virtus veritatis vindex!" Kneipe: Zum Storchen, Schiffstraße 7. Briefablage: Alte Burse.

Teutonia—Freiburg.

Die Burschenschaft war in Freiburg schon seit 1818 bis Anfang der dreißiger Jahre durch die Germania und in den vierziger Jahren durch die Arminia vertreten. Endgültig festen Boden faßte sie jedoch erst, als am 5. Juni 1851 zwölf Studenten, eine alte Gymnasialfreundschaft fortsetzend, die Burschenschaft „Teutonia" stifteten, in der Absicht, dem Studentenleben an der Freiburger Hochschule freiere Formen zu verleihen. Lebhaft wurde dieses Bestreben unter der Studentenschaft begrüßt, so daß sich der Teutonia, die sich außerdem auf die Traditionen der Germania und Arminia stützte, sofort Aussicht auf ein blühendes Fortbestehen eröffnete. Andererseits aber waren die ersten Jahre ihres Bestehens ernste und gefahrvolle Zeiten des steten Kampfes mit den Korps und der Verfolgungen und Verdächtigungen seitens der städtischen Behörden, die in der Teutonia einen verbotenen politischen Verein sahen. In den fünfziger Jahren schloß die Teutonia mit dem S. C. (seit 1815 vertreten durch 2 Korps) ein Paulverhältniß ab, das jedoch durch Verrufserklärungen mehrfach Unterbrechungen erlitt. Das später mit der akademischen Verbindung (jetzt Burschenschaft) Alemannia abgeschlossene Paulverhältniß wurde 1876 gelöst. Die Gründung einer zweiten Burschenschaft, der Frankonia (1877) wurde daher in dem Wunsche, ein geregeltes Paulverhältniß zu bekommen, durch Abgabe von Mitgliedern unterstützt. Dem E. D. C. und dem A. D. C. gehörte die Burschenschaft Teutonia von deren Gründung ab an; doch trat sie aus letzterem Pfingsten 1888 aus. Sie reicht auf dem A. D. C.-Tag im November 1891 wieder ein Aufnahmegesuch ein. Die endgiltige Wiederaufnahme erfolgte auf dem C.A.D.-Tage im Sommer 1892. Farben und Zirkel: Die Burschenschaft Teutonia führt den kleinen oder allgemeinen Burschenschafter-Zirkel. Da zur Zeit ihrer Gründung das Tragen der Farben schwarz-roth-gold verboten war, so trug man grün-gold-rothes Band (o. u.) und grüne Mütze. Erst 1860 gelang es, die Erlaubniß zum Tragen der deutschen Farben neben den Verbindungsfarben zu erwirken. Von da ab wurde bis 1876 rothe Mütze, dann rother Stürmer und das schwarz-roth-goldne Band getragen. Die Füchse tragen seit 1887 schwarz-gold-schwarzes Band. Wahlspruch: „Voran und beharrlich!" und „Freiheit, Ehre, Vaterland!" Kartellverhältnisse: Im Jahre 1855 kam ein Freundschaftsverhältniß mit Germania-Giessen zum Abschluß; dasselbe wurde, da die Germania-Giessen schon seit 1855 mit Germania-Jena und Arminia-Breslau engeren Verkehr pflegte, auch auf diese Burschenschaften ausgedehnt. Ferner wurde Ende 1856 und Anfang 1857 dem Wunsche der Heidelberger Saxonen und Würzburger Teutonen (Arminen), in ein Freundschaftsverhältniß mit uns einzutreten, entsprochen. Als dann, in Folge einer in der Arminia-Breslau hervorgetretenen Spaltung, die Jenenser und Giessener Germanen ihr Kartell mit der Arminia-Breslau im Sommer 1857 aufhoben, eröffnete sich für Germania-Jena Aussicht auf Abschluß eines Kartells mit Teutonia-Freiburg, Teutonia- (Arminia) Würzburg und Saxonia-Heidelberg und auf Erneuerung des schon bestehenden mit Germania-Giessen. Diesem Kartell, dessen Abschluß anläßlich der 400jährigen Jubelfeier der Universität Freiburg zustande kam, und für das seit Wintersemester 1859—60 der Name „norddeutsches Kartell" angenommen wurde, gehörte die Burschenschaft Teutonia bis zu seiner Auflösung an. Kneipe: Rheinhalle.

Alemannia-Giessen.

Am 11. Dezember 1861 Gründung des Studentenvereins Alemannia (Farben: blau-roth-gold, gelbe Mütze), aus welchem sich am 21. Januar 1862 die Verbindung Alemannia (blau-roth-gold, hellblaue Mütze, constituirt. Am 14. November 1861 erklärt sich die Verbindung zur Burschenschaft mit unbedingter Satissaltion und schließt mit der Burschenschaft Germania Paulverhältniß ab. W.-S. 1867/68 erfolgt auf Grund einheitlicher Statuten Gründung eines Giessener D. C., der jedoch in Folge der im W.-S. 1872/37 erfolgenden Suspension der Germania sich wieder

auflöft. S.-S. 1875 führt Alemannia Fuchsbänder: blau-roth-blau ein. Am
8. Dezember 1875 erfolgt Suspension wegen Mitgliedermangel. Am 5. März 1877
Studentenversammlung zwecks Rekonstitution der Burschenschaft, die endgültig am
16. April 1877 sich vollzieht. Es erfolgt am 5. Januar 1878 Rekonstitution des
C.D.C. W.-S. 1878/79 erfolgt Aufnahme der Alemannia in den C.D.C. Am
13. November 1879 erfolgt neuer Bruch des D.C.-Verhältnisses, Alemannia schließt
Paukverhältniß mit Frankonia-Bonn ab. Alle Streitigkeiten erledigen sich durch
Eintritt beider Burschenschaften in den A.D.C. im Juli 1881. S.-S. 1885
suspendiert Germania, wird jedoch W.-S. 1888 89 durch Alemannia rekonstituirt.
Wahlspruch: „Eintracht schafft Macht." Farben: hellblau-dunkelroth-gold.
Fuchsfarben: hellblau-dunkelroth-hellblau. Kneipe: Longs Bierkeller.

Germania—Giessen.

Die Burschenschaft Germania ist am 14. August 1851 von Mitgliedern des
„Treubundes", einer Verbindung mit burschenschaftlichen Tendenzen, gegründet
worden. Die Farben waren ursprünglich schwarz-roth-grün und schwarze Mützen.
Im März 1858 wurden statt der letzteren hellrote Mützen mit schwarz-roth-grüner
Perkussion eingeführt. Das Prinzip der unbedingten Satisfaktion wurde am
15. Dezember 1858 ausdrücklich zum Statut erhoben und wurde hierauf ein Paukverhältniß mit dem S.C. abgeschlossen, das beide Theile als völlig gleichberechtigte
Parteien anerkannte. Das Paukverhältniß wurde am 16. Januar 1860 von beiden
Seiten abgebrochen, und es bestand von da an ein gegenseitiger Verruf. Am
28. Januar 1861 wurde das schwarz-roth-goldene Band wieder eingeführt, und
erhielt dieser Beschluß seitens des Großherzoglichen Ministeriums zu Darmstadt
am 9. März 1861 die nachgesuchte Genehmigung. Verhandlungen mit dem S.C.
führten hierauf zu einem vorübergehenden Paukverhältniß. Der Name „Burschenschaft" konnte nach vielen Kämpfen erst im Jahre 1863 angenommen werden,
und erst am 18. Juni 1863 wurde die Burschenschaft Germania seitens des
Senats offiziell anerkannt. Mit der neu gegründeten Alemannia wurde am
14. November 1863 ein Paukverhältniß abgeschlossen, am 12. Februar 1868 wurde
der D.C. gegründet. Von Ende der sechziger Jahre bis zum Jahre 1876 wurde
der kleine Burschenschafterzirkel geführt. Im April 1872 erfolgte die erste
Suspension, im Mai 1885 die zweite. Die erste Rekonstitution erfolgte im S.-S.
1876, die zweite im Oktober 1888 seitens dreier von der Gießener Alemannia be-
urlaubter Mitglieder. Farben: Im S.-S. 1888 wurde neben dem schwarz-roth-
goldenen Bande das schwarz-roth-grüne Band als Ehrenband angelegt. Die Mütze
ist ziegelroth. Wahlspruch: Gott, Ehre, Freiheit, Vaterland. Kneipe: Restaurant
Andrees Weidig, Sonnenstr. 12.

Alemannia—Göttingen.

In Göttingen bestand im W.-S. 1879/80 neben 11 Korps nur die Burschenschaft Brunsviga. Zur besseren Vertretung der burschenschaftlichen Sache traten
aus der Burschenschaft Brunsviga 7 Mitglieder aus und gründeten am 16. April
1880 die Burschenschaft Alemannia mit den Farben violett-weiß-roth, violetter
Mütze. Wahlspruch: Ehre, Freiheit, Vaterland. Im Sommersemester 1881
betheiligte sich die Burschenschaft an der Gründung des A.D.C. Im S.-S. 1884

war sie einzige Burschenschaft am Orte, und auf ihre Veranlassung und mit ihrer Unterstützung wurde die Burschenschaft Hannovera rekonstituirt. Am 27. April 1888 mußte die Burschenschaft wegen Mangels an Mitgliedern suspendiren, wurde jedoch am 14. Juli 1891 von einigen älteren Mitgliedern rekonstituirt, zugleich traten die Mitglieder einer hier seit dem 9. November 1886 bestehenden, nicht farbentragenden, burschenschaftlichen Vereinigung Teutonia vollzählig zu ihr über. Kneipe: Alemannenhaus.

Brunsviga—Göttingen.

Am 2. Juli 1848 wurde die Brunsviga als Verbindung mit progressistischer Tendenz aufgethan. Im Jahre 1850 ging von ihr die Anregung zur am 19. August auf der Wartburg erfolgten Gründung des „Deutschen Burschenbundes" aus. Seitdem führt sie neben den alten Farben blau-weiß-gold auch schwarz-roth-gold und den Namen Burschenschaft. Am 18. Dezember 1861 wurden neue arministische Tendenzen angenommen und am 14. Oktober 1862 die seitdem unveränderten Farben schwarz-roth-gold (rothe Mütze) zuerst öffentlich getragen. Die Brunsviga leitete Pfingsten 1865 zu Eisenach die Verhandlungen, deren Frucht der „Allgemeine deutsche Burschenbund" war. Austritt schon 1866. Im Januar 1870 Eintritt in die Eisenacher Konvention. Dem E. D. C. trat die Brunsviga am 10. November 1874 bei, nachdem sie im Sommer 1873 aus der Konvention ausgeschieden war. Am 15. April 1880 wurde von einigen Mitgliedern der Brunsviga zur Bildung eines D. C. die Burschenschaft Alemannia zu Göttingen aufgethan. Am 20. Juli 1881 Betheiligung an der Gründung des A. D. C. Am 10. März 1884 Suspension der Burschenschaft wegen numerischer Schwäche; Rekonstitution am 30. Juli 1886. Bei ihrem 50jährigen Stiftungsfest bezog Brunsviga ihr eigenes Haus. Wahlspruch: Per aspera ad astra. Kartell: 1855 Schwarzburgbund mit Germania zu Marburg und dem Pflug zu Halle (bis 1860), 1875 bis 1881 mit Arminia zu Marburg. Seitdem kein Kartell. Freundschaftliches Verhältniß mit Arminia-Jena, Bubenruthia-Erlangen, Alemannia-Bonn und Arminia-Marburg. Im W.-S. 1896/97 scheidet Arminia-Marburg aus dem Rothen Verbande aus. Kneipe: Brunsvigenhaus.

Hannovera—Göttingen.

Am 13. Mai 1848 wurde in Göttingen die Progreßverbindung Hannovera mit burschenschaftlichen Prinzipien, sowie dem Wahlspruch: „Freiheit durch Einigkeit!" und dem Prinzip der bedingten Satisfaktion gegründet. Sie trat schon im Jahre 1850 in freundschaftliche Beziehung zu der Bonner Alemannia, Hallenser Magdeburgia und in den fünfziger Jahren zur Bonner Franconia. Ein Verein der Hannoveraner hatte schon von 1845 bis 1848 in Göttingen existirt, der den Anstoß zur Gründung der Progreßverbindung gegeben hat. Farben: grün-weiß-roth, dunkelgrüne Mütze. Keine Fuchsfarben. Füchse erhielten gleich das volle Band. Als im Anfang der sechsziger Jahre der von der Hannoverschen Landesregierung verbotene Name „Burschenschaft" freigegeben wurde und mit Ende der sechsziger Jahre die Verbindung „Brunsviga" diesen Namen zuerst angenommen hatte, löste sich am 9. Januar 1861 die Progreßverbindung „Hannovera" auf und konstituirte sich am 13. Januar 1861 als Burschenschaft gleichen Namens, mit den gleichen Farben, dem gleichen Wahlspruch und denselben Statuten, nur mit dem Prinzip der unbedingten Satisfaktion. Im Jahre 1878 W.-S. wurde in Folge der korpsfreundlichen Neigungen einiger Mitglieder und des schlechten Verhältnisses mit der „Brunsviga" die Burschenschaft in das Korps „Hansea" umgewandelt. Von den ca. 250 a. H. der Burschenschaft schlossen sich dem Korps nur etwa 12 an, von denen 8 zur rekonstituirten Burschenschaft zurücktraten. Am 19. Juli 1884 wurde die Burschenschaft „Hannovera" von 1 Berliner Germanen, 3 Hallenser Franken, 1 Münchener Arminen und 1 Würzburger Cimber wieder rekonstituirt. Sie behielt Farben und Zirkel bei, nahm aber die Fuchsfarben grün-weiß an. Am Schluß des W.-S. 1889/90 in Folge der Exklusion c. i. eines früheren Mitgliedes von dem Senat auf zwei Semester suspendirt und am 27. April 1891 rekonstituirt. Kartellverhältnisse: Im Jahre 1869 wurde das grün-weiß-rothe Kartell mit der Jenenser Germania und Heidelberger Frankonia gegründet, gleichzeitig auch ein engerer Verkehr mit der Berliner Germania und Leipziger Dresdensia gepflogen. Am 23. Juli 1896 schloß sie mit der Bonner Frankonia das „weiße Kartell". Kneipe: „Union", Hospitalstraße.

Germania – Greifswald.

Innerhalb der in Greifswald seit 1856 bestehenden Burschenschaft Rugia trat zu Anfang des Jahres 1862 eine Spaltung ein, indem namentlich die jüngeren Mitglieder durch verschiedene Reformvorschläge ihre deutliche Absicht kundgaben, fernerhin aktive Politik zu treiben, ein Prinzip, das den älteren Leuten widerstrebte. Diese traten daher am 24. Januar 1862 in größerer Anzahl aus und gründeten noch am selben Tage eine neue Burschenschaft mit dem Namen Germania, welche die Farben schwarz-roth-gold v. u. mit goldener Perkussion, schwarze Sammetmützen annahm und im Wappen als Devise führte: „Dem Bunde treu und treu dem Vaterland! Die Grundfarbe der Mütze wurde W.-S. 1871/72 in violett geändert, desgleichen das Band mit violetter Perkussion versehen; endlich wurden seit S.-S. 1883 statt der Sammetmützen solche von Tuch getragen. Die Burschenschaft Germania betheiligte sich von vornherein in regster Weise an allen Bestrebungen, eine Vereinigung der deutschen Burschenschaften zu Wege zu bringen; sie war im S.-S. 1863 unter den 13 Burschenschaften, welche der Einladung der Burschenschaft Brunsviga zu einem Burschentage nach Eisenach folgten; dem dort konstituirten E. B. B. gehörte sie bis W.-S. 1868/69 an, um sich W.-S. 1874/75 sofort wieder an der Gründung des E. D. C. und S.-S 1881 an der des A. D. C. zu betheiligen. Farben: schwarz-roth-gold v. u. mit violetter Perkussion, violette Mützen (großes Format). Fuchsfarben: werden nicht getragen. Wahlspruch: Dem Bunde treu und treu dem Vaterland! Kartellverhältnisse hat die Burschenschaft nie gehabt, doch stand und steht sie in näheren Beziehungen zur Germania-Leipzig, Germania-Breslau, Brunsviga-Göttingen u. a. Kneipe: Hotel Greif.

Rugia — Greifswald.

Schon früher hatte in Greifswald eine Burschenschaft Alemannia existirt, doch war dieselbe aufgelöst worden. Da wurde zu Beginn der fünfziger Jahre ein wissenschaftlicher Verein gegründet, erst unter dem Namen „Französisches Kränzchen", dann als wissenschaftlicher Verein, der u. a. auch besonders den Korps gegenübertrat. So geschah es, daß, als im Jahre 1866 bei der vierhundertjährigen Jubelfeier der Universität auch alte Burschenschafter nach Greifswald kamen, sie bei dem wissenschaftlichen Verein verkehrten, da die Anschauungen seiner Mitglieder den burschenschaftlichen Ideen am nächsten standen. Durch diesen Verkehr wurden andererseits auch die Mitglieder des wissenschaftlichen Vereins zu den Burschenschaften hingezogen, und so geschah es, daß noch im selben Jahre, 5. Juni 1866, der wissenschaftliche Verein sich als Burschenschaft konstituirte und daneben den Namen „Rugia" annahm. Die Farben waren roth-weiß-grün und der Wahlspruch: „Nunquam retrorsum". Später wurde dann eine Zeit lang statt des roth-weiß-grünen Bandes das schwarz-roth-goldene getragen. Doch bald trat, nachdem eine Zeit lang beide Bänder nebeneinander getragen waren, die Rückkehr zu den alten Farben ein. Fuchsfarben hat die Burschenschaft „Rugia" nie geführt. Die Mütze ist hellroth. Augenblicklich steht die Burschenschaft „Rugia" in keinem Kartellverhältniß, vor Gründung des E. D. C. bildete sie zusammen mit der Berliner Burschenschaft „Germania" und der Leipziger Burschenschaft „Tresdensia" das schwarz-roth-violette Kartell, dessen Streben auf Einigung sämmtlicher deutschen Burschenschaften ging. Die Anregung zur Gründung des E. D. C. ging von der Burschenschaft „Rugia" aus, und als derselbe gegründet wurde und somit der Zweck des Kartells erreicht war, löste sich dasselbe auf. Kneipe: Karlsplatz 3.

Alemannia a. d. Pflug—Halle.

Die Burschenschaft Alemannia a. d. Pflug entstand aus einem theologischen Verein, der auf Anregung Tholuck's zur Ausbreitung des Christenthums unter den Studenten gegen 1840 gegründet wurde. Eine Reform dieses lassen- und statutenlosen Vereins wurde auf Antrag des stud. theol. Carl Schröder aus Münster am 20. Juni 1843, dem Gründungstage der späteren Burschenschaft Alemannia a. d. Pflug, vorgenommen und langsam durchgeführt. Die Verbindung nahm den Namen „Verbindung Pflug" an und schaffte sich eigene Waffen an. Es wurde als Prinzip aufgestellt: Ehrenhaftigkeit, Sittlichkeit, Wissenschaftlichkeit und Vaterlandsliebe, und der Pflug war somit Burschenschaft, obwohl er der ungünstigen Verhältnisse wegen sich nicht so nennen konnte. 1857 mußte auf Verlangen des ehemaligen Senats das Wort Vaterlandsliebe in den Satzungen gestrichen werden. Satisfaktion wurde mit Genehmigung eines Ehrengerichts gegeben. Bis Ostern 1846 gehörte der Pflug der Allgemeinheit an, welche aus dem Fürstenthal und anderen korpsfeindlichen Verbindungen bestand. Darauf gründete er mit den Magdeburgern, Salingern und Normannen einen sogenannten Ch.-K. (Chargirtenkonvent), der jedoch nicht lange dauerte. Der Pflug vertrat denselben auch 1848 auf der Wartburgversammlung und betheiligte sich in seinem Namen an einer Adresse an das Frankfurter Parlament. Im Jahre 1851 schloß er mit der Neoborussia, Salingia und Normannia den Hallenser T. C., aus welchem er 1863 austrat. Nach Annahme der Statuten der allgemeinen deutschen Burschenschaft konstituirte sich der Pflug am 5. November 1860 unter dem Namen Burschenschaft auf dem Pfluge als Burschenschaft und wurde gleichzeitig Lebensverbindung. Am 1. Dezember 1866 wurde der Name Burschenschaft der Pflüger angenommen, welcher am 10. Februar 1867 in Burschenschaft Alemannia a. d. Pflug verwandelt wurde. Dem Eisenacher Burschenbund trat die Alemannia a. b. Pflug nicht bei, wohl aber betheiligte sie sich an der Gründung der Eisenacher Konvention. Nachdem dieselbe aufgelöst war, trat sie sofort dem E. D. C. bei, aus welchem sie jedoch am 31. Dezember 1880 ausschied. Dem A. D. C. gehört sie seit dessen Gründung an. Farben: Am 2. März 1847 Annahme eines Symbols mit den Farben schwarz-violett-gold und eines diesen Farben angemessenen Wappens. 28. Mai 1848 Annahme des schwarz-roth-goldenen Bandes mit violetter Perkussion, an dessen Stelle am 18. Mai 1849 das violett-weiß-goldene trat. 5. November 1860 Annahme des schwarz-roth-goldenen Bandes bei festlichen Gelegenheiten. Die Mütze, die seit 1845 getragen wird, hat violette Grundfarbe, welche einen Zusammenhang mit dem burschenschaftlichen Roth bezeichnen sollte, unten violett-weiß-goldenen Besatz und oben goldene Perkussion. Fuchsfarben: violett-weiß-violett. Wahlspruch: Gott, Freiheit, Vaterland, altdeutsche Treue. Kartellverhältnisse: 1855—57 bildete die Alemannia a. b. Pflug mit der Brunsviga und der Marburger Germania den Schwarzburgbund. 1861 wurde sie in das Süddeutsche Kartell aufgenommen, aus welchem sie 1872 austrat. Kneipe: Pflug.

Germania—Halle.

Im Herbste 1860 hatte sich in Halle eine „freie judenische Vereinigung" gegründet, die eine Vertretung der nicht farbentragenden Studentenschaft bezweckte. Der Verein löste sich bereits Mitte November 1860 auf, und eine größere Anzahl der früheren Mitglieder beabsichtigte, eine Burschenschaft zu gründen. Verschiedene Studentenversammlungen, bei denen zum Theil frühere Burschenschafter zugegen waren, gaben die Veranlassung, daß sich verschiedene Hallenser Studenten bereit erklärten, sich an der Gründung einer Burschenschaft zu betheiligen. Bald darauf wurden die Statuten festgestellt und dem Universitätsgericht zur Genehmigung vorgelegt. Am 28. Januar 1861 wollte die Burschenschaft Germania ihre Farben schw.-r.-g. zum ersten Male öffentlich zeigen. An diesem Tage feierte die Burschenschaft ihren Stiftungskommers. Somit steht als Gründungsdatum der 28. Januar 1861 fest. Nach kurzem Bestehen wurde die Germania am 10. März 1862 vom Rektor und Senat der Universität aufgelöst. Die Rekonstitution erfolgte unter dem Namen Franconia, den die Burschenschaft mit Unterbrechungen bis zum Jahre 1893 beibehalten hat. Gleich in den ersten Jahren ihres Bestehens war die Franconia lebhaft bestrebt, die Einigung sämmtlicher deutschen Burschenschaften herbeiführen zu helfen. So betheiligte sie sich an der Gründung des Eisenacher Burschenbundes. Beim Ausbruch des Krieges 1870/71 mußte die Burschenschaft auf einige Tage suspendieren, da zahlreiche Mitglieder ins Feld zogen. Die nächsten Jahre ihres Bestehens sind charakterisirt durch das Bestreben, einen örtlichen D. C. mit der Burschenschaft Alemannia a. d. Pflug abzuschließen. Jedoch gelang dies erst im Jahre 1879. Damit war ein wichtiger Schritt gethan zur erfolgreichen Vertretung der burschenschaftlichen Sache in Halle. Dem E. D. C. und später dem A. D. C. trat die Franconia sofort bei. Im W. S. 1893 nahm die Burschenschaft ihren alten Namen Germania wieder an. Im S. S. 1896 bezog die Germania ihr eigenes Heim am Jägerplatz, das gelegentlich ihres 35jährigen Stiftungsfestes

eingeweiht wurde. Farben: Die alten Farben schw.-r.-g. wurden 1879 in
weiß-r.-g., 1893 wieder in schw.-r.-g. u. u. umgewandelt. Fuchsfarben roth-gold
u. u. mit schwarzer Perkuffion. Die Franconia trug rothe Stürmer, die Germania
trägt kleine ziegelrothe Mützen mit schw.-r.-g. Perkuffion am unteren Rande.
Wahlspruch: Freiheit, Ehre, Vaterland. Kneipe: Germanenhaus, Jägerplatz 30a.

Salingia—Halle.

Die Verbindung „Salingia" zu Halle a. S. wurde am 17. Dezember 1845
gegründet, und zwar wie die meisten der damals entstehenden Verbindungen aus
Oppofition gegen die Herrschaft der Corps. Im Jahre 1846 trat die Salingia
mit dem Pflug, den Magdeburgern, dem Fürstenthal und den Normannen zu dem
sogenannten Ch. C. (Chargirtenconvent) zusammen. Obwohl derselbe nur kurze
Zeit bestand, war die Verbindung zur Zeit der Wartburgversammlung, an der
sie theilnahm, noch sein Mitglied. Als Folge dieser Versammlung vom Jahre
1848 trat eine Spaltung zwischen Konservativen und Liberalen in der Verbindung ein: die konservative Partei behielt die Oberhand, während die liberal Gesinnten ausscheiden mußten; ein Theil derselben gründete die noch heute bestehende
Neoboruffia. Im Jahre 1850 betheiligte sich die Salingia an der Gründung
des deutschen Burschenbundes und gehörte demselben während der kurzen Dauer
seines Bestehens (bis 1852) an. 1851 schloß sie mit dem Pfluge, der Neoboruffia
und der Normannia den Hallenser D. C. Eine zweite Spaltung der Verbindung
fand im Jahre 1856 statt; ein Teil der Mitglieder gründete die noch jetzt bestehende christliche Verbindung Tulsconia. Ein Kartell schloß die Salingia im
W.-S. 1876/77 mit der Boruffia—Tübingen, das sich jedoch durch den im S.-S.
1877 stattfindenden Austritt der Boruffia in den S. C. wieder löste. Ferner bestand ein Kartell zwischen der Verbindung und den Burschenschaften Bubenruthia-
Erlangen und Allemannia-Bonn. In freundschaftlichen Beziehungen stand die
Verbindung außerdem zu zahlreichen Korporationen burschenschaftlichen Geistes, die
im Laufe der Zeit fast sämmtlich dem A. D. C. beigetreten sind, z. B. Alemannia
a. d. Pflug-Halle, Germania-Leipzig, Arminia-Jena, Allemannia-Heidelberg und
vielen anderen. Am 1. November 1877 meldete sich die Altivilas der Verbindung
Salingia zum Corps unter Protest fast sämmtlicher A. H. A. H., welche die Ver-
bindung für suspendirt erklärten und einen Verband alter Verbindungsalinger
gründeten. Unter den Conventen dieser Letzteren ist besonders der am 5. August
1894 in Halle aus Anlaß des 200jährigen Univerfitätsjubiläums abgehaltene von
Wichtigkeit. Auf demselben sprachen die A. H. A. H. der Verbindung folgende
Resolution aus: „Die alten in Halle versammelten Salinger erklären für den
Fall, daß eine Verbindung Salingia mit den alten Prinzipien und dem alten
Geiste wieder erstehe, diese Verbindung als Fortsetzung der alten betrachten und
nach Kräften unterstützen zu wollen." Nicht lange darauf fanden sie Gelegenheit,
ihr Wort einzulösen. Im S.-S. 1896 traten 16 ehemalige Mitglieder des
Hallenser B. D. St. mit den A. H A. H. der Verbindung Salingia in Fühlung.
Während einerseits die individuellen Anschauungen des B. D. St. über studentische
Sitten und Gebräuche in der Folgezeit zum vollständigen Abbruch aller Be-
ziehungen mit dem genannten Vereine führten, kam es im weiteren Verlaufe der
Verhandlungen mit den A. H. A. H. der Verbindung Salingia zu einem am

13. Juli 1896 in Stadt Hamburg stattfindenden Convent, auf dem die Neu-
gründung endgültig beschlossen wurde. Schon am 18. Juni 1896 erfolgte die
Verwirklichung dieses Beschlusses. Im W.-S. 1896/97 vollzog sich der Abschluß,
bezw. die Erneuerung des Paukverhältnisses zwischen dem Hallenser D. C. und
der Verbindung. Außerdem steht die Verbindung mit dem B. C. auf schwere
Waffen. In das S.-S. 1897 fällt der Eintritt der Verbindung in die Delegirten-
Versammlung (Lokaler Verband der wichtigsten Korporationen). In demselben
Semester gründete die Verbindung in Gemeinschaft mit dem D.C. eine „akademische
Ortsgruppe des alldeutschen Verbandes". In den A.D.C. wurde die Verbindung am 13. Januar 1898 als renoncirende Burschenschaft aufgenommen; ihre
definitive Aufnahme erfolgte am 1. Februar 1899. Farben: Die Farben der
Burschenschaft sind schwarz-roth-weiß von unten gelesen. Die Abzeichen bestehen
in schwarz-roth-weißem Bande (Fuchsband: schwarz-roth) mit silberner Perkussion
und rother Mütze mit schwarz-roth-weißem Besatz und weißer Perkussion am
oberen Rande. Füchse tragen die gleiche Mütze. Wahlspruch: „Treu! Fest
Wahr!" Kneipe: Salingerhaus, Laurentiusstr 13.

Allemannia—Heidelberg.

Die Burschenschaft Allemannia-Heidelberg wurde gestiftet am 7. November
1856. Sie hat den Wahlspruch: Einer für Alle, Alle für Einen (im Eichenkranz über dem Wappen), Ehre, Freiheit, Vaterland (um das Wappen herum).
Die Farben sind: schwarz-weiß-roth v. u., silberne Perkussion. Füchse tragen
nur Mütze und Bierzipfel, keine besonderen Farben. Kartellverhältnisse:
Bis 1861 stand die Allemannia im Kartell mit Germania-Tübingen und Bubenruthia-Erlangen; dies Kartell führte den Namen: „Allgemeine deutsche Burschenschaft". 1861 trat Bubenruthia aus, dagegen schlossen sich Teutonia-Jena und
Germania-Erlangen an; von da ab kommt der Name „Süddeutsches Kartell" auf.
1892 trat diesem noch Teutonia-Kiel bei. 1872 trat Allemannia a. d. Pfing-Halle
und 1892 Germania-Erlangen aus. Kneipe: Allemannenhaus.

Franconia—Heidelberg.

Die Burschenschaft Franconia zu Heidelberg wurde am 24. Oktober 1856 als
korpsfeindliche schwarze Verbindung „Badenia" mit dem Wahlspruch: „Amicitia
nostrum decus" gegründet. Nach erlangter Senatsgenehmigung wurde als amtlicher Stiftungstag der 15. November 1856 festgesetzt. Am 10. Januar 1857
wurden als Unterscheidungszeichen die Farben „roth-gelb-weiß" v. u. mit goldener
Perkussion und zinnoberrothe Mützen angenommen. Am 19. Januar 1857 wurde
mit den beiden Landsmannschaften Helvetia und Palatia in Heidelberg ein
„Kartell" geschlossen, dieses jedoch im Sommer 1857 wieder gelöst und dafür Anschluß an auswärtige Burschenschaften, namentlich Burgkelleraner, Bonner Alemannen und Hannoveraner gesucht. Im Wintersemester 1857/58 sprangen die
letzten Mitglieder der seit 1854 in Heidelberg bestandenen Burschenschaft „Saxonia",
die dem norddeutschen Kartell angehörte, in die „Badenia" ein, welche am
28. April 1858, da sie nicht mehr lediglich aus Badenern bestand, den in Heidelberg schon 1831—33 und 1846—49 seitens der Burschenschaft getragenen Namen

„Franconia" anlegte und am 27. Mai 1858 die Farben „roth-gold-grün" (nachdem roth-gold-schwarz die Senatsgenehmigung nicht erhalten), sowie den heute noch geführten Wahlspruch: „Einig und treu" annahm. Am 21. Juni 1859 wurden die Burschenschaftsprinzipien der Sittlichkeit, Wissenschaftlichkeit und Vaterlandsliebe in die Statuten aufgenommen und mit den Burschenschaften Alemannia-Bonn und Hannovera kartell-ähnliche Freundschaftsverhältnisse abgeschlossen, welche mit der letzteren im Sommer 1860, mit der ersteren im Sommer 1861 wieder gelöst wurden. Am 14. Mai 1860 erhielt die Franconia seitens des Berliner Burschenverbandes die Einladung zum Burschentag in Coburg (17. August 1860). Im Wintersemester 1860/61 trat man mit der 1856 gegründeten, seit 1857 im süddeutschen Kartell befindlichen Alemannia in Verbindung behufs Gründung einer gemeinsamen Burschenschaft Franco-Alemannia, legte am 1. Februar 1861 die Farben „schwarz-roth-gold" und nach Scheitern der genannten Verhandlungen am 6. Mai 1861 den Namen „Burschenschaft" bei. Am 13. Mai 1861 kamen dazu die heute noch getragenen rothen Stürmer. Gepaukt wurde bis Ende Dezember 1862 theils mit den Alemannen, theils mit dem S. C., mit letzterem erst schwarz gegen schwarz, zuletzt Farbe gegen Farbe. Seit 1863 nur noch mit den Alemannen. Am 12. August 1863 beschickte die Franconia den Burschentag in Eisenach und betheiligte sich lebhaft an der Gründung des Eisenacher Burschenbundes, indem sie mit Germania-Jena und Hannovera als Mittelpunkt namentlich die Durchführung des Prinzips der unbedingten Satisfaktion im Burschenbund und damit die Anbahnung der Wiedervereinigung aller deutschen Burschenschaften verfocht. Am 15. November 1866 wurde mit dem Burschenbunde nicht beigetretenen Alemannia der Heidelberger D. C. geschlossen. Nach dem Zerfall des Burschenbundes schloß die Franconia am 8. Mai 1869 mit Germania-Jena und Hannovera das grün-weiß-rothe Kartell und betheiligte sich am 20. Februar 1870 an der Gründung der Eisenacher Konvention. Im gleichen Wintersemester 1869/70 wurde dem schwarz-roth-goldenen Bande der vierte (goldene) Streifen beigefügt, so daß das heutige Band „gold-schwarz-roth-gold" ist. Nach der Auflösung der Konvention gründete die Franconia am 17. November 1874 den E. D. C. mit. Am 19. Juni 1878 mußte sie aus Mitgliedermangel suspendiren. Am 22. Mai 1881 wurde die Franconia durch einen Jenenser Germanen mit Unterstützung der Heidelberger und Marburger Alemannia, der Hallenser Franconia und Breslauer Arminia wieder aufgethan und trat im Sommer desselben Jahres in den A. D. C. ein. Gleichzeitig führte sie Fuchsbänder ein: (erst roth-gold-roth, sodann 1881/82 die heute getragenen) schwarz-roth-schwarz. (Füchse trugen bis dahin kein Band.) Sommersemester 1884 wurde das Lebensprinzip eingeführt. Im Sommer 1886, bei Gelegenheit des 500 jährigen Universitätsjubiläums, schlossen sich die Angehörigen der von 1846—49 bestandenen Franconia der heutigen an. Das einer aus Alten Herren gebildeten „Altiengesellschaft Burschenschaft Franconia" zu dankende prächtige Haus am Schloßberg ist zu Pfingsten 1893 eingeweiht worden. Kneipe: Frankenhaus.

Arminia auf dem Burgkeller—Jena.

12. Juni 1815 Gründung auf der Tanne. Burschenhaus ist der Burgkeller. 1819. Auflösung der Burschenschaft am 26. November in Folge der Karlsbader Beschlüsse vom August 1819. 1820. Neubegründung der Burschenschaft auf der

Wölinse unter dem Namen „Germania", weil man Bedenken trug, sich Burschenschaft zu nennen. 1824 abermalige Auflösung in Folge des Beschlusses des deutschen Bundes vom 12. August 1824. 1826 Reubegründung zu Zwätzen. 1827 wird der Standpunkt der allgemeinen Burschenschaft in folgender Fassung festgestellt: „Die allgemeine deutsche Burschenschaft will die Vorbereitung zur Herbeiführung eines frei und gerecht geordneten und in Volkseinheit bestehenden Staatslebens in dem Volk mittels sittlicher, wissenschaftlicher und körperlicher Ausbildung auf der Hochschule". 1827. Beginn des Gegensatzes zwischen der arministischen und germanistischen Richtung. 26. November 1830. Trennung in Arminen und Germanen. Die Arminen bleiben auf dem Standpunkt der Allgemeinen Burschenschaft stehen. Ihr Tendenzartikel lautet: „Die Burschenschaft ist ein Verein ehrenhafter studirender Jünglinge, die eine wissenschaftliche Durchbildung des Geistes und sittliche Kräftigung des Körpers anstreben, um als Staatsbürger mitzuwirken zur Herbeiführung eines frei und gerecht geordneten und auf Volkseinheit begründeten Zustandes im deutschen Volke." Die Germanen weichen mit folgender Tendenz vom Standpunkt der allgemeinen Burschenschaft ab: „Die Germania ist eine burschenschaftliche Verbindung, die sich zum Zweck gesetzt hat, die Herbeiführung eines gerecht geordneten und auf Volkseinheit und Volksfreiheit begründeten Zustandes im deutschen Vaterlande mittels sittlicher, wissenschaftlicher und körperlicher Ausbildung ihrer Mitglieder." Am 26. Januar 1832 erfolgte die Wiedervereinigung der Arminen und Germanen zu einer Burschenschaft, die ihren Sitz auf dem Burgkeller hatte. Noch in demselben Jahre jedoch trennte sich die germanische Partei von der Burschenschaft auf dem Burgkeller und bezog den Fürstenkeller. Im Anfang des S.S. 1833 wurden von der großherzoglich sächsischen Staatsregierung Untersuchungen betreffs des studentischen Verbindungswesens in Jena angeordnet, in Folge dessen beide Burschenschaften genöthigt waren, sich aufzulösen; doch bestand die Burschenschaft auf dem Burgkeller — die arministische — im Geheimen als lose Vereinigung fort, welche im Jahre 1836 wieder festere organische Gestaltung gewann. Im Jahre 1839 löste sich der Burgkeller in Folge von Untersuchungen, die von Neuem von seiten der Behörden vorgenommen wurden, abermals auf, trat aber schon nach kurzer Zeit mit Beibehaltung der früheren Verfassung wieder zusammen. Als im Jahre 1840 eine Anzahl von Mitgliedern sich vom Burgkeller trennte und eine neue burschenschaftliche Vereinigung auf dem Fürstenkeller konstituirte, nannte man sich „Burschenschaft auf dem Burgkeller", ein Name, der am 4. August 1869 in „Burschenschaft Arminia auf dem Burgkeller" verwandelt wurde. Farben: schwarz-roth-gold. Wahlspruch: Ehre, Freiheit, Vaterland. Kartellverhältnisse: Kartell mit der Bubenruthia-Erlangen 1862—80 S.S. Kartell mit der Bonner Alemannia 1863/64—1866/67. Seit S.S. 1890 nahe Beziehungen zu Alemannia-Bonn, Bubenruthia und Brunsviga (Rother Verband). Kneipe: Burgkeller.

Germania—Jena

Die Geschichte der Jenenser Germania beginnt mit dem 12. Juni 1815, dem Gründungstage der ersten Jenaischen Burschenschaft, der Mutterburschenschaft der Germania. Die Geschichte beider ist daher von 1815 an bis 1830 dieselbe. Im W.S. 1830/31 kam es zum Bruch in der Jenaischen Burschenschaft. Die arminiſtiſch Geſinnten (etwa 200, wovon Dreiviertel Renoncen) zogen nach einem vergeblichen Verſuch, die germaniſche Partei vom Burgkeller zu vertreiben, auf den Fürſtenkeller und betrachteten ſich als die einzig berechtigte Burſchenſchaft: als ſolche ſah ſich die Germanenpartei ebenfalls an, wurde auch von der A. D. B. anerkannt. Die Bezeichnungen Arminen und Germanen kamen jetzt auch in Jena mehr in Gebrauch, obgleich keine der Parteien ſie amtlich gebrauchte, ſondern ſich als Jenaiſche Burſchenſchaft hinſtellte. Alle Bemühungen der Burſchentage, die beiden Parteien in Erlangen und Jena auszuſöhnen, ſchlugen fehl; auf dem nur von germaniſtiſchen Burſchenſchaften beſchickten Burſchentage zu Tresden (Oſtern 1831) kam eine Einigung nicht zu Stande. Im Herbſt fand zu Frankfurt (26. September 1831) ein Burſchentag ſtatt, auf welchem der Verruf über die geſammten Arminen ausgeſprochen wurde: aus der allgemeinen Verfaſſung wurde das Wort „Vorbereitung“ geſtrichen, ſo daß der Satz nunmehr lautete: „Herbeiführung eines frei und gerecht geordneten und in Staatseinheit geſicherten Staatslebens u. ſ. w. Die politiſch-radikale Geſinnung der Germanenpartei kam alſo hier zum entſchiedenen Durchbruch. Trotzdem fand in Jena, veranlaßt durch den Eindruck der Rede eines polniſchen Flüchtlings, des Generals Dombrowſki, eine vorübergehende Vereinigung ſtatt; die Arminen vereinigten ſich mit den auf dem Burgkeller kneipenden Germanen, aber ſchon am 13. Juli 1832 kam es zu einer neuen Scheidung, beide Burſchenſchaften ſchieden mit dem gleichen Anſpruch, als Fortſetzung der alten Burſchenſchaft betrachtet zu werden, von einander, jede ſah ſich als allein berechtigte Allgemeine Jenaiſche Burſchenſchaft an. Bei der letzten Trennung fand ein Wechſel der Burſchenhäuſer ſtatt, indem die Arminen nunmehr auf dem Burgkeller und die Germanen auf den Fürſtenkeller zogen. An dem Stuttgarter Burſchentag (Weihnachten 1832), auf welchem die Germania nicht vertreten war, wurde ein weiteres Vorſchreiten auf revolutionärer Bahn beſchloſſen und an dem vom Vaterlands- oder Preßverein in Scene geſetzten Frankfurter Wachenſturm (5. April 1833) nahmen auch einige Jenenſer Germanen theil. Als der Bundestag erfuhr, daß beſonders Burſchenſchafter bei jenem Putſch thätig geweſen waren, ſetzte er in Frankfurt eine Bundes-Central-Unterſuchungsbehörde ein, welche nunmehr mit heftigen Verfolgungen vorging, ſo daß anſcheinend das burſchenſchaftliche Weſen vollends ausgerottet zu ſein ſchien. In Wirklichkeit ſetzten allenthalben die ehemaligen Burſchenſchafter die Burſchenſchaft heimlich fort. Auch in Jena, wo wieder die ſcheinbare Auflöſung beider Burſchenſchaften ſtattgefunden hatte, kneipten arminiſtiſche und germaniſtiſche Burſchenſchafter in loſer Vereinigung auf dem Burgkeller. Die alten Gegenſätze aber waren nicht auszugleichen und am 28. Januar 1840 trennten ſich 60 germaniſtiſch geſinnte Mitglieder und thaten ſich auf dem Fürſtenkeller als Jenaiſche Burſchenſchaft auf; keine Partei aber nahm die amtliche Bezeichnung Arminia oder Germania an. Die von nun ab wieder beſonders beſtehenden Burſchenſchaften hatten aber im Innern ſelbſt manche Schwierigkeiten zu überwinden. Im W.-S. 1842/43 ging von einigen „Fürſtenkelleranern“ das Beſtreben aus, wieder eine allgemeine Jenaiſche Burſchenſchaft zu gründen. Die Unzufriedenen ſchieden aus und traten zum „Burgkeller“ über, der Reſt ſetzte die Burſchenſchaft auf dem „Fürſtenkeller“ fort. Am 9. Juli 1843 kam es in Folge innerer Bewegung, hervorgerufen durch die übergetretenen germaniſtiſchen „Fürſtenkelleraner“, zu einer neuen Trennung im „Burgkeller“. 60 Mitglieder deſſelben blieben zurück, die Ausſcheidenden konſtituirten ſich als neue Burſchenſchaft auf dem „Bären“. Am 20. Auguſt 1844 machte der „Burgkeller“

dem „Bären" den Antrag zu einer Wiedervereinigung; dieselbe erfolgte fünf Tage später unter dem Namen „Verbindung auf dem Burgkeller", der Name „Burschenschaft" wurde abgelegt. Die Verbindung auf dem Burgkeller schritt mit progressistischen Neuerungen fort. Am 25. Februar 1845 gründeten neun, zum größten Theil dem Burgkeller angehörige Studenten eine neue Burschenschaft, die „Teutonia". Auch im Fürstenkeller ging es bewegt zu; da eine Einigung der studentlich und politisch-radikalen Mitglieder mit den gemäßigten nicht erzielt ward, so beschloß ein Theil, um die Unzufriedenen zu entfernen, die Auflösung, aber sofortige Rekonstituirung der Verbindung. Am 13. Dezember 1846 erfolgte die Auflösung, der Ausschluß der Unzufriedenen und die sofortige Rekonstituirung der Burschenschaft; erst bei dieser Gelegenheit nahm die Burschenschaft amtlich den Namen „Germania" an; der 13. Dezember 1846 ist also ihr eigentlicher Namenstag, wird aber neben dem 12. Juni 1815, dem eigentlichen Gründungstage, als Stiftungsfest alljährlich besonders gefeiert. Den Wahlspruch: „Gott, Ehre, Freiheit, Vaterland" faßte sie bestimmter: „Leben und Streben dem Vaterland". Kartellverhältnisse: Die Jenenser Germanen traten im Jahre 1830 mit den Erlanger Germanen in ein Kartell, über dessen Verlauf nichts Näheres verlautet. 1855 schloß die „Germania" ein Kartell mit den Gießener „Germanen" und der Breslauer „Arminia". Am zweiten Pfingstfeiertag 1857 wurde das Kartell dieser drei Burschenschaften durch Austritt der Breslauer „Arminia" gelöst und nur noch zwischen den Jenenser und Gießener „Germanen" fortgesetzt. S.-S. 1857 schlossen die Jenenser und Gießener „Germanen" ein Kartell mit den Burschenschaften Teutonia-Würzburg, Teutonia-Freiburg, Saxonia-Heidelberg. 1859 gehörte die Germania dem germanistischen oder norddeutschen Kartell an. Am 7. Mai 1869 schloß die Germania das sog. grün-weiß-rothe Kartell mit den Hannoveranern und den Heidelberger Franken; da die Franken im W.-S. 1879/80 aufflogen und die Hannoveraner sich in ein Korps umwandelten, so löste sich das Kartell auf. Seit 1896 steht die Burschenschaft wieder mit der Franconia-Heidelberg im Kartell, das seit Februar 1899 den Namen „weiß-rothes Kartell" führt. Seit S.-S. 1887 hat die Germania ihr eigenes Haus am Markte zu Jena. Kneipe: Germanenhaus.

Teutonia — Jena.

Die Burschenschaft Teutonia ist ein Zweig der am 12. Juni 1815 auf der Tanne gegründeten Burschenschaft, über deren frühere Entwicklung hier nicht näher berichtet werden soll. Folgende Momente sind hervorzuheben. Wie auf anderen Hochschulen vollzog sich auch in Jena die Spaltung in die arministische und germanistische Richtung (26. November 1830); die gegenseitige oft erbitterte Befehdung der beiden Gruppen schädigte den burschenschaftlichen Gedanken, da es nur vorübergehend gelang, die schroffen Gegensätze zu mildern. Die arministische Partei zwang die Gegner vom Burgkeller zu weichen; die germanistisch Gesinnten, welche den Fürstenkeller als Burschenhaus wählten, vertraten entschieden freiheitlich politische Grundsätze. Diese Gruppe, welche mit der Zeit immer radikalere Anschauungen und Bestrebungen verfolgte, löste sich wie anderwärts unter dem Drucke der staatlichen Maßnahmen gegen demagogische Umtriebe (Frankfurter Central-Untersuchungs-Kommission) im Januar 1833 auf. Die arministische Richtung (der Burgkeller) pflegte nach Möglichkeit die alte burschenschaftliche Tradition (neu ausgearbeite Verfassungsurkunde 1835), ohne verhüten zu können, daß allmählich grundverschiedene Ansichten sich herausbildeten und schließlich am 28. Januar 1840 ungefähr 60 Mitglieder sich als selbständige Verbindung auf dem Fürstenkeller be- gründeten. Damals trat der Burgkeller für die konservative Richtung ein, welche die alte studentische und burschenschaftliche Art zu wahren bestrebt ist, während der Fürstenkeller einer dem neuen Geiste der Zeit entsprechenden Reform des ge- sammten inneren Studentenlebens das Wort redete. Freilich machte sich innerhalb des Fürstenkellers bald eine starke Hinneigung zum Burgkeller geltend, so daß am 23. Februar 1843 die Vereinigung beschlossen wurde; der Minorität gelang es, die im Stich gelassenen Grundsätze mit Erfolg weiter zu vertreten. Die Burgkelleraner wurden durch diesen Zuwachs äußerlich zwar ge- stärkt, innerlich aber geschwächt; die Reformideen gewannen an Boden, man debattirte besonders eifrig über die strittigen Fragen der Oeffentlichkeit bei den Verhandlungen, des Sittlichkeitsgesetzes, der Kränzchen und vor Allem über die Berechtigung des Duells. Die Klärung der unleidlichen Lage erfolgte am 9. Juli 1843: ungefähr 50 Mitglieder traten aus und wählten nach einigem Wechsel den „schwarzen Bären", jedem Verbindungshaus. Das Bestreben des „Bären", jedem Mitglied schrankenlose persönliche Freiheit zu gewähren, führte bald zur Aufhebung des Duellzwanges (22. Juni 1844). Diese Ideen, die schließlich die Negation jeder Verbindung in sich schließen mußten, gewannen entscheidenden Einfluß wiederum auf den Burgkeller: nach scharfen Kämpfen und unerquicklichen persön- lichen Reibereien wurde am 19. August 1844 die Vereinigung mit dem „Bär" beschlossen. Die Versuche der Minderheit, den alten Burgkeller gegenüber diesen progressistischen Neuerungen noch aufrecht zu halten, scheiterten vorläufig. Der Burgkeller vertrat den Progreß. Im Laufe des Wintersemesters hatten mehrfach solche Mitglieder des alten Burgkellers, deren Mahnungen am 19. August wir- kungslos geblieben, sich beraten, wie den alten burschenschaftlichen Zielen aufs neue Geltung verschafft werden könne. Die sachlich und persönlich großen Hindernisse wurden überwunden: am 28. Februar 1845 trat die Teutonia ins Leben mit dem Grundsatze, nach all den Wandlungen der letzten Jahrzehnte die Ideen der alten Burschenschaft zu vertreten und dem damals mehr und mehr um sich greifenden, Burschenschaft und Studententhum in gleichem Maße verleugnenden Progreß keinerlei Zugeständnisse zu machen. Der letzte Sprecher des alten Burg- kellers wurde der erste Sprecher der Teutonia. Als im Frühjahr 1848 unter dem Eindrucke der politischen Ereignisse dennoch innerhalb der Teutonia progressistische Tendenzen für kurze Zeit die Oberhand gewannen und die Majorität zum Burg- keller übertrat, ist es trotzdem gelungen, die schwere Krisis zu überwinden und die Teutonia auf der alten Grundlage zu erhalten. Farben 1845: blau=weiß=gold; 1848: gold=weiß=blau; blaue Mütze. Wahlspruch: Ehre, Freiheit, Vaterland! Kartellverhältniß: Die Teutonia ist Mitglied des süddeutschen Kartells. Durch Teutonen, welche in Erlangen studirten und zunächst bei der Bubenruthia aktiv waren, wurde die Germania neu begründet (1849). Dem damals zwischen Teutonia=Jena und Germania=Erlangen geschlossenen Kartell trat 1859 Teutonia= Kiel bei. 1861 Vereinigung der beiden ersten mit dem alten Kartell zwischen Germania=Tübingen und Allemannia=Heidelberg als „Süddeutsches Kartell", dem bald die Hallenser Burschenschaft Alemannia a. d. Pfl. und 1862 Teutonia=Kiel beitraten. Sommer 1872 Austritt der Pflüger; W.=S. 1882/83 Austritt der Germania=Erlangen; S.=S. 1895 Wiedereintritt derselben. Kneipe: Teutonenhaus.

11

Teutonia — Kiel.

Bis zum Jahre 1848 blühte in Kiel die Burschenschaft Albertina. Als jedoch in den Märztagen 1848 von Deutschland her der Freiheitssturm brausend auch nach dem Norden in die Herzogthümer eindrang, waren die Studenten und nicht zum mindesten die Albertinen die ersten, die zu den Waffen griffen gegen die Bedrücker des Deutschthums. Die meisten Mitglieder der Burschenschaft zogen ins Feld, und die Albertina mußte sich auflösen. Erst im Jahre 1852 begann das Universitätsleben wieder aufzuathmen, doch war die Stimmung in Folge des unglücklichen Krieges eine sehr gedrückte und an ein Wiederaufthun der Albertina wurde nicht gedacht. Es fehlte überhaupt an jeder studentischen Vereinigung. Erst im Winter 1854 bildete sich ein allgemeiner Kneipverein, dem aber die verschiedensten Elemente angehörten, auch alte Burschenschafter und Korpsstudenten. Auf dem Antrittskommers dieses Kneipvereins im Winter 1855 proklamirte plötzlich der Bubenreuther Schmidt die Kieler deutsche Burschenschaft. Diese Proklamirung wurde mit den verschiedensten Gefühlen aufgenommen, auf der einen Seite mit Jubel, auf der anderen mit Widerspruch. Am nächsten Morgen, am 4. November, konstituirte sich die Kieler Burschenschaft Teutonia, der zunächst etwa 12 Mitglieder beitraten, mit den Farben dunkelblau-weiß-gold, dem jetzigen Zirkel und dem Wahlspruch: Ehre, Freiheit, Vaterland. Die dem dunklen Blau der Jenenser Teutonen ähnliche Farbe wurde etwa 1870 durch ein helleres Blau ersetzt, und um dieselbe Zeit wurden die Fuchsfarben blau-weiß-blau angenommen. Die Mütze ist hellblau mit blau-weiß-goldener, bei den Fuchsmützen mit blau-weiß-blauer Einfassung. Als Burschenschaft des S. K. betheiligte sich die Kieler Teutonia sich an der Gründung der Eisenacher Konvention, sowie später des E. D. C. und des A. D. C. Kartellverhältnisse: Durch Vermittelung einiger Bubenreuther, die den neugegründeten Burschenschaft beitraten, kam im Mai 1856 ein Kartell mit der Bubenruthia zum Abschluß, jedoch trat die Teutonia zunächst noch nicht in das später zwischen den Bubenreuthern, den Tübinger Germanen und den Heidelberger Allemannen gegründete Kartell ein. Mit den letzten beiden Burschenschaften trat die Teutonia im August 1857 in Kartellverband, während sie die bestehende engere Verbindung mit den Bubenreuthern in Folge verschiedener Zwistigkeiten aufhob. Als diese Streitigkeiten sich verschärften, löste die Teutonia ihr Verhältniß zu allen drei Burschenschaften und trat in näheren Verkehr mit Teutonia-Jena. In Folge dessen trat sie 1859 in das zwischen Teutonia-Jena und Germania-Erlangen bestehende Kartell ein. Als 1861 das süddeutsche Kartell zwischen Germania-Tübingen, Allemannia-Heidelberg, Teutonia-Jena und Germania-Erlangen abgeschlossen wurde, trat Teutonia-Kiel zunächst noch nicht bei. Ihr Eintritt in das S. K. erfolgte erst am 23. Mai 1862. Kneipe: Teutonenhaus.

Alemannia Königsberg.

Die Burschenschaft Alemannia ist gestiftet von ausgetretenen Mitgliedern des Königsberger „Akademischen Gesangvereins" am 20. Juni 1879 zunächst als schlagende Verbindung. Als Burschenschaft konstituirt 9. Dezember 1880. Bei Gründung des A. D. C. demselben beigetreten. Im Wintersemester 1885/86 suspendirt, vom 11. August 1893 rekonstruirt. Wahlspruch: Tu ne cede malis, sed contra audentior ito! Farben: blau-weiß-gold, schwarze Sammet-Mützen. Kneipe: Bartener Halle am Schloßteich.

Germania — Königsberg.

Die deutsche Burschenschaft wurde von 1838—45 in Königsberg durch die „Allgemeine Albertina" vertreten, einen gegen die Landsmannschaften gerichteten Verband, in welchem sich wiederum einzelne verschieden benannte farbentragende „Kränzchen" gebildet hatten, die gegenüber den nicht besonders vereinigten übrigen Mitgliedern der Albertina als die eigentlichen Königsberger Burschenschaften jener Zeit anzusehen sind. Bekannt sind von solchen Kränzchen die Gothonia (roth-gold, später blau-gold, vor 1843 eingegangen), die Hochhemia (schwarz-roth, 1838 bis 1847), eine Arminia (ohne Zusammenhang mit der von 1860—67 bestehenden Königsberger Burschenschaft Arminia) und seit 1843 die Germania. — Die Albertina löste sich 1845 auf, nachdem die zu ihr gehörigen burschenschaftlichen Kränzchen ausgetreten waren. Die Germania wurde am 8. September 1843 mit den Farben: schwarz-weiß-roth (v. u.) und dem Wahlspruch: Si fractus illabatur orbis, impavidum ferient ruinae! begründet. Namen und Farben sind unverändert beibehalten, nur daß vorübergehend (von Anfang Februar 1848 bis 1851) schwarz-roth-gold getragen wurde. Kartellverhältnisse: Die Kartell-verhältnisse in Königsberg unterlagen in früheren Zeiten zu großen Schwankungen, als daß ihre Aufzeichnung von Werth sein könnte. Im Allgemeinen hielten die Burschenschaften den übrigen Waffenverbindungen gegenüber zusammen und gaben von 1866—68 diesem Zusammenhang durch Gründung eines Königsberger D. C. (Germania, Gothia, Arminia) auch äußerlich Ausdruck, jedoch wurde dieses Ver-hältniß zuweilen durch kurzwährende Berrufe gestört. Daneben bestanden Paul-verhältnisse von verschiedener Dauer mit der Landsmannschaft Lituania und bis 1873 (Gründung des Königsberger S. C.) auch mit den Corps. Die Kartell-verhältnisse nach außen sind zum Theil beeinflußt durch das seit 1858 angenommene Lebensprinzip. Dem E. D. C. gehörte die Germania von seiner Gründung bis zum W.-S. 1880/81 an; innerhalb desselben schloß sie sich besonders mit der Leipziger, Breslauer und Greifswalder Germania zusammen. Dem A. D. C. gehört die Germania seit S.-S. 1885 an. Kneipe: II. Fließstr. 3.

Gothia — Königsberg.

Der Name Gothia findet sich zuerst als Bezeichnung für eines der zahlreichen Kränzchen der allgemeinen Burschenschaft Albertina, die in den zwanziger und dreißiger Jahren an der Königsberger Universität bestand. Dieses Kränzchen Gothia, auch Gothonia genannt, trug die Farben „roth-gold", später „blau-gold". Die Albertina löste sich 1845 auf, nachdem bereits 1843 aus den letzten Mit-gliedern der Gothia die Einzelburschenschaft Germania sich gebildet hatte. Da einerseits die Landsmannschaften (Corps) numerisch nicht stark, sowie in sich und mit den anderen Verbindungen und Studenten zerfallen, andererseits aber die Burschenschaft Germania zu ungewöhnlicher Blüthe gelangt war, so galt es, die Superiorität den burschenschaftlichen Händen nicht entwinden zu lassen und man

14*

gründete daher aus der Mitte der Germania heraus eine zweite Burschenschaft — die Gothia. Am 19. November 1854 traten 8 Mitglieder, darunter ein Senior, aus der Germania aus und machten mit drei hinzugetretenen Mulis am 22. November 1854 die Burschenschaft Gothia auf mit den Farben „schwarz-gold-blau". Fuchsfarben hat die Gothia nie gehabt. Name, Farben und Zirkel sind unverändert beibehalten, ebenso der seit der Gründung an der Mütze getragene kleine goldene Albertus, das alte äußere Abzeichen der Königsberger Studenten. 1855 wurde der Wahlspruch „Frei ist der Bursch" und bald darauf das Lebensprinzip angenommen. Was die Kartellverhältnisse der Gothia anlangt, so trat sie mit ihrer Gründung zu der Germania in ein nahes Freundschaftsverhältniß, das in einem engen Kartell, Verbot der Paulen miteinander und gemeinschaftlichen Versammlungen Ausdruck fand. Dieses enge Kartell dauerte bis 1857, wo den Germanen Paullkartell angeboten und auch von ihnen angenommen wurde. Im Jahre 1857 schloß die Gothia ein Kartell mit der Bonner Burschenschaft Teutonia und der Landsmannschaft Torgovia (später Teutonia) in Halle, zu denen sich noch 1858 die Landsmannschaft Dresdensia in Leipzig gesellte. Dieses Kartell war aber von keiner langen Dauer: S.-S. 1862 trat die Dresdensia aus dem Kartellverbande aus, nachdem sie vorher Burschenschaft geworden war, während das Kartell mit den Bonner und Hallenser Teutonen bis 1865 bestand. Gegenwärtig steht die Gothia in keinem Kartell. Dem E. D. C. hat die Gothia nicht angehört, dem A. D. C. trat sie S.-S. 1885 bei. Kneipe: Kasernenstr. 4/5.

Teutonia—Königsberg.

Die Burschenschaft Teutonia-Königsberg wurde als akademischer Turnverein am 27. November 1875 gegründet. Der Name „Teutonia" wurde als Turnverein am 18. Oktober 1884 angenommen. Wahlspruch: Mens sana in corpore sano. Die Farben des Turnvereins waren roth-weiß-roth. Getragen wurden Anfangs schwarze Tuchmützen mit roth-weiß-rother Perkussion, dann schwarze Sammetmützen mit roth-silber-rother Perkussion. Mit Annahme des Namens fand auch eine Veränderung der Farben statt in violet-weiß-roth (v. u.) und rothe Mütze mit violet-silber-rother Perkussion und kleinem silbernen Albertus. Namen, Farben, Mütze und Zirkel blieben dieselben, als der Verein am 25. Juni 1885 Burschenschaft wurde. Mit Beginn des S.-S. 1889 wurde das Silber der Perkussion in Weiß geändert. In den A. D. C. wurde die Burschenschaft Pfingsten 1887 aufgenommen, nachdem sie in denselben am 28. Juli 1885 als Renonce-Burschenschaft eingetreten war. Sie hat das Lebensprinzip. Fuchsfarben werden nicht geführt. Kneipe: Bergplatz 4, Britisch Hotel.

Arminia—Leipzig.

Die jetzige Burschenschaft Arminia zu Leipzig wurde am 18. Juni 1860 als „Verein Arminia" (graue Mützen) gegründet mit der Tendenz: Streben nach körperlicher und geistiger Frische und Tüchtigkeit und nach einem frohen, frischen, geselligen Zusammenleben. Sie stand zunächst in engem Verband mit dem die gleichen Ziele verfolgenden Verein „Wartburgia", bis sie sich am 16. Mai 1861 von diesem trennte. Am 20. April 1862 Annahme des Namens

„Burfchenfchaft" und Beſtätigung diefes Namens feitens des Miniſteriums des Kultus. Wahlſpruch: „Freiheit, Ehre, Vaterland!" Farben: Schwarz-roth-gold (v. u.). Rothe Müße (goldene Perkuſſion). Kartellverhältniſſe: Mitte S.-S. 1868 bis Ende S.-S. 1866 Kartell mit Arminia-Marburg. Sie hat gegenwärtig kein Kartell. Am 23. Juni 1886 ging in die „Arminia" über die Burfchenfchaft „Alemannia". Dieſelbe am 10. November 1888 als Reformver-bindung „Tuiskonia" gegründet, hatte ſich ſehr bald von ihren Reformbeſtrebungen losgeſagt und war S.-S. 1895 unter dem Namen „Alemannia" in den A. D. C. aufgenommen worden. Kneipe: Hotel Füritenhof, Löhrsplaß 4.

Dresdensia — Leipzig.

Die heutige Burfchenfchaft Dresdensia wurde am 12. Mai 1853 als ſog. Klique Dresdensia gegründet, welche violette Müßen und ſeit S.-S. 1855 die zwei Farben violett und ſilber trug. Nachdem im W.-S. 1856/57 die Klique ſich als eine „Verbindung im engeren Sinne mit unbedingter Satisfaktion" erklärt und die Farben violett-weiß-orange angenommen hatte, wurde ſie bereits im nächſten Semeſter Landsmannfchaft mit den Farben violett-weiß-roth, und trat mit der Burfchenfchaft Gothia (Königsberg) und der Landsmannfchaft Teutonia (Halle) in Kartell. Zur Burfchenfchaft wurde die Dresdensia im S.-S. 1862. Als ſolche änderte ſie Zirkel und Wahlſpruch und nahm die Farben violett-fchwarz-roth-gold an mit violetter Müße. Im S.-S. 1864 trat die Dresdensia dem Eifenacher Burfchenbund bei. Da im S.-S. 1870 faſt ſämmtliche Mitglieder mit in den Krieg zogen, war die Burfchenfchaft gezwungen, auf 1 Semeſter zu ſuspendiren. Im nächſten Semeſter befchloß man, die Farben violett-fchwarz-roth-gold wieder mit den alten Farben violett-weiß-roth einzutaufchen. Die Kartellver-hältniſſe ſtellen ſich wie folgt: In den fünfziger Jahren Kartell mit Gothia-Königsberg und Torgovia-(Teutonia-)Halle; von 1868 bis 1872 mit Silefia-Wien und Etyria-Graz, von Auguſt 1874 bis Anfang 1880 mit Germania-Berlin und Rugia-Greifswald. In den ſiebziger Jahren bahnte ſich ein freundfchaftliches Verhältniß zu Franconia-Bonn, Hannovera-Göttingen und Arminia-Königsberg. (Leßtere wurde 1877 Corps unter dem Namen Hanfea.) Mit allen dieſen gab es Zweibänderleute. Im W.-S. 1874/75 wurde die Dresdensia Mitglied des E. D. C. und fchloß ſich mit den Burfchenfchaften Rugia-Greifswald und Ger-mania-Berlin zum „fchwarz-roth-violetten" Kartell zuſammen. Dieſes Kartell löſte ſich wieder 1880 durch Austritt der Dresdensia aus dem E. D. C. Von 1881 bis W.-S. 1885 war die Dresdensia ſuspendirt, wurde im S.-S. 1896 wieder auf-gethan und trat in den A. D. C. ein. Wahlſpruch: als Landsmannfchaft, amico pectus, hosti frontem; als Burfchenfchaft: Ehre, Freiheit, Vaterland! Farben: violett-weiß-roth. Fuchsfarben: im Band violett-weiß (ſeit W.-S. 1897/88. Kneipe: Dresdenferhaus, Mendelsfohnſtr. 9.

Germania — Leipzig.

Faſt ununterbrochen ſeit Gründung der Leipziger Burfchenfchaft im Jahre 1818 bis zum Jahre 1851 war die burfchenfchaftliche Sache in Leipzig durch ſtudentifche Verbindungen vertreten. Wurde auch mehrmals die Auflöfung der

Leipziger Burſchenſchaft innerhalb dieſes Zeitraums dekretirt, ſtets lebte ſie von Neuem auf und trat von Neuem an die Oeffentlichkeit; und ſeit den dreißiger Jahren war es beſonders das germaniſche Prinzip, das in Leipzig vertreten war. Im Jahre 1851 wurde jedoch die letzte burſchenſchaftliche Verbindung, die „Wart-burg", aufgelöſt und im S.-S. 1858 fanden ſich unter reger Antheilnahme alter Burſchenſchafter, insbeſondere des Prof. Lipſius und Dr. med. F. Göß, die richtigen Leute, darunter eine Anzahl ehemaliger Jenenſer Studenten (Burgtellleraner) zur Begründung einer neuen Burſchenſchaft zuſammen. Dieſelbe wurde — nach Ein-reichung der von 11 Mitgliedern unterzeichneten Statuten beim Univerſitätsgericht — am 23. Mai 1859 unter dem Namen „Wartburg" konſtituirt. Sie bekam den noch übrigen Theil des Archivs, Wichſes, alte Pokale ꝛc. der alten Leipziger Burſchenſchaft übermacht und miethete ſich in das alte Kneiplokal der Leipziger Burſchenſchaft „Wartburg" ein; verſchiedene Ehrenmitglieder der alten Burſchen-ſchaft traten zur neuen über. Seitens des Univerſitätsgerichts wurde erſt im Jahre 1861 das Tragen der deutſchen Farben ſchwarz-roth-gold und erſt Anfang 1862 die Führung des Namens „Burſchenſchaft" offiziell geſtattet. Auch wurde vom Uni-verſitätsgericht verlangt, daß in den Statuten das Prinzip des Patriotismus fallen gelaſſen werde. Zur Vermeidung von Konflikten beſchloß der Konvent endlich, das Wort „Patriotismus" in den durchgeſtrichenen Statuten ſtehen zu laſſen, jedenfalls ein eigenartiger Vorgang; aber noch eigenartiger muß es erſcheinen, daß nach 1860 noch deutſchen Studenten die Liebe zum deutſchen Vaterlande als etwas Verwerfliches hingeſtellt werden konnte. Der Name „Germania" wurde ſeit 24. Juli 1862 geführt. (Seit Aufnahme der Mitglieder der am 5. Juni 1862 neu begründeten Burſchenſchaft „Albia" [grüne Mütze mit ſchwarz-roth-goldener Perkuſſion].) Wahlſpruch: „Freiheit, Ehre, Vaterland!" Farben: Schwarz-weiß-roth (hellroth) mit goldener Perkuſſion. Mütze: hellroth. (Frühere Farben: ſchwarz-roth-(hellroth-)gold mit goldener Perkuſſion. Mütze: hellroth. Schwarz-weiß-roth ſeit 17. Juni 1872. Motive: Die Burſchenſchaft erſtrebte von jeher die Einheit des deutſchen Vaterlandes. Dieſe iſt erreicht, ein deutſches Reich iſt be-gründet mit den Farben ſchwarz-weiß-roth. Dieſen Ereigniſſen ſoll auch durch Annahme der Reichsfarben eine deutliche, praktiſche Anerkenntniß gegeben werden. Die Grundſätze der Burſchenſchaft werden hierdurch in keiner Weiſe berührt. Fuchs-farben haben niemals exiſtirt. Kartellverhältniſſe: Von 1861—67 im Ger-maniſtiſchen (ſog. Norddeutſchen) Kartell. Seit 1873 freundſchaftliches Verhältniß zur Breslauer und Königsberger Burſchenſchaft „Germania". (Von 1864—69 im Eiſenacher „Allgem. Burſchenbund". Von ſeiner Begründung am 10. November 1874, bis zum Aufgehen in den A. D. C. im E. D. C.) Leipziger D. C. zwiſchen „Germania", „Arminia" und „Dresdenſia" ſeit W.-S. 1862/63; rekonſtituirte 13. Dezember 1870. Kneipe: Leſſingſtr. 8 pt.

Alemannia—Marburg.

Die Gründung der Alemannia-Marburg erfolgte am 2. März 1874 als Burſchenſchaft mit dem Grundſatz der unbedingten Satisfaktion. Wahlſpruch: Ehre, Freiheit, Vaterland. Farben: violett-ſilber-roth. Fuchsfarben: violett-ſilber-violett; keine Fuchsmütze. Kartellverhältniſſe: Die Alemannia ſchloß mit der am 30. Juni 1877 gegründeten Freiburger Burſchenſchaft Frankonia das sog. violett-grüne Kartell. Die Alemannia betheiligte sich an der Gründung der Straßburger Burschenschaft Germania. Kneipe: Alemannenhaus.

Arminia — Marburg.

Von Ostern 1859 an bis Anfang S.-S. 1860 bestand in Marburg keine Burschenschaft mehr. Schon W.-S. 1851/52 waren die sogenannte Marburger Burschenschaft und die Alemannia wegen ihrer Theilnahme am allgemeinen Burschenbunde polizeilich aufgelöst worden. Einige Zeit später flog die Burschen-schaft Frankonia auf und endlich erklärte auch die progressistische Burschen-schaft Germania (1851—1859 grün-weiß-gold; grüne Mütze) ihre Auf-lösung wegen zu geringer Mitgliederzahl (Ostern 1859). Schon damals wurde aber die Gründung einer neuen Burschenschaft geplant. Dieser Plan wurde ver-wirklicht von 8 Studenten (darunter 2 frühere Germanen) durch Gründung der Burschenschaft Arminia. Der Tag der Gründung war der 16. Juni 1860. Die endgültige Annahme des Namens Arminia erfolgte am 24. Juli 1860. Wahl-spruch: Gott, Freiheit, Vaterland. Farben: schwarz-roth-gold (seit dem 5. März 1863), bis dahin schwarz-roth-weiß (zuerst getragen am 18. Dezember 1860). Mützen: hellroth mit schwarz- (dunkel) roth-goldener Perkussion. Bis zum 8. Fe-bruar 1862 wurden schwarze Mützen getragen. Nur kurze Zeit waren dunkelrothe Mützen eingeführt. Fuchsfarben: schwarz-roth. Cerevise: schwarzer Sammet. Die Burschenschaft Arminia hat das Lebensprinzip. Unbedingte Satisfaktion seit dem 14. November 1861. Kartellverhältnisse: Vom 16. Juni 1863 bis zum August 1866 bestand ein Kartell mit der Leipziger Arminia. Vom 21. Juni 1876 bis zum S.-S. 1881 stand die Arminia im Kartell mit der Brunsviga-Göttingen. Dem Eisenacher Burschenbunde gehörte die Arminia von der Gründung desselben bis zum Juni 1867 an. Ebenso betheiligte sie sich an der Bildung der Eise-nacher Konvention, trat jedoch Pfingsten 1873 aus. Dem E. D. C. gehörte die Arminia von 1874 bis Februar 1877 an. Im A. D. C. ist sie seit dessen Grün-dung. Ein Lokal-D. C. wurde in Marburg zuerst gebildet im Jahre 1874, als durch 4 aktive und 2 frühere Mitglieder der Arminia eine neue Burschenschaft, die Alemannia, gegründet war. Kneipe: Arminenhaus.

Germania — Marburg

Die heutige Burschenschaft Germania wurde am 28. Oktober 1868 unter dem Namen: „Hersfelder Konvent" gegründet. 1869 nahm der Verein den Namen „Hasso-Germania" an, am 12. Juli 1871 den Namen „Germania". An-fang der 70er Jahre führte das Bestreben Couleur zu tragen und Mensuren zu schlagen zu Kämpfen in der Verbindung. So traten 1878 18 Mitglieder aus und gründeten das spätere Corps Guestphalia. 1878 wurden die schwarzen Waffen der Germania vom S. C., im Wintersemester 1878/79 auch vom D. C. anerkannt. Die endgültige Annahme der unbedingten Satisfaktion im Wintersemester 1881/82 war nur die Sanktionirung von etwas längst Bestehendem. Gleichzeitig wurden aufgesetzt: schwarze Sammetmützen, Burschenband schwarz-weiß-roth, Fuchsband schwarz-weiß. Pauksverhältniß hatte die Germania 1883—89 mit dem D. C. in kurzer Unterbrechung; zeitweise mit dem A. I. V. Philippina und dem A. I. V Hasso-Guestphalia. 1886 Gründung eines eigenen Helms. 1889 Eintritt in den Coburger L. C. In das Paukverhältniß mit dem A. I. V. Philippina traten später die Landsmannschaften Hasso-Borussia und Darmstadtia (Gießen). Ein Freundschaftsverhältniß bestand nur mit der Landsmannschaft Plavia (Leipzig). Als sich die Gegensätze im L. C. durch Ueberhandnahme der Immaturen immer mehr verschärften und es im Wintersemester 1897/98 zum offenen Bruch unter den Leipziger Landsmannschaften kam, sah sich Germania veranlaßt, mit sechs der ältesten Landsmannschaften auszutreten, denen viele andere folgten. 1899 meldete sich Germania zum A. D. C., in den sie Pfingsten zu Eisenach aufgenommen wurde. Farben: schwarz-weiß-roth; schwarze Sammetmütze. Fuchsfarben: schwarz-weiß im Bande. Kneipe: Germanenhaus.

Arminia--München.

Die burschenschaftliche Bewegung hatte Ende der zwanziger Jahre auch in München Boden gefaßt und daselbst eine Arminia und Germania hervorgerufen. Die arministische Richtung unterlag, während die Germania und andere Burschen-schaften, so die Marcomannia, zeitweise weiter bestanden. Im Anfang des Jahres 1848 entstanden in München, durch verschiedene Anläße bedingt, Unruhen unter der Studentenschaft, die zur Schließung der Universität führten. Das energische Auftreten der Studenten- und Bürgerschaft setzte jedoch Mitte Februar die Wieder-eröffnung der Universität durch. Vom 18. Februar datirt ein Erlaß des Königs, der gestattete, daß außer den bereits garantirten Korps sich noch andere Studenten-verbindungen aufthun dürften. Die Folge war, daß schon am 19. Februar 1848 etwa ein Dutzend junger Algäuer zu einer Verbindung Algovia zusammentraten. Der Grund dieser Vereinigung lag wohl auch noch in einer anderen Einrichtung dieser Zeit: Es bestand damals eine Repräsentantenversammlung an der Uni-versität München, zu der zehn Universitätsstudenten einen Repräsentanten ab-ordnen konnten. Am 8. März vereinigten sich die an der Hochschule Studirenden zu einem Freikorps, das aus 17 durch farbige Kokarden unterschiedenen Kom-pagnien von etwa je 100 Mann bestand. Die Algovia gehörte zur 12. Kom-pagnie, welche den Namen Martia führte und an den Mützen blau-gold-schwarze Kokarden trug. Am 15. Juni 1848 wurden statt der bisherigen Farben die Farben grün-gold-violett gewählt und zugleich die Verbindung Algovia mit ihrer Devise „Einig und Frei" und mit ihren Statuten, die ausgesprochen burschen-schaftlichen Charakter an sich trugen, von Rektor und Senat anerkannt. Am 4. Mai 1850 fand aus äußerem Anlaß eine Abänderung der Farben in grün-weiß-schwarz statt. Am 30. Juni 1860 konstituirte sich die bisherige Verbindung Algovia als Burschenschaft, was dem norddeutschen Kartell angezeigt wurde. Wenn jetzt auch die Bezeichnung „Burschenschaft", so wurde doch die Annahme des schwarz-roth-goldenen Bandes von Rektor und Senat nicht gestattet. In den Jahren 1861 und 1862 war die Burschenschaft Algovia auf den Burschentagen des norddeutschen Kartells vertreten und trat letzterem im Jahre 1862 auch bei. Am 12. Juli 1862 nahm Algovia die jetzigen Farben: schwarz-roth-gold an und beschickte im Jahre 1864 den Eisenacher Burschentag. Am 24. Juni desselben Jahres erklärte dieselbe ihren Beitritt zu dem in Eisenach neukonstituirten „All-gemeinen Burschenbund" und beschickte denselben in den nächsten Jahren regelmäßig. Im Jahre 1870 zogen sieben Mitglieder der Burschenschaft in den Krieg. Im S.-S. 1874 mußte Algovia wegen Mitgliedermangels suspendiren und that sich am 10. Januar 1876 wieder auf unter dem Namen „Münchener Burschenschaft". Im Jahre 1877 nahm dieselbe zum Unterschied von der in diesem Jahre an hiesiger Universität neu entstandenen Burschenschaft „Danubia" den Namen „Münchener Burschenschaft Arminia" an. Zugleich traten beide Burschenschaften durch Abschluß eines Burschenschafterkonvents in Beziehung. 1878 trat Arminia dem E. D. C. und 1881 dem A. D. C. bei. 19. Februar 1878: Endgültige Annahme des jetzigen Namens. Wahlspruch: Ehre, Freiheit, Vaterland. Farben: frühere: vom 19. Februar 1848 bis 18. Juni 1848: blau-gold-schwarz; vom 14. Juni 1848 bis 4. Mai 1850: grün-gold-violett; vom 5. Mai 1850 bis 12. Juli 1862: grün-weiß-schwarz. Jetzige: vom 13. Juli 1862 bis jetzt: schwarz-roth-gold von oben, rothe Mütze, goldene Perkussion. Kartellverhältnisse: Im Jahre 1862 war die Arminia dem norddeutschen Kartell beigetreten. Kneipe: Münzstr. 7/I. Briefablage: Café Probst.

Cimbria—München.

Die Burschenschaft Cimbria-München wurde durch zwei beurlaubte Münchener Arminen und einen Jenenser Germanen am 20. August 1884 gegründet. Am 12. Februar 1885 trat die freie Studentenverbindung Alnina, die am 3. November 1879 gegründet war, zur Cimbria über. Als Gründungstag wird daher der 3. November 1879 bezeichnet. Wahlspruch: Ehre, Freiheit, Vaterland. Farben: Anfangs roth-gold-schwarz von unten mit schwarzer Perkussion am rothen, und goldener Perkussion am schwarzen Felde. Bald jedoch wurde das Band umgekehrt getragen, also: schwarz-gold-roth von unten, die Perkussionen blieben dieselben. Bis zum Jahre 1890 trug die Cimbria schwarze Sammetmütze, seitdem jedoch weiße Mützen. Fuchsfarben: roth-gold-roth mit schwarzer Perkussion. Kneipe: Kil's Kolosseum. Briefablage: Café Gaßner.

Danubia—München.

Am 6. März 1848 gründeten eine Anzahl Studirender der Münchener Universität, welche sich lebhaft an den Bestrebungen der Anfang März 1848 errichteten Freikorps betheiligt hatten, eine Verbindung Danubia. Die Mitglieder trugen weiße Mützen mit weiß-grün-rosa Streifen. Ihr Wahlspruch war: „Frei in Rede, kühn in That!" Ihre Tendenzen burschenschaftlich, wenn sie auch den Namen Burschenschaft wegen des bestehenden polizeilichen Verbotes nicht führen durfte. Die Vereinigung erhielt aber die Anerkennung der Polizei und Universität und bestand bis zum 1. Mai 1853, an welchem Tage sie sich auflöste. Am 4. November 1874 rekrutirten sich eine Anzahl junger Studirender, hauptsächlich vom Passauer Gymnasium kommend, zu einer Vereinigung Passavia mit den Farben roth-weiß-blau, dem Wahlspruche: „Amicitia vocati, concordia firmati, ad libertatem nati!" und dem Prinzip der unbedingten Satisfaktion. Diese Vereinigung nahm im Jahre 1876 den Namen Danubia an und konstituirte sich als Burschenschaft mit der Devise: „Ehre, Freiheit, Vaterland". Als Farben wurden die der alten Danubia gewählt. Mütze weiß. Im Jahre 1877 wurde die Danubia in den E. D. C. und 1881 in den A. D. C. aufgenommen, welch' letzterem sie jedoch nur bis zum S.-S. 1883 angehörte. Am 12. August 1886 suspendirte die Danubia wegen Mitgliedermangel, nahm jedoch am 25. April 1887 als nicht couleurtragende Verbindung ihr Couleurleben wieder auf und meldete sich an der Universität als „suspendirte Burschenschaft Danubia" an. Am 20. Mai 1888 trat die Danubia unter dem Namen „freie Burschenschaft" wieder öffentlich in Farben auf. Grundsätze, Farben und Zirkel waren die gleichen geblieben. Im Jahre 1890 erklärten sich die noch lebenden Mitglieder der im Jahre 1848 gegründeten Danubia mit der jetzigen Danubia solidarisch und traten in das Philisterium derselben ein. Von da ab wurde als Gründungsdatum der 8. März 1848 und als Tag der Rekonstituirung der 4. November 1874 angenommen. In den Jahren 1893—1896 suchte und fand die Danubia wieder Fühlung mit dem M. D. C. und damit mit der Allgemeinen deutschen Burschenschaft und wurde durch Beschluß des Burschentages zu Eisenach, Pfingsten 1896, wieder als renoncirende Burschenschaft in den A. D. C. aufgenommen. Wahlspruch: Ehre Freiheit, Vaterland. Farben: Vom 6. März 1848 bis 1. Mai 1858 weiß-grün-rosa, weiße Mützen. Vom 4. November 1874 bis S.-S. 1876 roth-weiß-blau im Bierzipfel; vom S.-S. 1876 bis W.-S. 1884 weiß-grün-rosa, weiße Mützen; vom W.-S. 1884 bis S.-S. 1886 weiß-grün-rosa, schwarze Mützen. Jetzige Farben: vom 20. Mai 1888 bis jetzt weiß-grün-rosa, weiße Mützen, Silber-Perkussion. Fuchsfarben: grün-rosa. Kneipe: Burgerstr. 18. Briefablage: Café Luitpold.

Rhenania—München.

Die Burschenschaft Rhenania-München wurde gegründet am 8. Januar 1887 als „Freie Studentenvereinigung Rhenania". Sie war zuerst schwarze Verbindung und wurde erst am Schluß des Wintersemesters 1888/89 Couleurverbindung, nachdem sie sich schon einige Zeit vorher den Namen „Freie Studentenverbindung Rhenania" beigelegt hatte. Seit 5. Juni 1889 in den A. D. C. aufgenommen, führt die frühere „Freie Studentenverbindung Rhenania" den Namen: „Münchener Burschenschaft Rhenania". Wahlspruch: Deutsche Ehre, deutsche Treue, deutscher Sang und Ehre, Freiheit, Vaterland! Farben: blau-gold-schwarz, blaue Mütze. Fuchsfarben, blau-gold-blau, goldene Perkussion. Kneipe: Sendlingerstr. 79 II. Briefablage: Café Hoftheater.

Frankonia—Münster.

Am 4. August 1878 wurde in Münster mit acht Mitgliedern die Frankonia als erste akademische, farbentragende Verbindung gegründet, welche die unbedingte Satisfaktion mit eigenen Waffen in ihre Satzungen aufnahm. Die gleichzeitig in Münster bestehenden farbentragenden Verbindungen Rhenania, Guestfalia und Sauerlandia hatten bis dahin in dieser Beziehung keine bestimmte Richtung verfolgt. Sie nahm die Farben violett-weiß-roth mit violetten Mützen an. Die Korporation nannte sich Burschenschaft und nahm den Wahlspruch „Ehre, Freiheit, Vaterland" an. Auch das Wappen der alten Burschenschaft wurde angenommen mit der einzigen Abweichung, daß an Stelle des Eichbaums das weiße Westfalenroß im rothen Felde trat. Als Wahlspruch wählte man: „Hosti pectus, cor amico." Wegen der ungünstigen örtlichen Verhältnisse in Münster waren die Bemühungen der Frankonia, engeren Anschluß an den Verband der Burschenschaften zu bekommen, damals nicht von Erfolg. Als im Jahre 1884 der Burschentag in Eisenach den Beschluß gefaßt hatte, über alle dem A. D. C. nicht angehörenden

Burschenschaften den leichten Waffenverruf zu verhängen, gab die Frankonia den Namen Burschenschaft auf und schloß sich, da sie sonst den Bruch ihres Verhältnisses mit den beiden anderen schlagenden Verbindungen Münsters befürchten mußte, den Goslarer T. C. an. Sie trat schon 1886 wieder aus und nannte sich von jetzt an Landsmannschaft. Im S.-S. 1894 suspendirte Frankonia, sie that sich S.-S. 1896 wieder auf und schloß sich als Turnerschaft dem B. C. an. Im S.-S. 1902 wurde sie als renoncirende Burschenschaft in den A. D. C. aufgenommen. Kneipe: Lortzingtheater.

Obotritia—Rostock.

Die Burschenschaft Obotritia zu Rostock wurde am 21. Januar 1883 gegründet als Turn- und Fechtklub mit dem Prinzip der unbedingten Satisfaktion. Im S.-S. 1886 wurde dauernd Couleur aufgesetzt. Die Burschenschaft hatte bis W.-S. 1889/90 das Maturitätsprinzip, das jedoch aus Rücksicht auf die Rostocker Universitätsverhältnisse aufgegeben wurde. Die Burschenschaft hatte seit ihrem Bestehen Besprechungsmensuren. Seit S.-S. 1885 führt sie eigene Waffen und schlägt seit 1894 Bestimmungsmensuren. Auf dem A. D. C.-Tage zu Pfingsten 1899 wurde die bis dahin freie schlagende Verbindung Obotritia als renoncirende Burschenschaft aufgenommen. Wahlspruch: Virtute duce, comite Fortuna. Ehre, Freiheit, Vaterland. Farben: blau-gold-roth, Mütze roth. Fuchsfarben: roth-gold-roth. Kneipe: Heldt's Restaurant.

Alemannia—Strassburg.

Die Straßburger Burschenschaft Alemannia wurde am 8. November 1880 gegründet, sie ging hervor aus dem akademisch-juristischen Verein. Mit der kurz vorher (am 30. Juni 1880) gegründeten Straßburger Burschenschaft Germania schloß sie sofort einen „Straßburger D. C." ab und trat wie diese in den G. T. C., sowie später in den A. D. C. ein. Im S.-S. 1883 mußte die Alemannia suspendiren, wurde jedoch Anfang W.-S. 1883/84 (Oktober 1883) rekonstituirt. Am 29. November 1887 sah sie sich gezwungen, zum zweiten Male zu suspendiren; Ende April 1888 erfolgte eine abermalige Rekonstitution. Am 1. August 1888 suspendirte die Burschenschaft zum dritten Male. Am 21. Juli 1899 wurde sie wieder aufgethan. Wahlspruch: Ehre, Freiheit, Vaterland! Farben: schwarz-roth-gold, karmoisinrothe Stürmer. Die ursprünglichen bei der Gründung angenommenen Farben waren: gold-ziegelroth-gold, ziegelrothe Stürmer. Bei der ersten Rekonstitution (Oktober 1883) wurden die Farben in schwarz-roth-gold umgewandelt und dementsprechend karmoisinrothe Stürmer angelegt. Ihre Abzeichen sind jetzt gold-roth-goldenes Band und hellrother Stürmer. Kneipe: Zum goldenen Lamm, Feggasse 11.

Germania—Strassburg.

Die Straßburger Burschenschaft Germania wurde am 30. Juni 1880 unter der Führung eines Marburger Alemannen gegründet. Die äußeren Abzeichen (Farben, Mütze, Zirkel), die bei der Gründung festgesetzt wurden, haben später niemals eine Aenderung erfahren. Die Burschenschaft trat sofort dem E. D. C. bei (zunächst als Renonce; Pfingsten 1881 wurde sie stimmberechtigt und endgültig aufgenommen), bei dem sie auch bis zu seiner Auflösung (Juli 1881) verblieb. Dem A. D. C. gehört sie seit dessen Gründung (Juli 1881) an. Leider gerieth die Burschenschaft nach wenigen Jahren hoher Blüthe bereits im Sommer 1884 in Schwierigkeiten. Am 12. November 1884 mußte sie wegen Mangels an Mitgliedern suspendiren. Sie wurde jedoch bereits am 18. April 1885 rekonstituirt. Auf die Dauer konnte sie sich aber nicht behaupten: am 2. Mai 1887 suspendirte sie von Neuem. Fast drei Jahre dauerte es — inzwischen suspendirte im August 1888 auch die Straßburger Alemannia, so daß die deutsche Burschenschaft in Straßburg seitdem nur noch durch einige dort studirende Inaktive vertreten war —, bis am 30. Januar 1890 eine abermalige Rekonstituirung gelang, die bis jetzt glücklichen Erfolg gehabt hat und auch dauernden Erfolg für die Zukunft verspricht. Am 19. und 20. Juli 1901 feierte die Burschenschaft unter reger Betheiligung der in den Reichslanden wohnenden alten Burschenschafter ihr 10jähriges Stiftungsfest. Wahlspruch: Ehre, Freiheit, Vaterland! Farben: schwarz-silber-schwarz mit goldener Einfassung. Die Mütze hat weiße Grundfarbe, unten schwarz-silber-rothen Besatz und oben goldene Einfassung. Kneipe: Gasthof zum Rindsfuß, Metzgergießen.

Derendingia—Tübingen.

Die Derendingia wurde am 21. April 1877 von 15 norddeutschen Studenten gegründet als schwarze Verbindung. Der Name war gewählt worden nach dem Dorf Derendingen bei Tübingen, wo sich auch zuerst die Kneipe befand. Im Sommer 1891 trat die Derendingia in den sogenannten Gothaer E. C. ein, der damals eine ganze Anzahl schwarzer Verbindungen umfaßte. Im gleichen Semester wurde ein Kartell mit der Göttinger schwarzen Verbindung Frisia abgeschlossen, das bis zu ihrem Eintritt in den A. D. C. fortdauerte. Außer diesem Kartell bestanden Freundschaftsverhältnisse zu der Kieler Verbindung Stormaria und der Heidelberger Leonensia. Aus dem E. C. trat die Derendingia gemeinschaftlich mit der Frisia im Jahre 1884 wieder aus. Als E. C.-Verbindung hatte sie den Grundsatz der bedingten Satisfaktion gehabt; doch da schon 1881 eigene Waffen angeschafft worden waren und seitdem Paukverhältnisse mit den übrigen Tübinger schwarzen Verbindungen bestanden hatten, so war immer der Wunsch rege gewesen, die unbedingte Satisfaktion, die thatsächlich längst bestand, auch grundsätzlich anzunehmen. Dies geschah durch Beschluß vom W.-S. 1888/89. Seit dieser Zeit steht die Derendingia im abwechselnden Paukverhältniß mit dem Tübinger L. C. und den übrigen schwarzen Verbindungen und seit 1890 mit der Burschenschaft Germania. Im W.-S. 1896/97 wurde Couleur aufgesetzt. Hand in Hand mit diesem Schritt ging die Umwandlung zur Burschenschaft. Am 9. Juni 1897 wurde die Derendingia in den A. D. C. aufgenommen, dem sie seit Pfingsten 1898 definitiv angehört. Wahlspruch: „Einig und stark" und „Einer für Alle, Alle für Einen". Farben: roth-weiß-blau mit silberner Perkussion auf schwarzer Mütze. Fuchsfarben: blau-weiß-blau. Fuchsenmütze. Kneipe: Linde. Exkneipe: Derendingia. Postablage: Rathstube.

Germania—Tübingen.

Der Stiftungsakt der alten Tübinger Burschenschaft datirt vom 12. Dezember 1816, als 57 Studenten, zum Theil ehemalige Freiheitskämpfer, Statuten entwarfen und durch ihre Unterschrift bekräftigten. Der Name der neugegründeten Burschenschaft war „Arminia", ihre Farben schwarz und blau. Nach dem Wartburgfest trat die „Arminia", indem sie den Namen „Germania" und die Farben schwarz-roth-gold annahm, in die allgemeine deutsche Burschenschaft ein. Durch Ministerialerlaß vom 24. November 1825 wurde die Burschenschaft in Tübingen verboten, löste sich im Museumssaal auf, setzte aber im geheimen die Traditionen der Burschenschaft fort. Am 22. Mai 1828 kam es aber in diesem Verbande zum Bruch, 27 Mitglieder, welche ein strengeres burschenschaftliches Leben wünschten, traten zu einer gesonderten Verbindung zusammen, wurden wegen ihres Feuereifers „Feuerreiter" genannt und nahmen diese Bezeichnung, da der Name Burschenschaft verboten war, selbst an. Als die Plackereien von oben her einigermaßen aufhörten, durfte die Burschenschaft wieder offen mit ihren Farben hervortreten, suchte wieder Verbindung mit den auswärtigen Burschenschaften und schloß sich, angesichts der von Erlangen und Jena ausgehenden Spaltung, der germanistischen Richtung an, deren Parteitag in Dresden sie zu Ostern 1831 beschickte. In Folge des Frankfurter Attentats wurden 20 Mitglieder in Untersuchung gezogen und bestraft und die Burschenschaft vollständig aufgelöst. Trotz dieses schweren Schlages starb der burschenschaftliche Geist in Tübingen nicht aus. Es fand sich im Jahre 1836 eine lose Gesellschaft, genannt „Giovannia", zusammen, deren meiste Mitglieder sich zwar an der Umwandlung in ein Korps „Westfalia" anschlossen, während sechs den Entschluß faßten, eine neue Burschenschaft ins Leben zu rufen. Das geschah am 15. Januar 1837, obwohl man den Namen „Burschenschaft" zunächst vermeiden mußte; als Kneipe diente die alte Stammburg der Burschenschaft, die „Eisfertel". Im Frühjahr 1839 wagte es die Verbindung, wieder Statuten zu entwerfen, und von da an nach und nach als Burschenschaft öffentlich aufzutreten. Eine nochmalige Auflösung erlebte sie am 14. März 1853, da sie angeblich „zu politischen Zwecken mißbraucht und hierdurch die öffentliche Ordnung gefährdet würde". Jedoch schon im nächsten Wintersemester wurde die Verbindung, wenn auch ohne die äußeren Formen einer solchen, den Grundsätzen entsprechend, im Innern wieder hergestellt. Im Jahre 1857 nahm sie den Namen „Tubingia" und die Farben blau-weiß-gold (blaue Mützen) an. Anläßlich des Thronwechsels in Württemberg erfolgte auf verschiedene Bittschriften am 5. Januar 1865 die offizielle Anerkennung der Verbindung als Burschenschaft laut Erlaß der Regierung. Kartelle: 1856 mit Bubenruthia, April 1857 mit Allemannia-Heidelberg, August 1857 mit Teutonia-Kiel, 1861 Eintritt der Germania in das Süddeutsche Kartell, dem die Germania seitdem angehört. Farben: schwarz-gold-roth (von unten), Füchse: kein Band. Mütze: Grundfarbe roth, Perkussion gold, großes Format. Wahlspruch: Ehre, Freiheit, Vaterland. Kneipe: Germanenhaus.

Arminia—Würzburg.

Die völlig freie Gewährung des Assoziationsrechtes für die bayerischen Hochschulen durch Ministerialerlaß veranlaßte die Gründung der wissenschaftlich-freisinnigen (Progreß-)Verbindung „Palladia" am 12. Dezember 1848 mit den Farben blau-weiß-gold. Der Name wurde am 14. Juni 1850 in „Teutonia" umgeändert; jedoch die alten Farben der Palabia, wie ihr Wahlspruch: „amicus optima vitae possessio" beibehalten und von da an das öffentliche Tragen der Verbindungs- farben eingeführt; die Mützen waren weiß, eine Zeit lang blau. Mitte der 50er Jahre nahm die Studentenverbindung Teutonia öffentlich den Namen „Burschen- schaft" an, nachdem sie burschenschaftlichen Tendenzen schon seit ihrer Gründung gehuldigt und mit mehreren auswärtigen Burschenschaften in sehr freundschaftlichen engen Beziehungen gestanden hatte. Im W.-S. 1859/60 hat die Burschenschaft und Teutonia nicht suspendirt, sondern nur beschlossen, wegen der geringen Anzahl der Mitglieder vorläufig nicht in Farben zu gehen. Im S.-S. 1860 trat sie unter dem Namen „Arminia" und mit den Farben: schwarz-roth-gold, welche die Teutonia schon im S.-S. 1859 angenommen hatte, wieder öffentlich auf. Eine vollständige Vereinigung der alten Herren der Teutonia mit der aus der letzteren hervorgegangenen Arminia wurde allerdings erst im Sommer 1867 erzielt. Am Stiftungsfest wird neben dem Arminenband auch das alte Teutonenband getragen. Arminia war bei der Gründung des Eisenacher Burschenbundes betheiligt, schied aber am 1. Mai 1868 aus demselben aus. Die Farben der Burschenschaft, die im Jahre 1862 geändert wurden, sind jetzt schwarz-gold-roth, rothe Mützen, keine Fuchsfarben. Wahlspruch: „Freiheit, Ehre, Vaterland". Kartellverhält- nisse: Am 20. November 1861 trat die Arminia dem sogenannten rothen Kartell bei, das damals aus folgenden Burschenschaften bestand: Germania-Gießen, Teu- tonia-Freiburg, Germania-Jena, Raczek-Breslau, Rugia-Greifswald. Dem An- trag der Bonner Franken, das Kartell aufzulösen, trat die Arminia am 1. Mai 1869 bei. Kneipe: Theaterterasse.

Cimbria—Würzburg.

Die Burschenschaft Cimbria-Würzburg ist hervorgegangen aus dem am 15. Mai 1875 gegründeten medizinischen Fachverein „Coetus anatomicus". Der- selbe nahm den jetzigen Zirkel der Burschenschaft, sowie die Farben violett-silber- schwarz an, die jedoch nicht öffentlich getragen wurden. Auch legte er sich eigene Waffen bei und schlug Kontrahagen mit verschiedenen Würzburger Korporationen. Das Gründungsdatum der Burschenschaft Cimbria fällt auf den 1. März 1878. Diese trat sofort dem E. D. C. bei und gehört seit der Gründung des A. D. C. diesem Verbande an. Kartelle hat diese Burschenschaft nie gehabt. Farben: violett-silber-schwarz mit silberner Perkussion und violetter Mütze. Fuchsfarben: silber-violett-silber mit violetter Perkussion. Keine Fuchsmütze. Als allgemeinen Wahlspruch führt die Cimbria den burschenschaftlichen Wahlspruch: „Freiheit, Ehre, Vaterland", als speziellen den Wahlspruch: „Mannesmuth, Freundschaft, Wissenschaft". Außerdem trägt sie in ihrem Wappen den Wahlspruch: Per aspera ad astra! Kneipe: Mergentheimer Str. 22.

Germania—Würzburg.

Gegründet wurde die Germania im Jahre 1842 als Burschenschaft durch eine kleine Schaar Würzburger Studenten, unterstützt durch Angehörige auswärtiger Burschenschaften, wie sie auch in der Folgezeit freundschaftliche Beziehungen zu deutschen Burschenschaften unterhielt. Bald aber sah sich Germania, damals die einzige studentische Vereinigung in Würzburg außer den 5 Korps, durch die Ungunst der Verhältnisse gezwungen, den Namen „Fortschrittsverbindung" anzunehmen, wodurch jedoch an dem Wesen der Korporation nichts geändert wurde. Als Abzeichen wurde zuerst einfache schwarze Mütze getragen; im Jahre 1847 beschloß man dann, Farben anzulegen. Da aber der ursprüngliche Plan, schwarz-roth-gold zu tragen, unter den damaligen Verhältnissen sicherlich an dem Widerstande des Ministeriums gescheitert wäre, entschied man sich für „schwarz-gold-blau". Auch das Burschenschafterwappen hatte man angenommen. Leicht begreiflich ist es deshalb, daß man die Germanen noch später Burschenschafter nannte trotz des Namens „Fortschrittsverbindung". Auf die Glanzperiode und hohe Blüthe der Jahre 1848—49 (Germania zählte damals fast vierzig Mitglieder) blieb allmählich der Nachwuchs aus, und Germania mußte im Jahre 1856 suspendiren. Nach einer Pause von acht Jahren beschloß eine bereits seit zwei Jahren bestehende Vereinigung Würzburger Studenten, sich wieder mit dem Namen und den Farben der Germania aufzuthun im Anschluß an die Philister derselben, welche der Neuerstandenen die alten Wappen und sonstige noch vorhandene Inventarstücke aushändigten. Im Jahre 1874 mußte man jedoch wieder suspendiren. Zum dritten Male erstand Germania im Jahre 1886, indem eine bereits sieben Jahre unter dem Namen „Corona" bestehende Studentenverbindung nach längeren Verhandlungen mit den Philistern der alten Germania die letztere wieder aufthat, ohne jedoch die Farben zu tragen. Erst im Jahre 1896 waren die Hindernisse beseitigt, welche die Verwirklichung eines seit langer Zeit gehegten Planes verhindert hatten. Germania suchte und fand nämlich wieder den Anschluß an die anderen Burschenschaften. Nachdem sie am 1. März 1896 die alten Farben angelegt hatte, wurde sie auf dem folgenden o. A. D. C.-Tage als Renonceburschenschaft aufgenommen. Wahlspruch: Honor praemium virtutis. Farben: Schwarz-gold-blau (von oben). Schwarze Sammtmütze. Fuchsenfarben werden nicht getragen. Kneipe: Café Schott.

Burſchenſchaften auf den techniſchen Hochſchulen.

a) Burſchenſchaften im R. D. C.

Alania Aachen.

Gegründet: 1. Mai 1876. Wahlſpruch: Furchtlos und treu. Burſchen=
band: blau-rot-gold. Fuchſenband: blau-rot-blau. Burſchenmütze: blau
mit blau-rot-goldenem Streifen. Fuchſenmütze: blau mit blau-rot-goldenem
Streifen. Kneipe und Brieſablage: Hotel „Zum großen Monarchen" am
Büchel.

Alemannia—Braunſchweig.

Gegründet: 10. November 1873 (1. Mai 1850). Wahlſpruch: Ehre, Frei=
heit, Vaterland und Per aspera ad astra. Burſchenband: ſchwarz-gold-rot.
Fuchſenband: ſchwarz-gold. Burſcheumütze: ſchwarze Sammetmütze mit
ſchwarz-gold-rotem Streifen. Fuchſenmütze: ſchwarze Sammetmütze mit ſchwarz-
gold-rotem Streifen. Kneipe: Reſtaurant Hausmann, Kl. Egerzierpl. 5 Brief=
ablage: Reſtaurant Schulze-Ulrici, Sad 21—22.

Germania—Braunſchweig.

Gegründet: 31. Auguſt 1861. Wahlſpruch: Per aspera ad astra. Burſchen=
band: ſchwarz-rot-gold. Fuchſenband: rot-gold. Burſchenmütze: ziegelrot
mit ſchwarz-rot-goldenem Streifen Fuchſenmütze: ziegelrot mit ſchwarz-rot-
goldenem Streifen. Kneipe: Hotel d'Angleterre, Breiteſtr. Brieſablage:
Techniſche Hochſchule.

Thuringia—Braunſchweig.

Gegründet 6. Februar 1868. Wahlſpruch: Mutig ſei der Mann und
heiter bis zum Tode, tapfere Männer zählen nicht der Feinde Menge. Burſchen=
band: hellgrün-weiß-dunkelblau. Fuchſenband: dunkelblau-weiß-dunkelblau.
Burſchenmütze: dunkelblau mit grün-weiß-blauem Streifen. Fuchſenmütze:
dunkelblau mit blau-weiß-blauem Streifen. Kneipe: Reſtaurant Michaelis,
Karlsſtr. 75. Brieſablage: Techniſche Hochſchule.

Gothia—Charlottenburg.

Gegründet: 5. März 1890. Wahlspruch: Furchtlos und beharrlich. Burschenband: orange-weiß-schwarz. Fuchsenband: orange-weiß-orange. Burschenmütze: orange mit orange-weiß-schwarzen Streifen. Fuchsenmütze: orange mit orange-weiß-schwarzen Streifen. Kneipe und Briefablage: Schlüterstr. 8².

Thuringia—Charlottenburg.

Gegründet: 19. Juni 1875. Wahlspruch: Einer für alle, alle für einen. Burschenband: grün-weiß-blau. Fuchsenband: grün-weiß-grün. Burschenmütze: hellgrün mit grün-weiß-blauem Streifen. Fuchsenmütze: hellgrün mit grün-weiß-grünem Streifen. Kneipe: Restaurant Tiergartenhof, Berlinerstr. 1. Briefablage: Restaurant Tiergartenhof, Berlinerstr. 1 oder Technische Hochschule.

Frisia—Darmstadt.

Gegründet: 6. Februar 1885. Wahlspruch: Einig und treu. Burschenband: schwarz-weiß-blau. Fuchsenband: blau-weiß-blau. Burschenmütze: hellblau mit schwarz-weiß-blauem Streifen. Fuchsenmütze: hellblau mit schwarz-weiß-blauem Streifen. Kneipe: Restaurant Reichskrone, Mühlstr. 6. Briefablage: Technische Hochschule.

Germania—Darmstadt.

Gegründet: 12. Juli 1879 (3. April 1843). Wahlspruch: Ehre, Freiheit, Vaterland! und Einigkeit macht stark! Burschenband: schwarz-rot-gold. Fuchsenband: rot-gold-rot. Burschenmütze: dunkelroter Sammet mit schwarz-rot-goldenem Streifen. Fuchsenmütze: dunkelroter Sammet mit schwarz-rot-goldenem Streifen. Kneipe: Restaurant „Zum Gutenberg", Wiesenstr. 9. Briefablage: Restaurant „Zum Gutenberg", Wiesenstr. 9 oder Technische Hochschule.

Cheruscia—Dresden.

Gegründet: 2. Mai 1861. Wahlspruch: Ehre, Freiheit, Vaterland! Burschenband: schwarz-rot-gold mit ziegelroter Einfassung am Schwarz. Fuchsenband: schwarz-rot-schwarz mit ziegelroter Einfassung am Schwarz. Burschenmütze: ziegelrot mit schwarz-rot-goldenem Streifen (von unten). Fuchsenmütze: ziegelrot mit schwarz-rot-goldenem Streifen (von unten). Kneipe: Albrechtstr. 41¹. Briefablage: Technische Hochschule.

Glückauf—Freiberg.

Gegründet: 11. Oktober 1875. Wahlspruch: Ehre, Freiheit, Vaterland! und Ein Mensch ohne Freund ist ein ärmlicher Wicht! Burschenband: schwarz-gold-rot. Fuchsenband: schwarz-gold-schwarz. Burschenmütze: neurot mit schwarz-gold-rotem Streifen. Fuchsenmütze: neurot mit schwarz-gold-rotem Streifen. Kneipe und Briefablage: „Goldener Adler".

Arminia—Hannover.

Gegründet: 25. Juni 1898. Wahlspruch: Ehre, Freiheit, Vaterland Burschenband: schwarz-rot-gold auf weißem Grunde. Fuchsenband: schwarz-

15

golb=schwarz auf weißem Grunde. Burschenmütze: weiß mit schwarz=rot=
goldenem Streifen. Fuchsenmütze: weiß mit schwarz=rot=goldenem Streifen.
Kneipe: Escherstr. 16. Briefablage: Escherstr. 16 oder Technische Hochschule.

Germania—Hannover.

Gegründet: 10. Mai 1891. Wahlspruch: Ehre, Freiheit, Vaterland!
Burschenband: schwarz=rot=golb. Fuchsenband: schwarz=golb=schwarz.
Burschenmütze: schwarzer Sammet mit schwarz=rot=goldenem Streifen. Fuchsen=
mütze: ebenso. Kneipe und Briefablage: Germanenhaus, Am Taubenfelde 16.

Arminia – Karlsruhe.

Gegründet: 7. März 1876. Wahlspruch: Einigkeit macht stark! Burschen=
band: schwarz=gold=blau. Fuchsenband: blau=gold=blau. Burschenmütze:
schwefelgelb mit schwarz=gold=blauem Streifen von Weinzipfelband. Fuchsen=
mütze: schwefelgelb mit blau=gold=blauem Streifen von Weinzipfelband. Kneipe:
Babischer Hof, Marienstr. 1. Briefablage: Kaffee Grunwald.

Germania – Karlsruhe.

Gegründet: 16. Februar 1877. Wahlspruch: Freiheit, Ehre, Vaterland!
Burschenband: schwarz=golb=rot. Fuchsenband: schwarz=golb=schwarz.
Burschenmütze: militärrot mit schwarz=golb=rotem Streifen. Fuchsenmütze:
militärrot mit schwarz=golb=schwarzem Streifen. Kneipe: Gasthaus zum „Laub",
Kaiserstr. 16. Briefablage: Restaurant Maunger, Kaiserstr. 142.

Teutonia—Karlsruhe.

Gegründet: 2. Mai 1857. Wahlspruch: Ehre, Freiheit, Vaterland!
Burschenband: schwarz=rot=golb. Fuchsenband: rot=golb=rot. Burschen=
mütze: Karminrot mit schwarz=rot=goldenem Streifen. Fuchsenmütze: Karmin=
rot mit rot=golb=rotem Streifen. Kneipe und Briefablage: Teutonenhaus,
Kaiserstr. 20.

Gothia—München.

Gegründet: 14. März 1896. Wahlspruch: Freiheit, Ehre, Vaterland!
Burschenband: rot=schwarz auf goldenem Grunde. Fuchsenband: schwarz=
golb=schwarz. Burschenmütze: hellrot mit rot=schwarzem Streifen auf goldenem
Grunde. Fuchsenmütze: ebenso. Kneipe: Schwäbische Weinstube, Herrenstr. 9.
Briefablage: Café Luitpold.

Stauffia—München.

Gegründet: 7. November 1893. Wahlspruch: Ehre, Freiheit, Vaterland!
Burschenband: schwarz=weiß=rot auf goldenem Grunde. Fuchsenband: rot=
weiß=rot auf goldenem Grunde. Burschenmütze: schwarzer Sammet mit schwarz=
weiß=rotem Streifen auf goldenem Grunde. Fuchsenmütze: ebenso. Kneipe:
Bräuhausstr. 4 I., links. Briefablage: Hoftheaterrestaurant, Max=Josephsplatz.

Alemannia—Stuttgart.

Gegründet: 18. Juni 1866. Wahlspruch: Freiheit, Ehre, Vaterland! Burschenband: schwarz-gold-rot. Füchse tragen kein Band. Burschenmütze: dunkelrot mit schwarz-gold-rotem Streifen. Fuchsenmütze: ebenso. Kneipe: Alemannenhaus, Kanonenweg 46. Briefablage: Technische Hochschule.

Ghibellinia—Stuttgart.

Gegründet: 1. Mai 1862. Wahlspruch: Unita virtus valet! Burschen-band: blau-gold-rot. Fuchsenband: blau-rot-blau. Burschenmütze: hellblau mit blau-gold-rotem Streifen. Fuchsenmütze: hellblau mit blau-rot-blauem Streifen. Kneipe: Traubenstr. 19. Briefablage: Technische Hochschule.

Hilaritas—Stuttgart.

Gegründet: 14. Januar 1873. Wahlspruch: Treu, fest, frei! Burschen-band: rot-silber-schwarz. Fuchsenband: rot-schwarz. Burschenmütze: hell-rot mit silber-schwarzem Streifen. Fuchsenmütze: hell-rot mit rot-schwarzem Streifen. Kneipe: Lindenstr. 14. Briefablage: Technische Hochschule.

Ulmia—Stuttgart.

Gegründet: 22. Juni 1881. Wahlspruch: Eintracht, Ehre, Freiheit! Burschenband: schwarz-weiß-schwarz. Fuchsenband: weiß-schwarz. Burschen-mütze: schwarz (Tuch) mit schwarz-weiß-schwarzem Streifen. Fuchsenmütze: schwarz (Tuch) mit schwarz-weiß-schwarzem Streifen. Kneipe: Kasernenstr. 16, Hinterhaus. Briefablage: Techn. Hochschule.

b) Freie Burschenschaften.

Baltia—Charlottenburg.

Gegründet: 27. Januar 1894. Burschenband: hellblau-weiß-dunkelblau. Fuchsenband: hellblau-weiß-hellblau. Burschen- und Fuchsenmütze: gelb. Seit Sommersemester 1900 vertagt.

Markomannia—Darmstadt.

Gegründet: 12. Juni 1896. Wahlspruch: Einigkeit und Recht und Freiheit! Burschenband: schwarz-gold-rot. Fuchsenband: schwarz-rot. Burschen-mütze: karmoisinrot bis braun mit schwarz-gold-rotem Streifen. Fuchsenmütze: ebenso. Kneipe und Briefablage: „Stadt Pfungstadt".

Rheno-Guestfalia—Darmstadt.

Gegründet: 15. Januar 1894. Wahlspruch: Ehre, Recht und Freiheit! Burschenfarben: weiß-grün-rot. Fuchsenfarben: weiß-grün-weiß. Burschen-mütze: hellgrün mit weiß-grün-rotem Streifen. Fuchsenmütze: hellgrün mit weiß-grün-weißem Streifen. Kneipe: Schöfferhof, Alexanderstr. Briefablage: Technische Hochschule.

15 *

Cimbria—Dresden.

Gegründet: 1. November 1901. Wahlspruch: „Ehre über Leben, Vaterland über Alles!" Burschenband: schwarz-gold-rot. Fuchsenband: schwarzrot. Burschenmütze: schwarzer Sammet mit gold-rotem Streifen. Kneipe: Helbigs Italienisches Dörfchen, Theaterplatz 5. Briefablage: Techn. Hochschule.

Tuiskonia—Karlsruhe.

Gegründet: 14. Oktober 1877. Wahlspruch: Freiheit, Ehre, Vaterland! und Amico pectus, hosti frontem! Burschenband: gold-weiß-violett. Fuchsenband: violett-gold-violett. Burschenmütze: violett mit gold-weiß-violettem Streifen; Fuchsenmütze: violett mit violett-weiß-violettem Streifen. Kneipe: Restaurant Weißer Löwe, Kaiserstr. 21. Briefablage: Restaurant Friedrichshof, Karl Friedrichsstr.

Schlägel und Eisen, Klausthal.

Gegründet: 24. Februar 1890. Wahlspruch: Dem Bunde treu und treu dem Vaterland! Burschenband: schwarz-weiß-rot. Fuchsenband: weiß-rot. Burschenmütze: orangerot mit schwarz-weiß-rotem Streifen. Fuchsenmütze: orangerot mit weiß-rotem Streifen. Kneipe: Zellerfeld, Hotel Deutsches Haus. Briefablage: Kgl. Bergakademie.

— · — · · ◆ · —

Burschenschaften der Ostmark.

Arminia—Brünn.

Gegründet: 1862. Farben: schwarz-rot-gold auf rot. Kneipe: Jesuitengasse 17. Briefablage: Deutsche Technik.

Libertas—Brünn.

Farben: hellblau-weiß-gold, hellblaue Mütze. Wahlspruch: Ehre, Freiheit, Vaterland. Gegründet als konservative Burschenschaft, am 19. Juni 1884 von ehemaligen Mitgliedern der progressistischen Burschenschaft „Arminia" und der Landsmannschaft „Moravia". Die Burschenschaft gehörte dem L. D. C. seit seiner Gründung bis zu ihrer am 9. Dezember 1891 erfolgten Suspendierung an und wurde nach neuerlichem Austun 1896 wieder einstimmig in den L. D. C. aufgenommen. Kneipe: Schwechater Bierhalle. Briefablage: Deutsche Technik.

Moravia—Brünn.

Gegründet: 29. Oktober 1859. Schwarz-weiß-blau auf weiß. Kneipe: Scheffelgasse 11, Moravenhaus. Briefablage: ebenda.

Arminia—Czernowitz.

Farben: schwarz-rot-gold, kirschrote Mütze, Fuchsenband: schwarz-rot auf rot. Wahlspruch: In deutscher Hand die blanke Wehr', für's Vaterland und Burschenehr'! Gegründet 10. Juli 1877 als „Club deutscher Studenten (schlagend). Aus diesem entstand am 5. September 1879 die deutschakademische Landsmannschaft „Arminia", welche sich am 24. November 1880 zur Burschenschaft erklärte, aber nur bis 15. Dezember 1883 bestand. Ein Teil ihrer Mitglieder gründete hierauf die Burschenschaft „Teutonia", ein anderer Teil den „Verein deutscher Studenten", welche zusammen im Kartell standen, wodurch nach der bald erfolgten Auflösung der „Teutonia" die Mitglieder derselben zu dem „Verein deutscher Studenten" übertraten. Aus diesem Vereine entstand am 8. November 1887 die heutige Burschenschaft „Arminia". Den konservativen Grundsatz hatte bereits die erste Burschenschaft angenommen. Die Burschenschaft gehört dem L. D. C. seit seiner Gründung an. Kneipe: Siebenbürgerstr. 88, Arminenheim. Briefablage: ebenda.

Allemannia—Graz.

Farben: blau-silber-schwarz, dunkelblaue Sammetmütze. Wahlspruch: Freiheit, Ehre, Vaterland. Gegründet 16. Oktober 1871 als akademisch-technische Verbindung „Carinthia" (Farben: rot-weiß-gold), welche ihren Namen im W. H. 1874/5 in „Allemannia" änderte. Im Mai 1875 wurde sie wegen der „Don Alphonso-Angelegenheit" aufgelöst. Am 17. Mai 1879 erklärte sie sich zur progressistischen, am 20. Mai 1882 zur konservativen Burschenschaft. Im Sommer 1888 war die Burschenschaft suspendiert. Seit der Namensänderung in „Allemannia" waren die Farben blau-silber-schwarz auf grau; 1882 wurde die Grundfarbe in blau umgewandelt. Im Frühjahr 1896 erfolgte die Vereinigung mit der Grazer technischen Verbindung „Gothia". Dem L. D. C. gehört die Burschenschaft seit seiner Gründung an. Kneipe: Neue Weltgasse 3. Briefablage: Technik.

Arminia—Graz.

Farben: schwarz-rot-gold, schwarze Sammetmütze. Wahlspruch: Freiheit, Ehre, Vaterland. Gegründet am 7. November 1868 von Mitgliedern der Wiener progressistischen Burschenschaft „Arminia" als Grazer progressistische Burschenschaft gleichen Namens (mit den heutigen Farben). Sie stand mit der Wiener „Arminia" im Kartell (bis 1887). Im Mai 1875 erfolgte die erste Auflösung (wegen der „Don Alphonso-Angelegenheit"), doch noch im selben Jahre die Neugründung mit den Farben schwarz-rot-gold auf braun, und 1876 die Wiederannahme der schwarzen Mütze und des ursprünglichen Namens. Am 11. Februar 1879 erfolgte ein zweite behördliche Auflösung, nach welcher die Burschenschaft unter dem Namen „Augia" (schwarz-rot-gold auf blau) fortbestand und erst am 26. März 1884 wieder den Namen „Arminia" annehmen durfte. 1883 wurde die Burschenschaft bedingt konservativ (Bewilligung des Conventes zum Losgehen auf schwere Waffen), am 24. Oktober 1885 unbedingt konservativ. 1888 erfolgte die dritte behördliche Auflösung (Fortbestand als „Amelungia" mit schwarz-rot-gold auf grün, später mit den alten Farben), am 20. März 1890 die Wiederannahme des alten Namens. Dem L. D. C gehört die Burschenschaft seit seiner Gründung an. Kneipe: Lichtenfelsgasse, Försters Gasthaus. Briefablage: Universität.

Cheruscia—Graz.

Farben: rot-weiß-gold, violette Sammetmütze; Fuchsenband rot-weiß. Wahlspruch: Ehre, Freiheit, Vaterland. Die Burschenschaft wurde als solche auf rein-deutscher und konservativer Grundlage am 11. November 1890 gegründet. Kneipe: Stinglbräu. Briefablage: Universität oder Technik.

Frankonia—Graz.

Farben: schwarz-rot-gold, rote Mütze. Wahlspruch: Ehre, Freiheit, Vaterland. Gegründet am 1. Juni 1879 als konservative Burschenschaft „Frankonia" mit den Farben gold-rot-weiß-gold auf rotem Grunde. Sie trat am 6. Februar 1881 dem Kartelle Teutonia-Wien, Carolina-Prag bei (grün-gold-rotes Kartell). Als die Carolina-Prag am 17. Juli 1884 aus dem Kartelle austrat, wurde mit der Teutonia-Wien ein neues Kartell geschlossen, welches bis zum 2. November 1893 bestand. Am 1. Juni 1882 behördlich aufgelöst, führte sie bis 6. Oktober 1884 den Namen „Libertas" mit den Farben schwarz-rot-gold. Eine zweite behördliche Auflösung erfolgte am 22. Mai 1888, worauf sie bis zum 29. Mai 1890 den Namen „Ghibellinia" führte. Dem L. D. C. gehörte sie von seiner Gründung bis zu ihrem am 2. November 1892 erfolgten Austritt an. Briefablage: Universität.

Germania—Graz.

Gegründet: 28. März 1885. Farben: schwarz-rot-gold auf hellblau. Kneipe: Leonhardstr. 27. Briefablage: Universität.

Marcho-Teutonia—Graz.

Farben: schwarz-silber-grün, dunkelgrüne Mütze. Wahlspruch: Freiheit, Ehre, Vaterland. Gegründet am 15. Mai 1885 als „Verein deutscher Studenten" (mit unbedingter Satisfaktion). Am 15. Januar 1892 zur „Verbindung deutscher Studenten" erklärt (mit den Farben schwarz-silber-grün), erfolgte am 23. Januar 1893 die Konservativerklärung und die Annahme von Mützen (hellgrüner Plüsch). Am 8. Dezember 1898 wurde die Verbindung zur Burschenschaft „Marcho-Teutonia" umgewandelt. Im S. H. 1896 und W. H. 1896/7 war die Burschenschaft suspendiert, im S. H. 1897 nahm sie dunkelgrüne Tuchmützen an. Die Aufnahme in den L. D. C. erfolgte am 11. Februar 1898. Kneipe: Gastwirtschaft „Stiegelbräu" Grazbachgasse. Briefablage: Universität.

Raetogermania—Graz.

Farben: weiß-rot-schwarz, weiße Mütze. Wahlspruch: Freiheit, Ehre, Vaterland. Gegründet 12. Februar 1888 als „Verein deutscher Tiroler Hochschüler", der sich am 12. Februar 1891 zur Verbindung „Raetogermania" umwandelte (bei gleichzeitiger behördlicher Auflösung des Vereines wegen einer Ehrung Schönerer's). Seit 19. August 1891 trug die Verbindung rosafarbige Mützen. Nach einer abermaligen Auflösung erklärte sie sich 1892 zur Landsmannschaft „Raetia". Im S. H. 1895 suspendierte die „Raetia", tat sich aber nach 6 Wochen als Landsmannschaft „Raetogermania" wieder auf. Seit 1896 trug sie weiße Mützen mit schwarzer Einfassung. Am 5. Februar 1897 erfolgte die Erklärung zur gleichnamigen Burschenschaft. Kneipe: Rechbauerstr. 19. Briefablage: Universität.

Stiria—Graz.

Farben: grün-weiß-gold, weiße Mütze. Wahlspruch: Freiheit, Ehre, Vaterland. Gegründet 8. Mai 1861 als Verbindung, seit 1864 konservative Burschenschaft. Mit der Wiener Burschenschaft „Silesia" bestand mit kurzer Unterbrechung 1865 bis 1888 ein Kartell. Die Burschenschaft wurde dreimal behördlich aufgelöst, zuletzt 1889. Bis 1890 bestand sie als Burschenschaft „Marchia" (grün-weiß-blau auf grün), worauf sie wieder den ursprünglichen Namen und die alten Farben annahm. Kneipe: Sporgasse „Pastete". Briefablage: ebenda.

Germania—Innsbruck.

Farben: schwarz-weiß-gold, schwefelgelbe Mütze. Fuchsenband schwarz-weiß. Wahlspruch: Durch Reinheit zur Einheit. Gegründet am 5. März 1892 (durch eine Spaltung in der Burschenschaft Suevia-Innsbruck). Die Burschenschaft wurde dreimal behördlich aufgelöst (1896, 1897 zweimal) und bestand die beiden ersteren Male als „Teutonia", das dritte Mal als „Cheruscia" weiter. Kneipe: Hotel „Stadt München". Briefablage: Universität.

Burschenschaft der „Pappenheimer" jetzt „Arminia" Innsbruck.

Farben: grün-weiß-schwarz, schwarze Sammetmütze; Fuchsenband: grün-schwarz. Wahlspruch: Ehre, Freiheit, Vaterland. Gegründet am 27. Oktober 1884 als Gesangsverein „Pappenheimer". S. H. 1890 bis W. H. 1890/91 im Waidhofner Verband. W. H. 1890/91 Annahme grauer Mützen mit den Farben grün-weiß-schwarz, Bildung eines Kartelles mit der Verbindung „Raeto-germania" in Graz. S. H. 1891, Umänderung der grauen Mützen in schwarze Sammetmützen. S. H. 1892 Eintritt in den L. D. C.; W. H. 1893/4 Austritt aus dem L. D. C.; S. H. 1897 behördliche Auflösung und Fortbestand unter dem Namen „Arminia", welcher als der allein gültige angenommen wird. Kneipe: Hotel „Post". Briefablage: Universität oder Kneipe.

Suevia—Innsbruck.

Farben: rot-weiß-schwarz, rote Mütze; Fuchsenband: rot-schwarz. Wahlspruch: Freiheit, Ehre, Vaterland. Am 2. Dezember 1868 als Tischgesellschaft „Voralbergia" gegründet, am 20. Juli 1871 zur akademischen Verbindung gleichen Namens erklärt, welche ab 2. Dezember 1871 als farbentragende Verbindung auftritt. Am 17. August 1877 wird der Name „Suevia" angenommen, am 5. Mai 1881 erklärt sich die „Suevia" zur deutsch-akademischen Verbindung, am 13. Juni 1883 konservativ, am 18. Januar 1884 zur Burschenschaft. Die Farben der „Voralbergia" waren schwarz-weiß-rot (eingeführt 25. Juni 1870) und wurden am 2. November 1871 in die jetzigen Farben umgeändert. Die „Suevia" stand 1872 bis 1878 im Kartell mit der Verbindung (jetzt Burschenschaft) „Alemannia" in Freiburg, ferner 1876 bis 1883 mit der Verbindung „Schottland" in Tübingen. Die „Suevia" gehört dem L. D. C. seit seiner Gründung an. Kneipe: Gasthof „Zum Burgriesen", Hofgasse. Briefablage: ebenda.

Germania—Leoben.

Farben: schwarz-rot-gold, weiße Mütze. Wahlspruch: Deutsch, frei, froh und recht, Niemands Herr und Niemands Knecht. Gegründet 15. April 1882 als konservative Burschenschaft. Am 29. März 1885 behördlich aufgelöst. Im Oktober 1885 wurde in die Satzungen der Bergakademie durch kaiserlichen Erlaß ein neuer Punkt eingeschaltet, nach welchem jeder Hörer bei der Einschreibung sich verpflichten mußte, keiner Burschenschaft oder keinem Korps anzugehören. Ein Wiederaufstun der „Germania" war hierdurch unmöglich, mehrere Versuche, sie als Verein weiterzuführen, mißlangen. Nach der Erklärung der Bergakademie zur Hochschule wurde die Burschenschaft im S. H. 1895 wieder aufgetan, mußte aber wegen Mangel an Leuten im S. H. 1897 neuerdings suspendiert werden. Dem L. D. C. trat die „Germania" bei Gründung desselben bei, wurde jedoch laut Satzungen gestrichen, weil sie länger als 7 Halbjahre (Semester) suspendiert war.

Leder—Leoben.

Farben: schwarz-grün-weiß, grüne Mütze; Fuchsenfarben: schwarz-grün. Wahlspruch: Deutsch, furchtlos und treu. Gegründet am 4. Dezember 1886 als Tischgesellschaft „Leder"; 1889 zum bergakademischen Club „Leder" erklärt, mit schwarz-grünem Bande als Abzeichen. 1891 wurde den Bergmannsfarben schwarz-grün noch die dritte Farbe „Weiß" beigefügt und bald darauf die Bezeichnung Verbindung „Leder" gewählt. 1893 wurden grüne Mützen angenommen, 1895 erfolgte die Erklärung zur konservativen Burschenschaft. Die Aufnahme in den L. D. C. erfolgte 1896/7. Kneipe: Gastwirtschaft Kindler. Briefablage: Bergakademie oder Kneipe.

Teutonia—Leoben.

Farben: schwarz-rot-gold, stahlblaue Mütze (zuerst Atlas, später Tuch). Gegründet 27. Februar 1885 aus einer zwangslosen deutschvölkischen Tischgesellschaft beim „Weißen Kreuz" in Leoben. Im S. H. 1886 behördlich aufgelöst, wegen Zwiespalt mit der Finkenschaft. Da bis Ende 1897 sämtliche Aktive die Bergakademie verließen, konnte die Burschenschaft nicht mehr aufgetan werden.

Albia—Prag.

Farben: blau-weiß-gold, blaue Mütze. Fuchsenband: blau-weiß auf schwarz. Wahlspruch: Beständig, bieder und treu; Waffenspruch: Gladius refugium nostrum. Die „Albia" wurde am 24. Oktober 1860 als Landsmannschaft gegründet, welche aus dem 1859 bestandenen „Herzogtum Lichtenhain" hervorging. 1862 erklärte sie sich zur deutsch-akademischen Verbindung, am 8. Februar 1877 zum akademischen Korps, am 28. Oktober 1882 wieder zur deutsch-akademischen konservativen Verbindung, am 15. Dezember 1888 zur Burschenschaft. Die „Albia" wurde am 25. März 1892 in den L. D. C. aufgenommen. Kneipe: Jungmannstr. 2, Hotel „Viktoria". Briefablage: Universität.

Arminia—Prag.

Farben: schwarz-weiß-blau, hellblaue Mütze. Wahlspruch: Ehre, Freiheit, Vaterland. Gegründet 12. Oktober 1879 als Tischgesellschaft „Campia" (benannt nach der Insel Campa, wo sich die Realschule befindet, deren Abiturienten die Gründer der Tischgesellschaft waren). Am 23. Oktober 1880 wurde der Name „Verein deutscher Studenten Campia", sowie ein schwarz-weiß-blaues Band als Abzeichen gewählt. Am 19. März 1881 wurden die bisherigen schmalen Bänder in breitere mit oben blauem, unten schwarzem Rande abgeändert und auch kleine dunkelblaue Kneipmützen angeschafft. Am 4. Mai 1881 wurde das öffentliche Tragen mit blauer Grundfarbe beschlossen. Am 19. Oktober 1881 wurde die unbedingte Annahme von Kontrahage-Mensuren festgesetzt, am 2. November 1881 erfolgte die Erklärung zur konservativen technischen Burschenschaft „Arminia". Die alten Farben wurden beibehalten, jedoch die Bänder silbern gerändert. Am 6. Juli 1882 wurde der Titel „Prager Burschenschaft „Arminia" angenommen. Zu Pfingsten 1895 erfolgte die Aufnahme in den L. D. C. Kneipe: Smichow, Gasthof Przemysl. Briefablage: Kneipe.

Carolina—Prag.

Farben: grün-weiß-rot, grüne Mütze. Wahlspruch: Wahrheit in Wort und Tat. Gegründet 12. Mai 1860 als konservative akademische Verbindung „Carolina". Die ersten Mützen waren schwarze Samtmützen mit den Farben hellgrün-weiß-rosa. 1862 wurden grüne Mützen eingeführt, welche bis 1876 in verschiedenen hellen und dunklen Tönen, sowie verschiedener Formen (auch Stürmer) erscheinen, um von da ab gleichmäßig zu bleiben. Am 1. Juni 1866 erfolgte die Erklärung zur Burschenschaft. 1867—1869 gehörte die „Carolina" dem norddeutschen Kartell an. Seit 6 Juli 1978 stand sie mit Teutonia—Wien und seit 5. Februar 1881 auch mit Franconia—Graz im Kartell (grün-gold-rotes Kartell), schied jedoch 17. Juni 1884 aus demselben. Mit der Breslauer Burschenschaft der Raczeks steht die „Carolina" in einem Freundschaftsverhältnis. Kneipe: Krakauergasse 16 II. Briefablage ebenda.

Constantia—Prag.

Farben: violett-weiß-schwarz, violette Mütze. Gegründet als Verbindung am 22. Februar 1868. Bei der Gründung des L. D. C.'s war die Burschenschaft „Constantia" beteiligt; später suspendierte sie.

Ghibellinia—Prag.

Farben: schwarz-rot-gold, weiße Mütze. Wahlspruch: Ehre, Freiheit, Vaterland. Gegründet am 30. Oktober 1880 von Reichenberger Abiturienten als konservative Burschenschaft. Am 27. April 1890 erfolgte die Aufnahme in den L. D. C. Kneipe: Krakauergasse 16. Briefablage: Deutsche Universität.

Teutonia—Prag.

Farben: schwarz-rot-gold, schwarze Mütze. Wahlspruch: Ehre, Freiheit, Vaterland. Gegründet am 16. Dezember 1876 als akad. polytechn. Burschenschaft „Teutonia". 1879 wurde der Titel in „Prager Burschenschaft Teutonia" geändert, und in demselben Jahre statt der sogenannten „Prager Waffe") der Korbschläger eingeführt. Konservativ wurde die Burschenschaft schon 27. Juni 1877. Dem L. D. C. gehört sie seit seiner Gründung an. Kneipe: Herrengasse, Bierhalle zum Senator. Briefablage: Deutsche Universität.

Thessalia—Prag.

Farben: schwarz-weiß-rot, schwarze Mütze, obere Einfassung weiß, untere Einfassung ein roter Samtstreifen mit in Silber gestickten Eichenblättern. (1864—1870 waren die Farben schwarz-rot-weiß, schwarze Mütze. 1871—1879 wurden rote Kappen mit schwarz-weiß-rotem Rande, sowie ein schwarz-weißes Fuchsenband getragen. 1879 bis W. H. 1897/98 wurden schwarze Kappen mit schwarz-weiß-rotem Rande getragen.) Wahlspruch: omnes pro uno, unus pro omnibus. Gegründet 7. Dezember 1864 als pharmaceutische Verbindung „Thessalia". 18. Oktober 1870 wurde dieselbe konservativ, 1888 erklärte sie sich zur alad. pharm. Burschenschaft. 1888—1886 bestand ein Kartell mit Alemannia—Wien. Um laut L. D. C. Satzungen mit dem Prager D. C. ein Paukverhältnis eingehen zu können, nahm die „Thessalia" im W. H. 1893/94 den Titel „Konservative Verbindung" an. Suspendierungen: W. H. 1872/73, S. H. 1873, S. H. 1890, S. H. 1895 bis W. H. 1896,97. Kneipe: Krakauergasse 16. Briefablage: Deutsche Universität.

Albia-Wien.

Farben: schwarz-rot-gold, lichtblaue Mütze (im Winter Tuch, im Sommer Seide). Wahlspruch: Ehre, Freiheit, Vaterland. Gegründet am 21. November 1870 als deutscher Studentenverein „Lipensia" (Studenten aus Leipa), mit den Farben gold-blau-weiß. 1878 wurden der Name „Albia" und die Farben blau-weiß-gold auf blau angenommen. Im W. H. 1877/79 erfolgte die Vereinigung mit der deutsch-alad. Verbindung „Gothia", am 8. Februar 1878 die Konservatioerklärung und die Annahme der heutigen Farben, sowie des Titels „Burschenschaft". Die „Albia" war im S. H. 1876 suspendiert. Dem L. D. C. gehört die Burschenschaft seit seiner Gründung an. Kneipe: Reichshallen. Briefablage: Universität.

Alemannia—Wien.

Farben: weiß-grün-gold, grüne Mütze. Wahlspruch: Neminem laede, neminem time. Am 19. November 1862 als konservative alad. pharm. Verbindung „Alemannia" gegründet, trug sie 1862—1864 weiße Mützen und war 1874—1880 suspendiert. Am 14. Dezember 1880 tat sie sich wieder auf und erklärte sich zur Burschenschaft. 1883—1886 stand sie mit der Prager alad. pharm. Burschenschaft „Thessalia" im Kartell, vereinigte sich im Jahre 1883 mit der Verbindung „Rabenstein" und trug infolgedessen vorübergehend die Farben schwarz-rot-gold (und grüne Mütze). Die „Alemannia" gehört dem L. D. C. seit seiner Gründung an. Kneipe: Mariahilferstr. 18. Briefablage: Universität.

Arminia—Wien (früher technische Libertas).

Farben: grün-weiß-gold, grüne Mützen. Fuchsenband grün-weiß-grün. Wahlspruch: Deutsches Herz, freier Sinn. Die Geschichte der Burschenschaft ist bis zum 15. Juni 1874 dieselbe, wie die der Burschenschaft Libertas—Wien. Als sich dieselbe an diesem Tage konservativ erklärte, trennten sich die noch progessistisch Gesinnten, nannten sich zum Unterschied von ersteren (Wiener akademischen Burschenschaft „Libertas") techn.-alad. Burschenschaft „Libertas" und nahmen die ehemals bis 1871 von der „Libertas" getragenen Farben: grün-weiß-gold auf grün an.

Im Jahre 1893 erklärte sich auch die „technische Libertas" konservativ. Am
11. Mai 1896 behördlich aufgelöst, trägt sie nun den Namen „Arminia", jedoch
dieselben Farben wie früher. Kneipe: Waalgasse 5. Briefablage: Universität.

Bruna-Sudetia—Wien.

Farben: violett-rot-gold, rote Mütze. Wahlspruch: Freiheit, Ehre,
Vaterland. Gegründet am 29. Oktober 1871 als deutsch-akad. Verbindung
„Bruna", die sich am 27. Januar 1872 als Landsmannschaft erklärte (Farben
schwarz-rot-gold auf rot; Wahlspruch: Eintracht ist Macht). Am 6. Juni 1874
erklärte sie sich konservativ, nahm die Farben violett-rot-gold an, trat dem Ko-
burger L. C. bei (1875—1877). Am 6. Februar 1878 suspendiert, tat sie sich am
16. April desselben Jahres wieder auf und erklärte sich am 22. Oktober 1879 zur
Burschenschaft. Am 10 Oktober 1882 vereinigte sie sich mit dem Vereine deutscher
Studenten aus den Sudetenländern „Sudetia" (gegr. 13. Dezember 1873) und
nahm in der Folge den jetzigen Namen, sowie am 30. Mai 1883 das allgemeine
Burschenschaftswappen und den allgemeinen Burschenschaftswahlspruch an. Dem
L. D. C. gehört sie seiner Gründung an. Kneipe: Strozzigasse 11 „Bundesheim".
Briefablage: ebenda.

Germania—Wien.

Farben: schwarz-rot-gold, weiße Mütze. Fuchsenband: schwarz-rot mit
weißem, bezw. goldenem Rande. Wahlspruch: Ehre, Freiheit, Vaterland.
Gegründet am 18. Oktober 1861 als Landsmannschaft „Bohemia" welche
sich am 12. Dezember 1861 zur Burschenschaft erklärte (Farben: schwarz-weiß-
rot auf schwarz). Am 19. November 1863 wird die weiße Grundfarbe angenommen, im Gilbhart (Oktober) 1866 erfolgte die Annahme des Namens
„Germania" und der heutigen Farben. Im W. H. 1869/70 wird die Burschenschaft unbedingt konservativ. Am 23. Mai 1874 behördlich aufgelöst, tritt sie nach
kurzer Zeit wieder in Wirksamkeit. 1888/89 war die „Germania" suspendiert.
Dem L. D. C. trat sie bei seiner Gründung bei; 1893 trat sie aus dem L. D. C.
aus, 1894 aber wieder ein. Kneipe: Lerchenfelderstr. 67. Briefablage:
Universität

Libertas—Wien.

Farben: schwarz-rot-gold, grüne Mütze. Wahlspruch: Deutsches Herz,
freier Sinn; Freiheit, Ehre, Vaterland. Gegründet am 10. Mai 1860 als
Landsmannschaft (entstanden aus der 1859 gegründeten Landsmannschaft „Olomucia"), nahm sie am 16. Juli (April?) 1861 den Titel „Burschenschaft" und am
30. November 1861 die Farben grün-weiß-gold auf grün an. Vom 19. Oktober
1868 bis 28 Oktober 1870 stand sie mit der Burschenschaft „Teutonia" zu Brünn
im Kartell. Am 12. Mai 1871 vereinigte sich die „Libertas" mit der techn.-
akad. Burschenschaft „Cheruscia" und nahm deren Farben schwarz-rot-gold auf
grün an. Am 15. Juni 1874 erfolgte die Konservativerklärung. 1878 wurde die
„Libertas" behördlich aufgelöst und bestand eine kurze Zeit unter dem Namen
„Constantia". Dem L. D. C. gehört die Burschenschaft seit seiner Gründung
an. Kneipe: Piaristengasse 20, Libertenhaus. Briefablage: ebenda.

Markomannia—Wien.

Farben: schwarz-weiß-gold, weiße Mütze. Fuchsfarben: weiß-schwarz-weiß. Entstanden ist die „Markomannia" aus einer am 10. Oktober 1860 von Olmützer Studenten gegründeten Verbindung „Olomucia", welche ein rot-weiß-rotes Band (die Farben der Stadt Olmüß) als Abzeichen hatte. Die anfangs nur als Ferial-verbindung gedachte „Olomucia" erklärte sich 1862 zur Wiener Landsmannschaft mit den Farben schwarz-weiß gold, nannte sich aber noch in demselben Jahre „Verbindung". Am 18. Februar 1863 nahm sie den Namen „Burschenschaft Markomannia" an, vertauschte denselben jedoch am 17. Februar 1866 wieder mit dem Titel „Verbindung". 1869/70 erfolgte die Konservativerklärung, am 17. Juni 1870 die Umwandlung zur deutschen Landsmannschaft. Im April 1898 erklärte sie sich zur deutschen Burschenschaft. Kneipe: Piaristengasse 6—8. Briefablage: Universität.

Moldavia—Wien.

Farben: rot-weiß-gold, schwarze Mütze. Wahlspruch: Einig und frei, deutsch und treu. Im Jahre 1872 durch Absolventen aus Krummau und Budweis in Südböhmen als Geselligkeitsverein „Moldavia" gegründet. Nach Ent-fernung der nicht deutschen Mitglieder am 14. Mai 1874 zum deutsch-akad. Vereine „Moldavia" erklärt, dessen Abzeichen ein schwarz-rot-goldenes Band war. Im Jahre 1876 wurde derselbe Landsmannschaft (rot-weiß-goldenes Band, weiße Mütze), welche sich später durch den Eintritt der gesamten Landsmannschaft „Normannia" verstärkte. 1885 wurde die „Moldavia" bedingt konservativ, am 15. Oktober 1887 unbedingt konservativ und im Lenzmond 1889 erklärte sie sich unter gleichzeitiger Änderung der Mützenfarbe in Schwarz zur Burschenschaft. Dem L. D. C. gehörte sie von der Gründung bis zum 28. Oktober 1896 an und steht derzeit außerhalb desselben. Kneipe: Liechtensteinstr. 69. Briefablage: Universität.

Olympia—Wien.

Farben: schwarz-rot-gold, violette Mütze. Wahlspruch: Wahr und treu, kühn und frei. Gegründet am 10. November 1859 nach dem Kommerse zur Feier des 100jährigen Geburtstages Schillers. In den ersten Tagen hieß sie „Sängerbund Olympia". Die Farben waren, da die Mehrzahl der Gründer Techniker waren, blau-weiß (Farben der Technik). 1860 wurden die Farben violett-weiß-gold und violette Mütze angenommen. Am 10. Mai 1862 erfolgte die Erklärung zur Burschenschaft, am 12. Mai die Änderung der Farben in die heutigen. Die Konservativerklärung wurde Ende 1872 beschlossen und es stiegen am 28. Februar 1873 die ersten Partien. Die „Olympia" gehört dem L. D. C. seit seiner Gründung an. Briefablage: Universität.

Silesia—Wien.

Farben: gold-rot-schwarz, amaranthrote Mütze. Wahlspruch: Freiheit, Ehre, Vaterland. Gegründet am 24. November 1860 als Landsmannschaft „Silesia" (für schlesische Studenten, deren geistige Mutterstadt Troppau), Burschenschaft seit 7. November 1861, konservativ seit 9. November 1862 (somit die älteste konservative Burschenschaft der Ostmark). Die Farben waren ursprünglich schwarz-rot-gold auf schwarz und wurden geändert, weil eine progressistische Verbindung „Walhalla", dieselben Farben trug. Die Burschenschaft gehörte der Eisenacher Convention und dem Eisenacher Burschenbund an. 1865—1888 stand die „Silesia" fast ununterbrochen im Kartell mit der Grazer Burschenschaft „Stiria". Die „Silesia" wurde dreimal behördlich aufgelöst. 1889—1890 suspendiert, nahm sie als solche an der Gründung des L. D. C. teil und tat sich bald darauf wieder auf. Die „Silesia" trat am 8. Februar 1896 aus dem L. D. C. aus, wurde aber 1897 wieder in denselben aufgenommen. Kneipe: Florianigasse 58. Briefablage: ebenda.

Teutonia—Wien.

Farben: schwarz-gold-rot, gelbe Mütze. Wahlspruch: Freiheit, Ehre, Vaterland. Gegründet am 28. Januar 1868 von 9 ehemaligen Mitgliedern der Burschenschaft „Arminia". Am 21. Juni 1869 erklärte sie sich für unbedingt konservativ. Am 6. Juli 1878 schloß sie ein Kartell mit Carolina-Prag, am 5. Februar 1881 auch mit Frankonia-Graz (grün-gold-rotes Kartell). Als die Burschenschaft „Carolina" am 17. Juli 1884 aus dem Kartell austrat, schlossen Teutonia-Wien und Frankonia-Graz ein neues Kartell, welches bis zum 2. November 1893 bestand. Am 9. Februar 1888 behördlich aufgelöst, bestand die „Teutonia" vorerst als Kneipgesellschaft „Danubia", dann als Burschenschaft „Freya" (schwarz-gold-blau auf violett) weiter, bis sie am 12. Juli 1890 wieder die alten Farben und den alten Namen erlangte. Eine zweite behördliche Auflösung erfolgte am 19. Februar 1894. Dem L. D. C. gehörte sie von seiner Gründung bis zu dem am 18. Oktober 1892 erfolgtem Austritte an. Zu Pfingsten 1896 wurde sie wieder in den L. D. C. aufgenommen. Kneipe: Gumpendorferstraße 71. Briefablage: ebenda.

Vandalia

gegründet 1888. Schwarz-grün-gold auf grau. Kneipe: Siebensterngasse 37. Briefablage: Universität.

Ortsgruppen des Verbandes alter Burschenschafter.

Name der Ortsgruppe und Gründungsjahr	Vorstand	Zeit und Ort der Zusammenkünfte	Briefe u. dgl. zu richten
Aachen (1900)	Jakob d'Asse, Dr. med. Arzt Aug-Greifsw. Aachen. L. Alfred Millner, Polizeirat Grm-Berl. Aachen. R. August Zündorff, Rechtsanwalt Al-Bonn. Aachen. S.	Jeden zweiten Mittwoch im Monat. Abends 8½ Uhr. Rest. zur Schwimmanstalt.	An den Vorsitzenden.
Allgäu (1905)	Max Maul, Landgerichtsrat Arm-München. Kempten. V. Hans Schmeidel, k. Bezirks-geometer. Kempten. Dan-München 1878. S. u. K.	Unregelmäßig.	Desgl.
Altenburg (1900)	Hans Heinrich, Landrichter Teut-Jena. Altenburg. V. Oskar Pettzich, Dr. iur. Rechts-anwalt Fr-Freib. Altenburg, Johannisstr. S. u. K.	Jeden ersten Montag im Monat abends 8½ Uhr Zusammen-kunst in Gündels Weinstuben in Al-tenb., Johannisstr.	An d. Schrift-wart.
Altmark (1890)	Robert Türde, Dr. iur. Amts-richter Grm-Berl. 1886. Sten-dal. V. L. Behrend, Dr. Arzt Grm-Jena 1891. Stendal. S. u. K.	Am ersten jedes Quar-tals in Stendal Café Kafka.	An den Vor-sitzenden.
Ansbach (1897)	Otto Rübel, Dr. Medizinalrat Bub-Erl. Ansbach. V. Roman Treisch, Dr. Stabsarzt a.D. u. Augenarzt Arm-Würzb. Ansbach. K. Adolf Bayer, Rechtsanwalt Triesdorferstr. Sub.	Jeden zweiten Mon-tag i. Monat Zu-sammenkunft im Hotel Stern in Ansbach.	Desgl.
Augsburg (1899)	Friedr. Böhm, Dr. Bezirksarzt Arm-Würzb. Augsburg, Völk-straße. V.	An jedem zweiten Mittwoch i. Monat im „Hohen Meer".	Desgl.

V bedeutet Vorsitzender, S Schriftwart, K Kassenwart.

Name der Ortsgruppe und Gründungsjahr	Vorstand	Zeit und Ort der Zusammenkünfte	Briefe u. dgl. zu richten
Augsburg (1899)	Georg Groß, Hilfsgeistlicher Kub-Erl. Augsburg, Klinkerberg. S. Hugo Steiger, Dr. Gymnasialprofessor Germ-Erl. Augsburg, Klinkerberg. K.	An jedem zweiten Mittwoch i. Monat im „Hohen Meer".	An den Vorsitzenden.
Baar-Schwarzwald (Donaueschingen) (1900)	Konrad Friedrich Heck, Gymnasialprofessor Frank-Heid. Donaueschingen. V. Jof. Steffan, Dr. Medizinalrat Bezirksarzt Al-Freib. Donaueschingen. K. Alfred Kiefer, Dr. Arzt Teut-Freib. Donaueschingen. S.	An jedem zweiten Samstag i. Monat nachm. 4½ Uhr i. Museum i. Donaueschingen.	Desgl. oder an Dr. Kiefer.
Baden-Baden (1901)	Hermann, Dr. Professor Salingia-Halle. Bad-Bad., Sofienstr. Wilh. Hoffmann, Zahnarzt Teut-Freib. Sofienstr. 18. S. Bruno Zabler, Dr. Rechtsanwalt Alem-Freib. Bad-Bad, Karl Bernhardstr. K.	Jeden ersten Dienstag im Monat im Hotel Petersburgerhof 8½ Uhr. Im Sommer jeden Freitag, abends 6 Uhr. Abendschoppen ebenda.	An d. Schriftwart.
Bamberg (1894)	Ernst Mayer, Apotheker und Fabrikbesitzer Kub-Erl. Bamberg, Geyerswörthstr. 6a. V. Eugen Fischinger, Direktionsassessor All-Heid. Bamberg. K. Ferdinand Beegmann, Rechtspraktikant Germ-Würzburg.	In d. Wintermonaten an jedem ersten Freitag im Monat im Schützenhaus im Sommer mit Damen in Kellern (wechselnd).	An den Vorsitzenden.
Barmen-Elberfeld (1882)	Friedrich Kaiser, Dr. phil. Oberrealschuldirektor Al-Halle. Barmen. V. Walther Kühle, Dr. Frauenarzt Dir. der Hebammenlehranstalt Arm-Marb. Grm-Straßburg. Elberfeld, Sophienstr. 12. S. u. K.	Jeden ersten Mittwoch im Monat im Hofbräuhaus Elberfeld, Mäuerchenstr.	An d. Schriftwart.
Basel (1887)	G. W. A. Kahlbaum, Dr. ord. Professor All-Heid. Basel, Steinenvorstadt 4. V. Robert Herr, Dr. Arzt All-Heid. Lörrach, Baden. S.	Alle 6 Wochen Freitags in Lörrach, Krone.	An den Vorsitzenden.
Berlin	Franz Wagner, Justizrat Dresd-Grm-Berlin. Berlin, Schinkelplatz 3. I. V. Hugo Böttger, Dr. phil. Schriftleiter der B. Bl. Arm-Jena. Steglitz b. Berlin, Albrechtstraße 88. II. V.	Jeden ersten Donnerstag im Monat im „Spatenbräu", Friedrichstr. 172. Im Winter: Kaiserkommers-Sommerfest.	Desgl.

Name der Ortsgruppe und Gründungsjahr	Vorstand	Zeit und Ort der Zusammenkünfte	Briefe u. dgl. zu richten
Berlin	Hans Schenk, Dr. med. Alem-Bonn. Berlin, Schöneberger-straße 9. A. Max Bulsteu, Dr. Arzt Germ-Berlin. Berlin W., Uhland-straße 30. II. S. H. Minck, Kaufmann Franconia-Berlin. Berlin N., Bonen-straße 11.		An den Vor-sitzenden.
Bernburg	Dr. Günther, Germ-Halle. B.	Gasthof zum Löwen.	— —
Bielefeld (1890)	Trene, Dr. Nahrungsmittel-chemiker Alem-Marburg. B. Appelius, Referendar Bielefeld, Bismarckstr. Alem-Bonn. S. u. K.	Jeden Sonnabend Dämmerschoppen 6 bis 8 Uhr. Jeden letzten Sonnabend im Monat Farben-kneipe. Zwischen Weihnachten und Neujahr Familien-abend.	An den Vor-sitzenden.
Bochum (1902)	Heinr. Pickert Dr. Arzt Alem-Bonn. Bochum. B. Walth. Bottermann, Oberlehrer Arm-Marburg. Bochum. S. Unterhinnighofen, Amtsrichter Marchia-Bonn.	Jeden ersten Dienstag im Monat im Hotel Monopol.	Desgl.
Bonn (1902)	Fritz Walter, Oberpostdirektor a. D. Geh. Ob.-Post-Rat. Bonn, Joachimstr. 14. Alem-Bonn. 1. B. Philipp Teichler, Dr. med. Bonn, Kaiserstr. 95. Germ-Tübingen. Alem-Heidelberg. Teut-Kiel. II. B. Wilhelm Pohl, Gerichtsreferen-dar Bonn, Kurfürstenstr. 11. Bub. S. Ernst Stier, Gerichtsreferendar Bonn, Kölner Chausser 115. Frank-Bonn. Germ-Halle. K.	Jeden Dienstag von 6 Uhr ab Dämmer-schoppen im Krug zum gr. Kranze. Koblenzerstr. 27. Jeden ersten Diens-im Monat Farben-kneipe. 8½ ebenda.	An b. Schrift-wart.
Braunschweig (1885)	O. Kirchberg, Dr. Arzt Grm-Jena. Wolfenbüttel. B. J. Koch, Referendar Germ-Jena, Rudolfstr. 3. S. u. K.	Jeden ersten Don-nerstag im Monat in Tanners Hotel. Im Sommer Aus-flug mit Damen.	An den Vor-sitzenden.
Bremen (1893)	Janson, Dr. phil. Bub-Bremen. Wilhadistr. 2. B. Henmann, Referendar Germ-Tübingen, Parkstr. 79. S.	Jeden Mittwoch abends 8½ Uhr in der Jacobihalle. Farbenkneipen 8	Desgl.

Name der Ortsgruppe und Gründungsjahr	Vorstand	Zeit und Ort der Zusammenkünfte	Briefe u. dgl. zu richten
Bremen	Schultze, Dr. med. Alem-Marburg, Krankenanstalt.	mal im Jahre während der Universitätsferien. Alle 3 Jahre Herbstkommers.	An den Vorsitzenden.
Breslau (1898)	Karl Sittka, Justizrat Racz-Breslau. Breslau. Altbüßerstraße 8 9. V. Georg Zimmer, Dr. phil. Gymn.-Oberlehrer Al-Berl. Breslau, Brüderstr. 3 d. S. Paul Buchrucker, Generalagent Arm-Breslau. Breslau, Moltkestr. 9. K.	Jeden zweiten Mittwoch im Monat in Paschkes Restaur., Taschenstr. 21, in Farben.	An d. Schriftwart.
Bromberg (1981)	Herm. Dietz, Dr. Arzt Grm-Berl Fr-Erl. Bromberg. V. Walther Ehrhardt, Regierungsrat, Hoffmannstr. 8. Arm-Marburg. S. u. K.	Jeden ersten Samstag im Monat bei Twadowski, Friedrichstraße. Ende September ein Kommers.	An den Vorsitzenden od. den Schriftwart.
Celle (1908)	Langerhans, Dr. med. Medizinalrat (Germ-Jena. V. Jessen, Dr. med. Teut-Kiel. K. Tolle, Rechtsanwalt, Alem-Göttingen. S.	Jeden ersten Donnerstag im Monat Farbenkneipe 8½ Uhr. Jeden dritten Donnerstag Dämmerschoppen; beides in Wahlfeldts Rest.	An den Vorsitzenden.
Charlottenburg	Medizinalrat Dr. Klein (Germ. Greifswald). V.	—	Desgl.
Chemnitz (1891)	Hans Große, Rechtsanwalt Grm-Leipzig. Chemnitz, Am Plan 1. V.	Jeden ersten Samstag i. Monat i. Carolahotel, Chemnitz, Albertstr. Im Oktober ein Kneipabend zur Feier des Stiftungsfestes, im Febr. ein Abendessen mit Kneipabend.	Desgl.
Chiemgau (1896)	Joh. Rep. Niklas, Professor Arm-München. Traunstein. V. Karl Driesler, Apotheker Grm-Würzburg. Traunstein. S. Heinrich Grenling, Bauamts-Assessor Cimb-Münch. Traunstein. K.	Jeden ersten Montag im Monat „Traunsteiner Hof" in Traunstein od. nach Uebereinkunft ein anderes Lokal.	An d. Schriftwart.
Coethen i.Anh. (1905)	Nouvel Alem-Halle. V.	Jeden 1. Donnerstag im Monat im Ratskeller. 6 Uhr.	An den Vorsitzenden.

16

Name der Ortsgruppe und Gründungsjahr	Vorstand	Zeit und Ort der Zusammenkünfte	Briefe u. dgl. zu richten
Danzig (1879)	Wilhelm Willers, Dr. jur. Regierungsrat Arm-Marburg. Brunsv-Göttingen. Danzig, Langgasse 34. V. Ludw. Czischke, Dr. phil. Oberlehrer Germ-Berlin. Danzig, Lastadie 33. S. u. K.	Am ersten Samstag jeden Monats. Kolonialsaal d. Danziger Hofes.	An den Vorsitzenden.
Darmstadt (1881)	Gläßing, Beigeordneter Alem-Gießen. V. Kuhn, Reg.-Assessor Alem-Gießen, Schützenstr. 17. S. Scheider, Reg.-Assessor Germ-Gießen, Grafenstr. 27. K.	Letzten Samstag im Monat. Restaurant Kaisersaal, Grafenstraße 18.	Desgl.
Dessau	Albert Henning, Geh. Justizrat Viol-Tresden-Leipzig. Dessau, Askanische Straße. V.	1. Mittwoch i. Monat Bahnhofs-Hotel, i. d. Ferien 2mal i. M. Farbenkneipe.	Desgl.
Detmold-Lippe (1890)	H. Thorbecke, Dr. phil. Professor Al-Halle. Detmold Neustadt 6. V. Engel, Konsistorialrat Arm-Königsberg. Stellvertreter. Th. Credé, Reg.-Rat Teut-Jena. Detmold, Wollestr. 13. S. u. K.	Am 1. Freitag jeden Monats in der Loge, Detmold, Luisenstr. 4.	Desgl.
Dillenburg (1899)	Karl Kegel, Professor Alg-München Arm - Brandenburgia-Berlin. Dillenburg. V. Wilhelm Hopf, Dr. phil. Lehramtspraktikant Ter - Tüb. Dillenburg. S. u. K.	Am 1. Montag jeden Monats, abends 8 Uhr im Gasthaus Neuhoff zu Dillenburg.	Desgl.
Dortmund (1880)	Herm. Varop, Dr. Arzt Grm-Jena. Dortmund, Ludwigstraße 2. V. Semberg, Dr. Oberlehrer Alem-Bonn. S. Pannhof, Dr. Oberlehrer Alem-Halle. K.	Farbenkneipe an jed. 2. Mittwoch im Monat, abends 8½ Uhr im Restaurant „Am breiten Stein" Brückstr. 37. Dämmerschoppen an jedem Donnerstag von 6–8 Uhr im Ratskeller.	Desgl.
Dresden (1880)	Theod. Kanniger, Dr. med. Oberarzt Germ-Jena. Max Rudolf, Rechtsanwalt Grm-Leipzig. Dresden, Marschallstr. 1. S. u. K.	Jeden 1. Montag im Monat. Dazu Kommers, Ausflug mit Damen i. B. Ball.	An d. Schriftwart.
Dürkheim (1897)	Karl Roth, Rektor Lub-Erl. Dürkheim. V.	Jeden 3. Dienstag im Monat nachmittags	An den Vorsitzenden.

Name der Ortsgruppe und Gründungsjahr	Vorstand	Zeit und Ort der Zusammenkünfte	Briefe u. dgl. zu richten
Dürkheim (1897)	Alfr. Lehmann, Fr-Heidelberg. Freinsheim. S. u. R.	6 Uhr im Café Schüpple in Dürkheim.	An den Vorsitzenden.
Düsseldorf (1901)	Esser, Dr. med. March-Bonn. Düsseldorf, Flingerstr. V. Sautter, Dr. Ger-Ref. Germ-Tüb. Düsseldorf, Wilhelmstraße 43. S. Kruhöffer, Ger.-Ref. Teut-Kiel. Düsseldorf, Bankstr. 67.	Jeden 1. und 3. Mittwoch im Monat um 9 Uhr Abendschoppen im „Europäischen Hof", Graf Adolfstr., jede 12. Woche Donnerstag in der „Germania", Bismarckstr.	An d.Schriftwart.
Duisburg-Ruhrort Oberhausen (1887)	Hugo Coßmann, Dr. Arzt Arm-Marb. Duisburg, Goldstr. 3 V. Paul Rieten, Dr. Arzt Al-Bonn. Duisburg, Baßstr. 1. S. u. R.	Duisburg, Societät. Jed. zweiten Dienstag im Monat.	Desgl.
Eberbach-Mosbach (1891)	J. G. Weiß, Dr. Bürgermeister Fr-Heid. Eberbach. V.	Alle 1—2 Monate auf besondere Ansage d. Vorsitzenden teils in Nackaralz, teils in Eberbach.	An den Vorsitzenden.
Eisenach (1891)	Bedemann, Dr. Medizinalrat Germ-Jena. V. Ortloff, Dr. Rechtsanwalt, Dresdensia. S. Hugo Willhaner, Dr. Arzt Teut-Jena. Eisenach, Helenenstr.1.R.	Jeden zweiten Dienstag im Monat im Restaurant Zimmermann (vorm. Gröbler) 8 Uhr abends.	Desgl.
Erfurt (1891)	Ernst Sißlich, Amtsger.-Rat Franl-Heid. Erfurt, Elisabethstraße 5. V. Otto Herzau, Dr. Augenarzt Al-Götting. Erfurt, Reuwerckstraße 9. S. Karl Otto Zeiß, Dr. Frauenarzt Arm-Jena. Erfurt, Karthäuserring 16. R.	An jeden zweiten Samstag i. Monat im Rheinischen Hof in Erfurt, Langebrücke 29.	Desgl.
Essen (1893)	Weber, Dr. Oberlehrer. Henriettenstr. 131. Alem-Marb. V. Jensen, Ingenieur. Rüttenscheid b. Essen, Essenerstr. 117 I Arm-Münch. S. u. R.	Jeden 2. Mittwoch im Monat Bismarckzimmer der Gesellschaft „Verein".	An d.Schriftwart.
Flensburg (1889)	Aud. Ries, Dr. Arzt Teut-Jena. Flensburg, Angelburgerstr. 4. V., S. u. R.	Am ersten Donnerstag jeden Monats im Theatercafé.	An den Vorsitzenden.
Frankfurt a. M. (1883)	Reinhardt, Dr. V. Al-Marb., Germ-Straßburg. Schleidenstraße 33. V.	Jeden ersten Samstag im Monat in der „Stadt Ulm"	Desgl.

16*

Name der Ortsgruppe und Gründungsjahr	Vorstand	Zeit und Ort der Zusammenkünfte	Briefe u. dgl. zu richten
Frankfurt a. M. (1883)	Herm. Engel, Kriegsgerichtsrat All-Gieß. Elbestr. 27. S. Alb. Leimbach, Referendar, Sub-Krl. Frankfurt a. M., Glauburgstr. 84. K.	Frankfurt a. M. 2 große Feste mit Damen i. J., jeden Donnerstag 6—8 Uhr „Kaisergarten" Opernplatz.	An den Vorsitzenden
Frankfurt a. O.	Oskar Canter, Postrat Grm-Breslau. Frankfurt a. O. V. Heinrich Andresen, Dr. Reg.-Rat Grm-Jena. Frankfurt a. O., Grubenerstr. 13a. S. Herm. Reuscher, Kriegsgerichts-rat Aug-Greifswald. Frankfurt a. O. K.	Am ersten Mittwoch jeden Monats 8½ Uhr abends in der Altienbrauerei am Wilhelmsplatz in Frankfurt.	An den Vorsitzenden.
Freiburg i. B. (1898)	Chr. Dorner, Landgerichtsrat All-Heid. Freiburg i. B. V. Walter Koch, Dr. Arzt Gimb-Würzburg. Freiburg i. B. S. u. K. Thalstr. 34.	Mittwoch Abend in der Burse. Garten-saal. Jeden ersten Mittwoch im Monat Farbenkneipe im vorher zu bestimmenden Lokale.	An d. Schriftwart.
Friedberg i. H. (1899)	Rehmeyer, Dr. Gym-Prof. Germ-Gieß. V. Phil. Best, Dr. Stabsarzt Grm-Würzburg. Friedberg i. H. S. Jacob Knab, Pfarrer, Alem-Gieß. K.	Jeden ersten Donnerstag im Monat im Hotel „Drei Schwerter" abends 6½ Uhr.	An den Vorsitzenden.
Gera (Reuß) (1891)	Oskar Schmager, Professor Dresd-Leipzig. Gera, Goethestraße 9. V. Rud. Jahn, Rechtsanwalt und Rotar Arm-Jena. Gera. K.	Am vierten Donnerstag jeden Monats in der Weinstube d. deutschen Häuser. Gera, am Markt.	Desgl.
Gießen (1893)	Herm. Haupt Dr. phil. Professor Oberbibliothekar Arm-Würzburg. Gießen. V. Karl Wimmenauer, Dr. phil. Professor Grm-Gießen. Gießen. K. Walther Didoré, Reg.-Accessist Grm-Gießen. S.	Jeden zweiten Montag im Monat im Hotel „Schütz" in Gießen.	Desgl.
Görlitz (1902)	Jos. Ritzel, Justizrat Aug-Greifswald. Görlitz, Elisabethstr. 32. V.	Alle 6 Wochen auf besondere Einladung des Vorsitzenden hin im „Gesellschaftshaus" in Görlitz, Mühlweg 18.	An den Vorsitzenden.
Göttingen (1895)	Hermann Edels, Dr. Justizrat All-Heid. Göttingen. V.	unregelmäßig.	An d. Schriftwart.

Name der Ortsgruppe und Gründungsjahr	Vorstand	Zeit und Ort der Zusammenkünfte	Briefe u. dgl. zu richten
Göttingen (1895)	Heinrich Bünsow, Gymn.-Oberlehr. Brunsv.-Gött. Arm.-Leipzg.-Göttingen, Steinhäuser Chaussee 38. S. u. K.	unregelmäßig.	An d. Schriftwart.
Gotha (1894)	Arth. Sterzing, Dr. Med.-Rat Arm-Jena. Gotha. B.S. u. K.	An jedem letzten Samstag i. Monat im „Propheten" in Gotha, im Sommer wechselnd.	An den Vorsitzenden.
Greener-Burg (Dassel, Einbeck, Ganderöheim, Goslar, Klausthal, Seesen, Stadtoldendorf, Zellerfeld) (1900)	Friedrich Rühle, Dr. Seminardirektor Erm-Jena. Northeim. B. M. Gerlof, Rechtsanwalt und Notar Der-Tüb. Northeim. S. Arth. Pinther, Dr. Arzt Arm-Leipz. Einbeck. K.	Etw. sechs Zusammenkünfte im Jahre, im Sommer auf der Greener-Burg oder der Burg Salzderhalden, im Winter in den Städten. Festsetzung erfolgt durch den Ausschuß.	An d. Schriftwart.
Hagen i. Westf. (1901)	Cuny, Staatsanwaltschaftsrat Hag. Südstr. 20 11 a. Br. B. d. Raczeck's. B. Schenk, Rechtsanwalt, Alem-Bonn. S. u. K.	Jeden 1. Mittwoch im Monat abends 8 Uhr im Hotel Glitz.	An den Vorsitzenden.
Halberstadt (1900)	Hans Ecklerin, Dr. Professor Brunsv.-Gött. Halberstadt, Gleimstr. 9. B. Paul Siebert, Dr. Referendar Brunsv.-Gött. Halberstadt, Wernigeroderstraße. S.	An jedem 2. Mittwoch im Monat von 6 Uhr ab Dämmerschoppen im Hotel „Weißes Roß" in Halberstadt. Alle Vierteljahre eine größere Festlichkeit unter Beteiligung der anwesenden aktiven Burschenschafter.	Desgl.
Halle a. S. (1884)	Karl Grunert, Dr. Prof. Erm-Jena. Halle a.S., Landwehrstraße 22. B. Rich. Mohs, Dr. Stadtrat a. D. Erm-Jena. Halle a.S., Landwehrstr. 22. II. B. Otto Weigelt, Amtsger.-Rat Arm-Jena. Halle a. S., Wilhelmstr. 88 K. Lothar Jordan, Rechtsanwalt Teut-Jena. Halle a.S., Kronprinzenstr. 53. S.	Monatlich einmal an einem vom Vorstand zu bestimmenden Orte.	An d. Schriftwart.

Name der Ortsgruppe und Gründungsjahr	Vorstand	Zeit und Ort der Zusammenkünfte	Briefe u. dgl. zu richten
Hamburg-Altona-Wandsbeck (1893)	Adolf Andresen, Dr. med. Arzt Al-Marb., Fr-Freib. Hamburg, Eppendorferweg 58, I.B. Egbert Betschky, Dr. iur. Rechtsanwalt Bub-Erl. Hamburg, Schäferkampsallee 56. II. B. Herm. Nagel, Dr. iur. Assessor Al-Gött. Hamburg-Uhlenh., Goethestr. 7. K.	Alle 14 Tage, Donnerstag, abends 9 Uhr im Restaurant Rundl, St. Pauli, Eckernförderstr. 31/32.	An den Vorsitzenden.
Hannover (1891)	Fritz Delius, Geh. Reg.-Rat Brunsv-Gött. Al-Marburg. Hannover, Heinrichstr. 20. B. Herm. Hoogeweg, Dr. Archivar Arm-Bresl. Hannover, Meierstraße 23. S. Herm. Delius, Dr. Arzt Grm-Tüb. Hannover, Sedanstr. 60. K.	Jeden Dienstag abends 8½ Uhr im Hotel „Vierjahreszeiten", Hannover, Aegidientorplatz; am ersten Dienstag jeden Monats findet Farbenkneipe statt. Während des Sommers findet am Dienstag und Samstag nachmittags Lawn tennis mit Damen statt im Steuerndiel.	Desgl.
Heidelberg (1889)	Rich. Schröder, Dr. Professor Geh. Rat Brunsv. - Gött. Heidelberg. B. G. Wahl, Dr. ph. All-Berlin. Schw. Theodor Lorenzen, Dr. Prof. Grm-Jena. Heidelberg. Herm. Osthoff, Dr. Professor Hofrat Al-Bonn. Heidelberg. Herm. Müller, Dr. Prof. Teut-Jena. Heidelberg. Otto Krastel, Bankdirektor Fr-Heid. Heidelberg. Oskar Mezel, Apotheker Teut-Freib. Heidelberg. Julius Schück, Stadtpfarrer Grm-Tüb. Al-Heid. Heidelberg. Ludwig Wilser, Dr. Arzt All-Heid. Heidelberg.	An jedem ersten Mittwoch im Monat abends ½9 Uhr im „Weißen Bock" in Heidelberg, Gr. Mantelgasse.	Desgl.
Hildesheim (1891)	A. Gerstenberg, Dr. phil. Arm-Jena. Hildesheim, Rathausstraße 19.	Jeden 1. Mittwoch im Monat in der Domschenke abends 9 Uhr, jeden dritten Mittwoch im Monat abends 6½ Uhr im Restaurant Wiener Hof in Hildesheim.	Desgl.

Name der Ortsgruppe und Gründungsjahr	Vorstand	Zeit und Ort der Zusammenkünfte	Briefe u. dgl. zu richten
Hinterpommern Belgard (1899)	Rudolf Bodenstein, Dr. Arzt Aug-Greifsw. Kolberg. V. Gustav-Bundt, Dr. Arzt Ang-Greifsw. Belgard a. d. P. S.	Anfangs September in Kolberg.	An den Vorsitzenden.
Hof (1892)	Phil. Nürnberger, Pfarrer Bub-Erl. Hof. V. Otto Fränkel, Rechtspraktikant Germ-Erl. Hof. S.	Jeden zweiten Diens-tag im Monat beim Gastwirt Groß am alten Bahnhof in Hof.	An d. Schrift-wart.
Jena*) (1865)	Rich. Zwinghert, Justizrat Ober-landesgerichtsrat a. D. Arm-Jena. Jena V. u. S. Herm. Zeiß, Dr. Justizrat Rechts-anwalt Arm-Jena. Jena.	Zeit und Ort der Zu-sammenkünfte sind nicht regelmäßig und werden nur von Zeit zu Zeit zur Besprechung bezüglich Beschluß-fassung über bur-schenschaftliche An-gelegenheiten be-stimmt.	An den Vorsitzenden.
Karlsruhe (1891)	× Max Böck, Rechtsanwalt und Stadtrat Teut-Freib. Karls-ruhe i. B., Akademiestr. 4. V. † Hermann Wieland, Kassen-inspektor Frank-Heid. Karls-ruhe i. B., Hirschstr. 102. S. und K. × Arved Klauprecht, Dr. Privat-mann Al-Gießen. Karlsruhe i. B., Hirschstr. 86. Hermann Paul, Dr. Frauenarzt Al-Freiburg. Karlsruhe i. B., Waldstr. 6. Karl Widmer, Professor Al-Heid. Karlsruhe i. B., West-endstr. 63.	Alle zwei Monate (Tag unbestimmt) größerer Kneip-abend im Hotel Tannhäuser (Jäger-zimmer) in Karls-ruhe, Kaiserstr. 146. Jeden Samstag kommen die jüng. Mitglieder am Burschenschafter-tisch im Krokodil zusammen.	Desgl.

*) Im Jahre 1865 bildete sich in Jena zum Zwecke der Veranstaltung der Jubelfeier des fünfzigjährigen Bestehens der Deutschen Burschenschaft ein Komitee, welches aus einer Anzahl alter Burschenschafter sowie den Vertretern der drei Jenenser Burschenschaften bestand. Bei Gelegenheit der Jubelfeier wurde dieses Komitee zu einem fortdauernden „Zentralausschuß der Deutschen Burschenschaft zu Jena" konstituiert und mit der Wahrnehmung der allgemeinen Angelegenheiten der Deutschen Burschenschaft beauftragt. Dieser Ausschuß ist seitdem bei verschiedenen Gelegenheiten in Wirksamkeit getreten, hat beim Ausscheiden einzelner Mitglieder sich stets durch Kooptation ergänzt und besteht noch jetzt — nach Änderung der früheren Verhältnisse — als „Ausschuß Alter Burschenschafter in Jena".

Name der Ortsgruppe und Gründungsjahr	Vorstand	Zeit und Ort der Zusammenkünfte	Briefe u. dgl. zu richten
Kassel (1897)	Ludw. Büff, Landgerichtsdir. Frank-Heid. Arm-Marb. Kassel. V. Otto Hebel, Dr. Prof. Brunsv-Gött.Arm-Marb. Kassel II.B. Wilh. Ziegler, Telegraph.-Dir. Al-Heid. Kassel. S. P. Bleckmann, Gym.-Oberlehrer Grm-Marb. Kassel. K.	Jeden 2. Dienstag im Monat abends 8½ Uhr im Zentral-Hotel in Kassel. Außerdem Familienabend jeden 3. Dienstag im Monat.	An d.Schrift-wart.
Kiel (1890)	Heinr. Mau, Pastor Bub-Erl. Arm-Jena. Kiel, Lorenzendamm 12. V. Herm. Peters, Rechtsanwalt Teut-Kiel. Kiel, Jägersberg 11. B. Eggert Burmeister, Oberwerft-Verwaltungs-Sekretär Teut-Kiel. Kiel, Karlstr. 19. S.u.K.	Jeden Freitag von 7—9 Uhr Stammtisch in Holsts Hotel im altdeutschen Zimmer.	An den Vor-sitzenden.
Koblenz (1897)	G. Woelbring, Dr. Gym.-Oberlehrer, Moltkestr. 7.	An jedem zweiten Montag im Monat abends 6 Uhr im Restaurant Nizza in Koblenz, Mainzerstr. 2.	Desgl.
Koburg (1899)	Hub. Hartung, Amtsricht. Arm-Jena. Koburg, Seidmannsdorferstr. 1a. B., S. u. K.	Kneipabende sollen in den Universitätsferien u. bei sonstigen besonderen Gelegenheiten abgehalten werden. Lokal wird jedesmal besonders bestimmt.	Desgl.
Köln a. Rh. (1895)	Rud. Scheerbarth, Oberlandesgerichts-Rat March-Bonn. Köln a. Rh. I. B. Wilh. Orwa, Referendar Fr-Bonn Hann-Gött. Köln. S. Ernst Löwe, Dr. Oberlehrer Al-Halle. Köln,Rubensstr.28. K.	An jedem dritten Donnerstag im Monat im Europäischen Hof — Ewige Lampe — in Köln, Komödienstraße.	Desgl.
Königsberg i. Pr. (1898)	Erich Joachim, Dr. phil. Geh. Arch.-Rat, Archivdirektor Grm-Leipz. Königsberg i. Pr. V. Arthur v. Halle gen. v. Liptay, Prov.-Steuersekretär Al-Kön. Königsberg i. Pr. S.	Am Mittwoch vor dem 15. jeden Monats im Reichshof bezw. auf der Kneipe einer der hiesigen Burschenschaften.	Desgl.

Name der Ortsgruppe und Gründungsjahr	Vorstand	Zeit und Ort der Zusammenkünfte	Briefe u. dgl. zu richten
	Hans Lullies, Dr. phil. Professor Teut-Kön. Königsberg i. Pr. R.		
Konstanz (1891)	Ludwig Mathy, Gymnasialdirektor Fr-Heid. Konstanz, Münsterplatz 6. V. Ewald Welschedel, Dr. Arzt Cimb-Münch. Konstanz. S. u. R.	Jeden letzten Mittwoch oder Samstag des Monats abends 8½ Uhr im Museum.	An den Vorsitzenden.
Krefeld (1886)	Heinhaus, Dr. med. L. Cimbria-Münch. V. Karl Schwabe, Dr. phil. Vorsteher d. städt. Untersuchungsamtes Teut-Jena. Krefeld, Steinstr. 97. S. u. R.	Am letzten Donnerstag in jedem Monat im Restaurant Enzler, Krefeld.	Desgl.
Kronstadt (1899)	Christoph Gusbeth, Professor d. evang. Schule Arm-Jena. Kronstadt. V. Joseph Schuller, Chemiker Gothia-München. Kronstadt. S. Heinrich Obert, Apothekenbesitzer Frankonia-Graz. R.	Burschenschaftliche Abende alle Monate (mit Ausnahme d. Ferialmonate Heuert u. Erntig) je am zweit. Mittwoch, außerdem burschensch. Weihnachtsfest am 3. Weihnachtsfeiertag (27. Julmonds) u. burschenschaftl. Sommerfest, zu welchen beiden Festen stets auch d. Bundesschwestern beigezogen werden.	Desgl.
Landsberg a. W. (1888)	Wilhelm Neydam, Oberbürgermeister a. D. Racz-Breslau. Landsberg a. W. V. Karl Senfarth, Prof. Arm-Leipz. Landsberg a. W., Schulstr. 1. S. u. R.	Freie Zusammenkünfte in nicht bestimmten Zeiträumen.	An d. Schriftwart.
Leipzig (1889)	Herm. v. Criegern, Dr. Archivdiakon Germ-Leipz. Leipzig, Burgstr. 1. V. J. Saemann, Apotheker Arm-Leipz. Leipzig-Gohlis, Pölitzstraße 1. S. Paul Grosse, Dr. Arzt Germ-Leipz. Leipzig. R.	An jedem dritten Montag im Monat Farbenkneipe im kleinen Saal von Kitzig u. Helbig in Leipzig, Schloßgasse 20.	An den Vorsitzenden.
Ludwigshafen a. Rh. (1901)	Eug. Alsberg, Dr. Bezirk-Arzt Arm-Würzb. Ludwigshafen a. Rh. V. u. S.	Am vierten Mittwoch jeden Monats abends 9 Uhr im	Desgl.

Name der Ortsgruppe und Gründungsjahr	Vorstand	Zeit und Ort der Zusammenkünfte	Briefe u. dgl. zu richten
Ludwigshafen a. Rh. (1901)	C. Ruppenthal, Kaufmann Alemannia-Stuttgart. Ludwigshafen a. Rh. K.	Bahnhofrestaurant jeden zweiten Mittwoch mit der B. A. B. Mannheim, im Thomasbräu in Mannheim.	An den Vorsitzenden.
Lübeck (1896)	Herm. Pfaff, Apothekenbesitzer Teut-Kiel All-Heid. Lübeck, Sandstr. 16.	In der Regel jeden zweiten Montag i. Monat im Hause der Gesellschaft zur Beförderung gemeinnütziger Tätigkeit, Lübeck, Königstraße 5.	Desgl.
Lyk (1902)	Lossau, Land-Ger.-Dir. Bahnhofstraße. Germ-Königsberg. B. Otto Schmidt, Gymn.-Oberlehrer. Neue Anlagen 2. Primislavia. S. u. K.	Jeden zweiten Dienstag im Monat abends 8¼ Uhr in dem reservierten Zimmer der Bahnhofswirtschaft.	An d. Schriftwart.
Magdeburg (1881)	Gust. Scheibler, Dr. Prof. Grm-Leipz. Magdeburg. B. B. Studentkowski, Dr. Arzt Grm-Breslau-Leipzig. Magdeburg, Anhaltstr. 4. S. u. K. G. Freuer, Apothekenbesitzer Fr-Erl. Magdeburg. Kassenprüfer. Eberhard Dr. jur. Rechtsanwalt. Arm-Berlin-München. Tietz, Kriegsgerichtsrat. Arm-München.	Jeden Montag 6—8 Uhr im Pilsener Urquell, Schöneckstr. 1.	Desgl.
Mainz (1884)	Joseph Pozniczek, Direktor der Landwirtschaftlichen Schule Rhen-Münch. Mainz, Schulstraße 18. B. Hans Schneider, Ger.-Assessor Grm-Gieß. Mainz, Leibnizstraße 14 II. S. u. K.	An jedem ersten Donnerstag im Monat im Café de Paris, Gutenbergpl.	Desgl.
Mannheim (1891)	Fritz Koch, Dr. Amtsrichter, Frank-Heidelb. Mannheim, Collinistr. 10. B. Gustav v. Neuenstein, Oberinspektor Teut-Freib. Mannheim. K.	Jeden zweiten Mittwoch im Monat Kneipe i. Thomasbräu.	An den Vorsitzenden.
Marburg (1887)	Theobald Fischer, Dr. Professor Geheimrat All-Heid. Arm-Marb. Al-Halle. Marburg, Villa Palermo. B. Bork, Rechtsanwalt Alem-Marb. S. u. K.	—	Desgl.

Name der Ortsgruppe und Gründungsjahr	Vorstand	Zeit und Ort der Zusammenkünfte	Briefe u. dgl. zu richten
Marienwerder (1902)	Wilh. Reiche, Oberlandesgerichtsrat All-Heid. Marienwerder. V. Franz Poppo, Dr. Augenarzt Grm-Karlsr. Marienwerder. S. u. K.	Jeden ersten Sonnabend 8 Uhr i. Vierteljahr i. Lesezimmer d. Zivilkasinos. Grünstr. 39.	An den Vorsitzenden.
Meiningen (1894)	Ernst Heye, Landesgerichtsrat Teut-Jena. Meiningen. V. August Sauerteig, Oberlehrer Fr-Berlin. Meiningen. S. u. K.	Regelmäßig in der Oster-, Sommer- u. Weihnachtsferien. Außerdem wenn wichtige Verhandlungsgegenstände, Abstimmungen ꝛc. e. Zusammenkunft wünschenswert erscheinen lassen. Ort: Kasino Meiningen.	An d.Schriftwart.
Metz (1880)	Friedrich Meinel, Dr. Geh. Sanitätsrat Grm-Erl-Tüb. Metz. V. Aug. Wed, Referendar Grm-Straßburg. Metz, Goldkopfstraße 14. S. u. K. Wunsch, Kais. Ob.-Steuer-Kontrolleur Teut-Freiberg, Theaterplatz 2. K.	Jeden Mittwoch von 6 Uhr abends ab Dämmerschoppen im Bürgerbräu, Esplanadenstraße.	An d.Kassenwart.
Minden-Bückeburg (1893)	Wilh. Feigell, Regierungsrat Grm-Bresl-Leipzig. Minden, Immanelstr. 14. V.	Jeden ersten Dienstag im Monat abends 8 ½ Uhr im Restaurant Kleiter, am Markt, Hinterzimmer.	An den Vorsitzenden.
Mosbach (1893)	Weiß, Dr. J. G. Bürgermeister Franc-Heidelberg. V. S. u. K.	4—5 mal jährlich.	Desgl.
München (1894)	Ludwig Höflmayer, Dr. Nervenarzt Arm-Würzb. München, Wittelsbacherpl. 2. V. Engelbert Ammer, Dr. Gymnasial-Professor Dan-Münch. München, Häberlstr. 23. S. Ludwig Hauser, Dr. Augenarzt Clmb-München. München, Herzog Heinrichstr. 15.	An jedem zweiten Dienstag auf der Armenkneipe (Münzstraße); im Herbste Kommers, im Mai Familienbockfrühschoppen (i. Arzbergerkeller). Telephonnummer der Vorstandstelle 993.	Desgl.
Münster i. W. (1890)	Ludwig Weingärtner, Amtsgerichtsrat Teut-Jena Al-Halle. Münster i. W., Badestraße 9/10. V.	Jeden zweiten Sonnabend im Monat 8 ½ Uhr. Hotel Mennemann Farbenkneipe.	Desgl.

Name der Ortsgruppe und Gründungsjahr	Vorstand	Zeit und Ort der Zusammenkünfte	Briefe u. dgl. zu richten
Münster i. W. (1890)	Albin Bänder, Postinspektor Hann-Gött. Frank-Münster. Münster i. B., Ferdinandstr. 9. S. u. K.		An den Vorsitzenden.
Naumburg-Weißenfels (1893)	Brann, Justizrat Al - Halle. B. u. S. Hause, Dr. Archidiakonus. Weißenfels.	Unbestimmt.	Desgl.
Neuburg a. D. (1898)	Wilhelm Schiller, Landgerichtsrat Bub-Erl. Neuburg a. D.	Alle vier Wochen im Restaurant „Blaue Traube" in Neuburg a. D.	Desgl.
Neuruppin (1901)	Ed. Meese, 1. Staatsanwalt Arm-Leipz. Neuruppin. B. Willy Häusler, Referendar Al-Bonn. Neuruppin. S. u. K. Wilh. Lüning, Dr. Arzt Cinb-Würzb. Neuruppin. II. Vorsitzender.	Allmonatlich eine Farbenkneipe in Bernaus Hotel.	An b. Schriftführer.
Neuvorpommern (Greifswald-Stralsund) (1894)	Paul Grawitz, Dr. o. Professor Grm - Halle Frank - Bonn. Greifswald. B. Aug. Martin, Dr. o. Professor Arm-Jena. Greifswald. S. Karl Ritter, Dr. Privatdozent Bub-Erl. Greifswald. K.	Alle Jahre zwei Festkommerse, einer in Greifswald, einer in Stralsund.	Desgl.
New-York (1891)	H. Kaiser, Dr. Direktor der Hoboken-Akademie Al-Halle. Hoboken bei New-York, 201 Tenth-Street. B. Ernst Richard, Dr. Rektor Arm-Marb. Hoboken bei New-York. S. u. K.	Etwa sechsmal im Jahre; 1. Mai, 18. Oktober, Weihnachtskneipe, 18. Januar, 1. April usw.	An den Vorsitzenden.
Niederlausitz (Guben-Krossen-Züllichau) (1892)	Gustav Marcus, Rechtsanwalt und Notar Justizrat Cher-Breslau. Guben.	Am ersten Freitag jeden Monats auf Kaminsky's Berg in Guben 8 1/2 Uhr abends.	Desgl.
Nordhausen (1898)	Paul Förstemann, Dr. Arzt Grm-Jena. Nordhausen. B. Otto Feist, Dr. Referendar Ale-Marburg. Klein-Jurra bei Nordhausen. S. u. K.	Jed. Monat ein Kneipabend in Nordhausen, i. Sommer Ausflüge mit Damen.	An b. Schriftwart.
Nürnberg (1893)	Wilhelm Bech, Dr. med. Hofrat Grm-Erlangen. Nürnberg. Marxplatz 28. B. Oskar Groß, Rechtsanwalt Bub-Erlangen Nürnberg, Königstraße 2a. S.	Jeden dritten Montag im Monat im Restaurant „Krokodil".	An den Vorsitzenden.

Name der Ortsgruppe und Gründungsjahr	Vorstand	Zeit und Ort der Zusammenkünfte	Briefe u. dgl. zu richten
Nürnberg (1893)	Joseph Höhl, Justizrat u. Notar. Winklerstr. 61. Arm-Würzburg.	Jeden dritten Montag im Monat im Restaurant „Krokodil".	An den Vorsitzenden.
Obere Saale (Rudolstadt) (1897)	Bruno Haushalter, Dr. Professor Frank-Bonn Bruns-Göttingen. Rudolstadt. B. Adolf Hoering, Pfarrer Tent-Jena. Milbitz bei Rottenbuch. K. Emil Witzmann, Rechtsanwalt Grm-Jena. Rudolstadt. S.	Mit Ausnahme der Ferienmonate Juli, August und September an jedem zweiten Sonntag 4 Uhr nachmittags im „Vereinsgarten" in Saalfeld.	An d. Schriftwart.
Oberschlesien (Gleiwitz) (1899)	Oswald Köpsch, Apothekenbesitzer Tent-Jena. Myslowitz. B.	Alle 4—6 Wochen in Kattowitz, Beuthen oder Gleiwitz.	An den Vorsitzenden.
Oldenburg (1896)	G. Laur, Dr. Arzt Al-Marburg Oldenburg. B. Jul. Rutzenbecher, Regierungsrat Grm-Jena. Oldenburg. K. K. Albrecht, Dr. Professor Grm-Greifsw. Oldenburg. S.	An jedem Donnerstag 7—9 Uhr Dämmerschoppen, an jedem 1. Samstag im Monat Farbenkneipe in Eilers Restaurant in Oldenburg am Wall.	Desgl.
Osnabrück (1897)	Ludwig Harriehausen, Landgerichtsrat Hann-Götting. Osnabrück. B. Ernst Finkenstaedt, Rechtsanwalt Arm-Jena. Osnabrück. S.	An jedem 1. Donnerstag im Monat abends 8½ Uhr Zusammenkunft im Central-Hotel in Osnabrück.	An d. Schriftwart.
Pforzheim (1896)	Albr. Brinkmann, Dr. Arzt Arm-Würzb. Pforzheim. B. u. S. Stengel, Dr. Assistenzarzt Grm-Jena.	An jed. letzten Freitag im Monat abends 8½ Uhr in der Museumsrestaurat. in Pforzheim.	An den Vorsitzenden.
Posen (1882)	Wilh. Langer, Oberlehrer Al-Marb. Posen, Gartenstr. 5. B. Georg Rudolph, Dr. Frauenarzt Arm-Jena. Posen. S. u. K.	An jedem Donnerstag von 6½—8 Uhr Dämmerschoppen t. Mandels Rest. Berlinerstr. Am ersten Sonnabend t. M. 8½ Uhr Farbenkneipe im Viktoria-Restaurant am Königsplatz.	Desgl.
Ravensburg (1902)	—	—	—

Name der Ortsgruppe und Gründungsjahr	Vorstand	Zeit und Ort der Zusammenkünfte	Briefe u. dgl. zu richten
Regensburg (1902)	P. Hoh, Apotheker Dan-Münch. Jof. Oppmann, Oberstleutnant a. D. Arm-Würzb. Regensburg. S.	Am ersten Mittwoch jeden Monats im Café Central in Regensburg. Jährlich 1—2 Farbenkneipen in Deggendorf ob. Straubing	An den Vorsitzenden.
Remscheid (1901)	Grabm. Siebert, Pastor Arm-Berl. Remscheid, Wiedenhofstraße 8. V. H. Rottenhahn, Dr. Arzt Al-Gießen. Remscheid, Alleestraße 86. S. Karl Richter, Dr. Kreisarzt Grm-Tübingen. Remscheid. K.	An jedem zweiten Mittwoch i. Monat abends 8½ Uhr Farbenkneipe, Café Victoria. Zillenstraße 1.	An d. Schriftwart.
Rostock (1870)	Dietrich Barfurth, Dr. phil. et med. o. Universitätsprofessor Braunsw-Gött. Al-Bonn. Rostock, Graf Schackstr. 7. V. Berth. Soeken, Dr. Navigationsschuldirektor Al-Marb. Rostock, Friedrichsweg 20. S. Kurt Tardel, Rechtsanwalt Obotr-Rost. Rostock, Kröpeliner str. K.	An jedem letzten Samstag i. Monat ½ 9 Uhr abends in Heldts Restaurant in Rostock, Breitestr.	Desgl.
St. Johann-Saarbrücken (1890)	Max Maurer, Dr. Arzt Arm-Jena. Malstadt-Burbach. V. Karl Münch, Gymn-Oberlehrer Al-Halle. Saarbrücken. K. Karl Debusmann, Gew-Inspektor-Assistent Saar-Berlin. Saarbrücken. S.	Jeden 2. Dienstag im Hotel Bristol in Saarbrücken.	An den Vorsitzenden oder an den Schriftwart
Schwerin (1896)	Alb. Schmidt, Landger.-Direkt. Hann-Gött. Schwerin. V.	Viermal im Jahr im Tabelsteinschen Restaurant zu Schwerin.	An den Vorsitzenden.
Siegen	—	—	—
Solingen (1894)	Karl Kehler, Gymnasial-Oberlehrer Profess. Arm.-Marb. Solingen. S. u. K.	An jedem dritten Mittwoch im Monat 8½ Uhr im Hotel Monopol in Solingen.	An den Vorsitzenden.
Sonneberg (1893)	Rud. Anschütz, Dr. Professor Grm-Halle-Greifsw. Sonneberg. V. Herm. Keßler, Rechtsanwalt Grm-Jena. Sonneburg. K.	Bestimmte Termine für die Zusammenkünfte bestehen nicht.	Desgl.

Name der Ortsgruppe und Gründungsjahr	Vorstand	Zeit und Ort der Zusammenkünfte	Briefe u. dgl. zu richten
Speyer (1890)	H. Vollmer, Rechtsanwalt Rhen-Münch. Speyer, Wormser-straße 44.	Jeden 2. Mittwoch im Monat in der Brauerei Schulz.	An den Vor-sitzenden.
Stettin (1878)	Hermann Engelle, Dr. Justiz-rat, Rechtsanwalt u. Notar Germ-Leipz. Stettin, Parade-Platz 21. V. Arnold Schrader, Amtsrichter Germ-Jena. Stettin. R. Eberhard Gentz, Referendar Frank-Berlin. Stettin, Frie-drich Karlstr. 11. S.	An jedem 1. Samstag im Monat abends Farbenkneipe im Restaurant Mitz-hof i. Stettin, Augustastr. 66.	Desgl.
Stolp (1901)	Karl Jaene, Amtsgerichtsrat Germ-Berl. Stolp. V. Walther Lemme, Dr. phil. Ober-lehrer Al-Freib. Schlawe. S. u. R.	Alle sechs bis acht Wochen auf Ver-einbarung, meisten-teils in Stolp.	Desgl.
Straßburg i. E. (1846)	Julius Smend, Lic. theol. Dr. o. Univ.-Professor Al-Bonn. Straßburg i. E. V. Bold. Döhle, Dr phil. Professor Germ-Halle-Straßb. Straß-burg i. E., Baseneck 4. 2. V. Hans Kaiser, Dr. phil. Archiv-assistent Al-Halle. Straßburg i. E., Gailerstr. 6. S. Adam Schneider, Dr. phil. Bib-liothekar Al-Gieß. Straßburg i. E., Schulgasse 34. R.	An jedem zweiten Freitag im Monat abends 8 Uhr im Bratwurstglöckle in Straßburg.	Desgl.
Thorn (1892)	Ernst Meyer, Dr. Sanitätsrat Germ-Leipz. Thorn. V. Theodor Erdmann, Landrichter Frank-Berl. Thorn. S. u. R. Willy Stachowitz, Bürgermeister Germ-Tüb. Thorn. Stellver-treter der ersten beiden Vor-standsmitglieder.	An jedem zweiten Montag im Monat in Schlesingers Restaur. in Thorn, Breitestraße und Schillerstr.-Ecke.	An d. Schrift-wart.
Tilsit (1902)	Emil Knaake, Dr. phil. Professor Germ-Leipzig. Tilsit, Am Anger 24. V. u. R. Myske, Dr. Oberlehrer. Al-Königsbg. S.	Jeden zweiten Mitt-woch im Kasino Farbenkneipe.	An den Vor-sitzenden.
Ulm-Neuulm (1895)	Wilh. Völter, Landrichter Germ-Tüb. Ulm. V. Karl Morian, Dr. Arzt Rhen-Münch. Neuulm. 2. V.	Alle zwei Monate im „Prinz Karl" in Neuulm.	Desgl.
Vogtland (Plauen) (1899)	Paul Zehmann, Dr. jur. Rechts-anwalt Hev-Berl. Plauen, Schloßstr. 9. V. Aug. Pilz, Dr. Augenarzt Germ-Jena. Plauen, Fürstenstr. 3.	An jedem Montag abends im Café Central in Plauen.	Desgl.

Name der Ortsgruppe und Gründungsjahr	Vorstand	Zeit und Ort der Zusammenkünfte	Briefe u. dgl. zu richten
Weimar (1896)	Adolf Sommer, Rechtsanwalt Arm-Jena. Weimar. V. Gotthard Hübel, Dr. Arzt Germ-Jena. Weimar. S. Mennecken, Rechn.-Rat Germ-Jena. Weimar. Kaiserin Augustastr. 15.	An jedem zweiten Mittwoch im Monat im Gasthof z. Sächsischen Hof in Weimar.	An den Vorsitzenden.
Werra-Fulda (Eisenacher Oberland u. Meininger Unterland, Torndorf) (1893)	August Sillich, Dr. jur. Amtsgerichtsrat Fr-Heid. Salzungen Sachs.-Mein. V. u. S. Kuno Friderici, Pfarrer Teut-Jena. Pferdsdorf Sachsen-Weimar. K.	Alle Vierteljahr in Torndorf. Mindestens alle Vierteljahr einmal.	Desgl.
West-Holstein (Marne) (1888)	Karl Köster, Professor Bub-Erl. Marne. V.	Zweimal im Mai oder Juni u. im August oder September in St. Michaelis-Damm bei Marne, mal anderswo.	Desgl.
Westrich (Homburg i. d. Pfalz) (1902)	H. Todt, Subrektor Bub-Erl. Homburg i. d. Pfalz.	An jed. ersten Samstag im Monat im Bahnhof-Hotel (Bach) in Homburg i. d. Pf.	Desgl.
Wetzlar (1900)	Eduard Braun, Dr. Kreisassistenzarzt Al-Marb. Cimb-Würzb. Wetzlar. V. Karl Günder, Pfarrer Der-Tüb. Wetzlar. S. u. K.	An jedem ersten Montag im Monat im „Deutschen Haus" in Wetzlar.	Desgl.
Wiesbaden (1878)	Karl Faber, Hofrat Al-Halle Wiesbaden, Adelheidstr. 59. V. Richard Kühne, Rechtsanwalt (Germ-Halle Al-Freib. Wiesbaden. S.	An jedem dritten Mittwoch im Monat im Rest. Pohts in Wiesbaden, Langgasse 11.	Desgl.
Wilhelmshaven und Jeverland (1888)	Albert Zimmermann, Gymn.-Dir. Arm-Königsbg. Wilhelmshaven, Göckerstr. 3. V. Onken, Dr. med. Adalbertstr. 4a. Al-Marb.	Jeden 3. Mittwoch im Monat Farbenkneipe in Wilhelmshaven im Parkhause. Halbjährlich Kommers in Jena u. Wilhelmshaven. Familienabend bei Lohende nach Übereinkunft.	Desgl.
Worms-Osthofen-Frankenthal (1899)	Heinrich Veith, Professor Al-Gieß. Worms. V. Winkler, Dr. jur. Amtsanwalt Al-Gieß. Worms. S. u. K.	An jed. ersten Mittwoch im Monat im Festhaus in Worms.	Desgl.

Germania-Tübingen.

Name der Ortsgruppe und Gründungsjahr	Vorstand	Zeit und Ort der Zusammenkünfte	Briefe u. dgl. zu richten
Würzburg (1896)	Otto Seifert, Dr. med. Univ.-Professor Bnd-Erl. Würzburg I. V. Bernh. Hammer, gepr. Rechtspraktikant (Arm-Würzb. S. u. K. L. Schenring, Rechtsrat, Arm-Würzb. II. V.	An jedem ersten Dienstag im Monat im Restaurant Franziskaner.	An den Vorsitzenden.
Zerbst i. Anh. (1903)	Stackelhausen, Arm-Marbg. V.	Restaurant zur Klappe nach Verabredung	Desgl.
Zwickau (1900)	Max Lauterlein, Pastor, Arm-Leipz. Zwickau. V. Wilh. Böttcher, Dr. phil. Apothekenbesitzer Frank-Erl. Zwickau. K. Borchers, Bürgermeister, Glückauf-Freibg. II. V. Büchner, Reichsbankkassierer, Arm-Leipz. S.	An jedem Dienstag abends 8 Uhr im Restaurant Penzler in Zwickau. In Farbenkneipen u. größeren Veranstaltungen wird besonders eingeladen.	Desgl.

17

Burschenschafter = Ehrenräte.

Die Burschenschafter-Ehrenräte haben den Beruf, alten und jungen Burschenschaftern, die sich an die Ehrenräte wenden, in Ehrenangelegenheiten mit Rat und Tat zur Seite zu stehen. Es sind bisher in folgenden Städten Burschenschafter-Ehrenräte ins Leben getreten:

Bamberg. Mitglieder: Fabrikant Ernst Mayer (Bubenruthia), Geyerswörthstr. 6a, Dr. B. Blumm (Arminia-Würzburg), Franz Ludwigstr. 14, Dr. G. Kohler (Germania-Erlangen), Grüner Markt 26, Dr. Zeitler.

Berlin. Vorsitzender: Justizrat Wagner (Germania-Berlin, Dresdensia), Berlin, Schinkelplatz 3, Beisitzer: Dr. Hugo Böttger (Arminia a. d. B.), Mauerstraße 44, Amtsgerichtsrat Liebert (Saravia), Dr. Wulsten (Germania-Berlin), Dr. Prochownik (Alemannia-Gießen).

Bonn. Der Vorstand der B. A. B. Geh. Ober-Postrat Fr. Walter (Alemannia-Bonn).

Braunschweig. Rechtsanwalt Magnus (Brunsviga); Dr. med. Schütte (Teutonia-Kiel).

Breslau. Der Vorstand der B. A. B. Justizrat Silska.

Danzig. Vorstand der B. A. B. Regierungsrat Willers (Brunsviga).

Detmold. Prof. Dr. Thorbecke, Konsistorialrat Engel, Staatsanwalt Crede.

Eisenach. Vorstand der B. A. B. Medizinalrat Dr. Bedemann (Germania-Jena).

Frankfurt a. M. Dr. med G. Hesse (Gothia), Rechtsanwalt A. Haeuser (Alemannia-Marburg, Franconia-Freiburg), Dr. B. Reinhardt (Alemannia-Marburg, Germania-Straßburg).

Freiburg i. B. Vorsitzender Dr. Koch (Cimbria-Würzburg), Dr. Bartenstein (Alemannia-Freiburg), Dr. Oberst (Alemannia-Freiburg), Finanzpraktikant Kaiser (Alemannia-Heidelberg), Dr. Eschbacher (Teutonia-Freiburg), Dr. Hopf (Terendingia), Dr. Agricola (Franconia-Freiburg, Alemannia-Marburg).

Giessen. Vorsitzender Professor Dr. Haupt (Arminia-Würzburg), Professor Dr. Pitz (Alemannia-Gießen), Sanitätsrat Dr. Dickoré (Germania Gießen),

Ökonomierat Schlenke (Arminia - Marburg), Dr. Marlwald (Germania-Königsberg)

Gotha. Medizinalrat Sterzing (Arminia a. d. B.), Oberbürgermeister Liebetrau (Arminia-Marburg), Geh. Regierungsrat Schenk (Teutonia-Jena), Dr. med. Kehler (Germania-Jena), Dr. Schober (Arminia-München).

Hannover. Vorsitzender Regierungsrat Delius (Brunsviga, Alemannia-Marburg), Dr. Dittmar (Gothia), Regierungsrat Geyer (Teutonia-Königsberg), Dr. Enfell (Arminia-Marburg), Dr. Rosenberg (Arminia-Würzburg).

Heidelberg. Prof. Dr. Lorentzen (Germania-Jena), Oberstleutnant Grohé (Bubenruthia, Allemannia-Heidelberg), Bankdirektor Krastel (Frankonia-Heidelberg), Notar Decker (Allemannia-Heidelberg), Abel (Alemannia-Freiburg).

Kassel. Vorsitzender Professor O. Hebel (Brunsviga, Arminia-Marburg), Maulbeerplantage 8, Ökonomierat Gerland (Brunsviga), Sternstr., Oberlehrer Bleckmann (Germania-Marburg), Murhardstr. 17, Oberlehrer Dr. Koch (Arminia-Marburg), Dr. med Baumgart (Alemannia - Marburg), Hohenzollernstr. 43, Dr. Scherd (Hannovera), Referendar Bürmann.

Landsberg a. W. Vorstand der B. A. B.-Lübeck Dr. Paul Reuter (Arminia a. d. B.), Mühlenbrücke 5a, Dr. Ernst Reuter (Arminia a. d. B.), Fleischhauerstr. 76, Herm. Pfaff (Allemannia-Heidelberg, Teutonia-Kiel), Sandstraße 16.

Leipzig. Vorsitzender: Dr. Breymann (Germania-Tübingen), Beisitzer: Dr. Müller (Teutonia-Jena), Dr. med. Letter (Germania-Jena).

Lippe. Prof. Dr. Thorbecke (Alemannia-Halle), Konsistorialrat Engel (Germania-Gießen), Staatsanwalt Crebé (Teutonia-Jena).

Magdeburg. Vorstand der B. A. B. Gymnasialprofessor Dr. Scheibler (Germania-Leipzig), Oloenstedterstr. 3.

Marburg a. L. Vorsitzender Geheimrat Professor Dr. Th. Fischer (Alemannia a. b. Pf., Allemannia-Heidelberg, Arminia-Marburg), Landgerichtsrat Heer (Arminia-Marburg), Rechtsanwalt Bork (Alemannia-Marburg), Geheimer Regierungspräsident Dr. Küster (Franconia-Bonn), Dr. med. Sandemann (Germania-Marburg), Steinweg.

München. Vorsitzender Professor Dr. Günther (Bubenruthia), Akademiestr. 6, Medizinalrat Dr. Ad. Müller (Germania-Erlangen, Tübingen), St. Annaplatz 1, Dr. med. L. Höflmayer (Arminia-Würzburg), Wittelsbacherplatz 2, Dr. Peine (Arminia a. d. B.), Waltherstr. 33, Professor A. Deye (Alemannia-Marburg), Wittelsbachstr. 10.

Münster i. B. Vorsitzender Archivdirektor Professor Dr. Philippi (Alemannia-Bonn), Krummer Timpen, Dr. Reeter (Franconia-Münster), Cardestr. 1, Dr. Behre (Arminia a. d. B., Franconia-Münster).

St. Johann-Saarbrücken. Dr. med. Maurer (Arminia a. d. B.), Gewerbe-Inspektions-Assistent Debusmann (Saravia), Oberlehrer Münde (Alemannia a. d. Pf.).

Solingen. Vorsitzender: Gymnasial-Oberlehrer Dr. Kehler (Arminia-Marburg). Mitglieder: Dr. med. Röpke (Alemannia-Marburg, Franconia-Freiburg), Augustastr. 13, Dr. med. Benzel (Germania-Halle, Franconia-Bonn).

Strassburg. Mitglieder: Profeſſor Dr. Döhle (Germania-Halle, Germania-Straßburg), Waſeneck 4, Rechtsanwalt Lehnebach (Alemannia-Marburg), Dr. Bibel (Alemannia-Heidelberg), Univerſitätsplatz, Rechtsanwalt Dr. Lennig (Alemannia-Straßburg), Broglieſtraße, Dr. Kaiſer (Alemannia a. d. Pfl.), Gailerſtr. 6.

Wilhelmshaven-Leverland. Ehrenrat: Vorſtand der B. A. B.

Würzburg. Vorſitzender Univerſitätsprofeſſor Dr. med. O. Seifert (Bubenruthia), Friedenſtr. 31, Univerſitätsprofeſſor Dr. L. Schultze (Alemannia-Bonn), Anatomie, Dr. med Schminke (Arminia-Marburg), Aſſiſtent an der Anatomie.

Gedruckt bei Julius Sittenfeld in Berlin W.

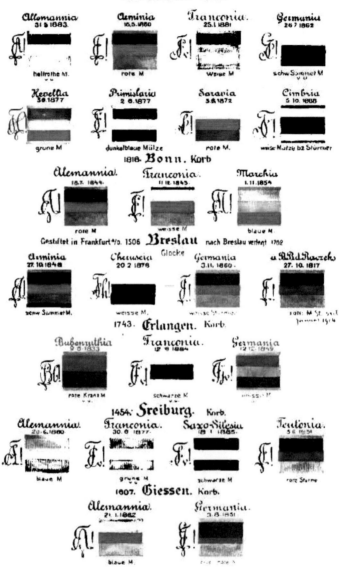

1809. **Berlin.** Glocke.

Alemannia
31.5.1883.
hellrothe M.

Arminia
16.5.1860
rote M

Franconia.
25.1.1881
Weisse M

Germania
26.7.1862
schw Sammet M

Repeltia
30.1877
grüne M

Primislavia
2.6.1877
dunkelblaue Mütze

Saravia
5.8.1872
rote M.

Cimbria
5.10.1866
weisse Mütze b2 Stürmer

1818. **Bonn.** Korb

Alemannia.
18.7. 1844.
rote M

Franconia.
11.12.1845.
weisse M

Marchia
1.11.1854
blaue M.

Gestiftet in Frankfurt a/o. 1506 **Breslau** nach Breslau verlegt 1702

Arminia
27.10.1848
schw Sammet M.

Cheruscia
20.2.1876
Glocke
weisse M.

Germania
3.11.1860.
weisse Stürmer

u.B.B.d.Razeck
27.10.1817
von: M St. and
Januar 1914

1743. **Erlangen.** Korb.

Bußenythia
9.6.1833
rote Kranz M

Franconia.
12.9.1884
schwarze M

Germania
12.12.1849
weiss M

1454. **Freiburg.** Korb.

Alemannia.
20.6.1860.
blaue M

Franconia.
30.6.1877.
grüne M

Saxo-Silesia
18.1.1885.
schwarze M

Teutonia.
5.6.1951
rote Stürmer

1607. **Giessen.** Korb.

Alemannia.
21.1.1862
blaue M.

Germania.
3.8.1851
rote M

294

1737. Göttingen Korb.

Alemannia. Brunsovia. Hannovera
5. 6. 1862 · 27. 1848 · 13. 5. 1848

violette M. rote M. grüne M.

1456. Greifswald. Glocke.

Germania. Rugia.
24. 1. 1862 · 5. 5. 1856

violette M. siegelrote M.

1694. Halle. Glocke.

Alemannia. Germania Salingia
20. 6. 1843 · 26. 1. 1861 · 17. 12. 1848

violette Sammetmütze rote M. rote M

1386. Heidelberg. Korb.

Alemannia Franconia
7. 11. 1856 · 15. 11. 1856

siegelrote M. rote Stürmer

1558. Jena. Korb.

Arminia a.d.B Germania Teutonia
12. 6. 1816 · 12.6.1815, 13.12.1846 · 12.6.1846,26.6.1848

rote M. weiße M. blaue M.

1665. Kiel. Korb.

Teutonia
14. 11. 1868

hellblaue M.

1544. Königsberg. Glocke.

Alemannia. Germania Gothia Teutonia
20. 6. 1879 · 9. 9. 1843 · 22. 11. 1884 · 27. 11. 1878

schwarze Sammetmütze rote Sammet M. blaue Sammet M. rote M.

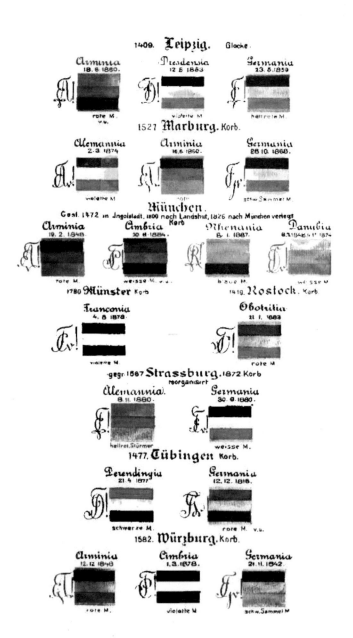

1409. **Leipzig.** Glocke.

Arminia
18. 6. 1860.
rote M.
v.u.

Dresdensia
12. 5. 1883
violette M

Germania
13. 8. 1859.
hellrote M.

1527 **Marburg.** Korb.

Alemannia
2. 3. 1874
violette M

Arminia
16. 6. 1860.
rote

Germania
26. 10. 1868.
schw. Sammet M.

München.
Gest. 1472 in Ingolstadt, 1800 nach Landshut, 1826 nach München verlegt

Arminia
19. 2. 1848.
rote M.

Cimbria
30. 8. 1884.
weisse M. v.u.

Korb

Rhenania
8. 1. 1887.
blaue M.

Danubia
8.3.1848 u. 12. 1874
weisse M

1780 **Münster** Korb

Franconia
4. 8. 1878.
violette M

1419. **Rostock.** Korb.

Obotritia
21. 1. 1883.
rote M

gegr. 1567 **Strassburg.** 1872 Korb
reorganisirt

Alemannia.
8. 11. 1860.
hellrot. Stürmer

Germania
30. 8. 1880.
weisse M.

1477. **Tübingen** Korb.

Derendingia
21. 4. 1877.
schwarze M.

Germania
12. 12. 1818.
rote M. v.u.

1582. **Würzburg.** Korb.

Arminia
12. 12. 1848.
rote M.

Cimbria
1. 3. 1878.
violette M

Germania
21. 11. 1842.
schw. Sammet M